Niewiarygodny Cel

JAK BIEGAĆ ŚWIADOMIE

ERIC ORTON

trener z kultowych
URODZONYCH BIEGACZY

Niewiarygodny Cel

JAK BIEGAĆ ŚWIADOMIE

Przełożyła:
Magdalena Grala-Kowalska/Quendi

Książki Burda

Dla Angel:
Wspinaj się coraz wyżej przez całe życie, maleńka!

Dla Michelle:
Dzięki Tobie moja pasja ożyła i wszystko stało się możliwe!

SPIS TREŚCI

PODZIĘKOWANIA

Gdzie tu zacząć, jeśli nie od początku? Dziękuję z całego serca moim rodzicom za ich bezwarunkową miłość i wsparcie, i za to, że nigdy nie pytali „dlaczego?". Tato, to Ty nauczyłeś mnie, że „NIE MOGĘ jeszcze niczego nie zdziałało" – dziękuję.

Do wszystkich moich sportowców – ta książka została tak naprawdę napisana przez Was i nigdy nie powstałaby bez współpracy z Wami. Wielkie uściski zwłaszcza dla Terry'ego Honga (mojego łącznika ze Speedy Dot), Margot Watters, Jenn Sparks, Annie Putnam, George'a Putnama i Keitha Petersa za Wasze wieloletnie zaangażowanie i zaufanie do moich metod szkoleniowych, a także za wpływ, jaki wywarliście na mój Niewiarygodny Cel.

Dziękuję trenerom Nugentowi, Havensowi i Schlageterowi za lekcje życia, jakich udzielili mi na futbolowym boisku przed laty. Wciąż z nich korzystam – niemal każdego dnia. Dziękuję wszystkim trenerom – było ich tak wielu! – którzy nauczyli mnie znaczenia podstaw, techniki, powtórek i dążenia do perfekcji.

Do Paula Knutsona – to Ty pokazałeś mi drogę. Biegaj w pokoju, przyjacielu. Patricku Kelly, Twoje telefony o 5.00 rano z pobudką na trening były esencją realizacji Niewiarygodnego Celu. Dziękuję Ci za wszystkie nasze wspólne sesje biegowe, pływackie, kolarskie – i za buty śniegowe.

Do Christophera McDougalla – Twoje wytrwałe dążenie do prawdy jest dla mnie wielką inspiracją. Ogromnie dziękuję Ci za Twoje zaangażowanie, zaufanie i niepoddawanie się takim myślom jak „nie powinienem" czy „nie nadaję się do tego". Niech żyją piły zębate!

Do Neala Bascomba – czas jest wszystkim. Dziękuję, że byłeś dyrektorem mojego wymarzonego ultramaratonu. Twoje oddanie i wsparcie umożliwiły mi zrealizowanie tego Niewiarygodnego Celu. Bez ciebie nigdy nie pobiegłbym tak szybko i tak dobrze! No i ta Twoja książka *The Perfect Mile*. Inspirująca rzecz.

Podziękowania dla Scotta Waxmana, mojego agenta, który trenował i wspierał mnie na moim szlaku literackim, udzielając mi porad i podpowiadając szybkie rozwiązania, gdy droga robiła się stroma i kamienista. Twoje zachęty, żebym mówił własnym głosem, dały mi pewność siebie tak bardzo potrzebną debiutującym autorom.

Mojej redaktorce Claire Zion dziękuję za poprowadzenie tego projektu pewną ręką i pokazanie mi właściwej drogi do mety.

Micah True, zwany Caballo Blanco – Ty pokazałeś nam wszystkim, jak wcielić swój Niewiarygodny Cel w życie. Biegaj wolny. No i ukłony dla Mas Locos na całym świecie za podtrzymywanie Twoich marzeń.

I wreszcie dziękuję Wam, drodzy czytelnicy: za wybranie się ze mną w tę podróż. Życzę Wam wielu sukcesów w bieganiu i realizowaniu własnych Niewiarygodnych Celów. Chciałbym również poprosić Was o pomoc: zaangażujcie się w mój Niewiarygodny Cel. Wyszukujcie i wspierajcie innych początkujących biegaczy. Zobaczcie, ile osób uda Wam się zainspirować do biegania. Podzielcie się z nimi swoją wiedzą. Zaproponujcie, żeby wybrały się z Wami na lekką regeneracyjną przebieżkę. Stwórzmy razem świat pełen biegających ludzi.

PRZEDMOWA
CHRISTOPHER McDOUGALL

Wstyd przyznać, ale dopiero niedawno zrozumiałem, co tak naprawdę Eric Orton próbował mi powiedzieć od naszego pierwszego spotkania. To klasyczny przykład patrzenia na drzewa i niedostrzegania lasu, ale akurat ten las był dość dziwaczny i biegała po nim naga kobieta, więc sami rozumiecie, że mogłem być trochę skołowany.

Najpierw poznałem tę kobietę. Latem 2005 roku mój przyjaciel, strażnik leśny, zaprosił mnie i czterech swoich kumpli na trzydniową wyprawę biegową po rezerwacie River of No Return Wilderness w stanie Idaho. Mieliśmy pokonać biegiem łącznie 80 kilometrów. Transportem naszego sprzętu i prowiantu miał się zająć konny przewoźnik, a my mieliśmy się skupić jedynie na przemierzaniu średnio 25 kilometrów dziennie od obozu do obozu.

Propozycja wydawała się ogromnie kusząca, mimo iż nie byłem zaprawionym biegaczem. Jeśli już, to raczej mógłbym nazwać siebie eksbiegaczem. Przez lata moje próby biegania kończyły się licznymi kontuzjami, a trzech niezależnych lekarzy ostrzegło mnie, że przy 193 centymetrach wzrostu i 110 kilogramach wagi jestem skazany na kolejne urazy. Ironia polegała na tym, że w tamtym czasie pisałem artykuły do magazynu „Runner's World" i miałem praktycznie nieograniczony dostęp do informacji na temat profilaktyki urazów i zasad treningu. Wypróbowałem chyba każdą wskazówkę, jaką można znaleźć w czasopismach dla biegaczy: rozciąganie, treningi krzyżowe, co cztery miesiące wymiana butów na kolejną absurdalnie drogą parę, robione na zamówienie profilowane wkładki do butów, a nawet moczenie stóp w lodowato zimnym strumieniu po każdym biegu. Ale pomimo tych wszystkich starań co kilka miesięcy w moich kolanach, stopach, ścięgnach podkolanowych i ścięgnach Achillesa pojawiał się ten sam przeszywający, palący ból.

Gdy dostałem zaproszenie na wyprawę do Idaho, byłem akurat w lepszej formie, więc bez wahania je przyjąłem. Pierwszego ranka zająłem miejsce w kolumnie za byłą strażniczką leśną Jenni Blake. Patrzyłem, jak sprawnie i płynnie pokonuje zwalone drzewa, ledwo muskając pnie czubkami butów, a potem biegnie dalej, nawet na chwilę nie zwalniając tempa. To, w jaki sposób wykorzystywała całe ciało podczas biegu, było dla mnie prawdziwym objawieniem. Zbiegając z górki, rozstawiała szerzej ramiona, żeby utrzymać równowagę; na stromych krętych ścieżkach kręciła biodrami niczym tancerka salsy; a gdy natrafiała na obluzowane odłamki skalne, wybijała się z silnie ugiętych kolan, po czym lądowała na pewnym gruncie. Jej zwinność i siła zrobiły na mnie niesamowite wrażenie, byłem więc zszokowany, gdy dowiedziałem się,

że prawie pół swojego życia nie uprawiała żadnego sportu.

– Zanim przyjechałam do Idaho, nie wiedziałam za wiele o lasach – powiedziała mi, gdy zatrzymaliśmy się na złapanie oddechu. – W college'u chorowałam na bulimię i miałam skrajnie obniżone poczucie własnej wartości. A potem trafiłam tutaj.

Jenni przyjechała do rezerwatu jako wolontariuszka i od razu rzucono ją na głęboką wodę: wyposażona w piłę, siekierę z przecinakiem i dwutygodniowy zapas jedzenia liofilizowanego miała wyprawić się w leśny gąszcz, żeby zająć się oczyszczaniem szlaków. Pod ciężarem ekwipunku ugięły jej się nogi, ale zacisnęła zęby i ruszyła przed siebie.

Po kilku dniach z zaskoczeniem odkryła, że jej ciało, którego dotąd nie lubiła, jest na tyle silne, iż pozwala jej wymachiwać siekierą i usuwać ze ścieżek zwalone sosny. Gdy stanęła spocona na szczycie Mosquito Ridge i spojrzała w dół na 1,5-kilometrową trasę, którą właśnie pokonała pod górę, nie mogła powstrzymać uśmiechu. A gdy natknęła się w lesie na samotnego łosia, odkryła kolejną rzecz: była szybka! Wielki zwierz wyskoczył z zarośli bez żadnego ostrzeżenia, ale zanim Jenni zdała sobie sprawę, co się dzieje, nogi same poniosły ją z dala od niebezpieczeństwa. Kiedy zobaczyła, że łoś przestał ją ścigać, stanęła przerażona, wyczerpana… i przeszczęśliwa.

Po tym zdarzeniu z niecierpliwością wyczekiwała kolejnego poranka, by wypełznąć z namiotu i ruszyć w drogę. Mając na sobie tylko buty, robiła długie przebieżki po lesie, a wschodzące słońce ogrzewało jej ciało.

– Spędzałam tu po kilka tygodni w całkowitej samotności – wyjaśniła Jenni. – Nikt nie mógł mnie zobaczyć, więc po prostu biegłam przed siebie bez końca. To było najwspanialsze uczucie, jakie można sobie wyobrazić.

Nie potrzebowała zegarka ani trasy, swoją prędkość szacowała po łaskotaniu wiatru na skórze. Biegła pokrytymi igliwiem ścieżkami tak długo, aż nogi i płuca zaczynały błagać ją o odpoczynek. Poranne przebieżki odpokutowywała męczącymi popołudniami, gdy podczas dłuższych wędrówek jej mięśnie ud odmawiały posłuszeństwa. Mimo to stale wydłużała treningi. Nowo nawiązany romans z własnym ciałem był zbyt ekscytujący, aby tak po prostu z niego zrezygnowała.

Od tamtej pory bieganie stało się jej wielką pasją. Wraz z najlepszą przyjaciółką Nancy Hatfield założyła prężny klub biegaczek w swoim rodzinnym miasteczku McCall. Gdy zimą spadnie gęsty śnieg, idą wspólnie pobiegać (jeszcze zanim w miasto wyruszą pługi) i jako pierwsze przedzierają się przez wysokie zaspy.

– Bieganie zimą jest najlepsze! – potwierdziła Nancy, która była z nami na tej wyprawie.

Podobnie jak Jenni Nancy jest żywym zaprzeczeniem tego, jakoby wieloletnie bieganie było wyniszczające dla organizmu. W wieku 47 lat wciąż porusza się z naturalną lekkością, sprawnie, powoli pracując nogami, a niebieski kolczyk w jej pępku podskakuje radośnie z każdym krokiem.

Dla mnie jednak wyprawa do Idaho nie miała szczęśliwego finału. Gdy trzeciego dnia z grymasem bólu na twarzy kończyłem ostatni kawałek trasy, ledwo mogłem chodzić, a co dopiero biegać. W piętach czułem przeszywający ból, a obydwa ścięgna Achillesa płonęły żywym ogniem. Dokuśtykałem do strumyka i usiadłem z nogami w wodzie, zastanawiając się, co ze mną jest nie tak. Jakim cudem te dwie kobiety w średnim wieku mogły co roku pokonywać biegiem kolejne kilometry po błocie, śniegu i asfalcie, a ja nie byłem w stanie trenować dłużej niż kilka miesięcy bez kolejnej kontuzji?

Oczywiście odpowiedź znajdowała się tuż przed moim nosem. W otaczającym mnie lesie. Wtedy jednak jeszcze nie wiedziałem, czego szukam.

Kilka tygodni po mojej porażce w Idaho „Men's Journal" zlecił mi przeprowadzenie wywiadu z pewnym trenerem sportów wyczynowych w Jackson Hole w stanie Wyoming. Redaktor magazynu zainteresował się Erikiem, ponieważ jego specjalnością było rozbijanie poszczególnych dyscyplin sportowych na najbardziej elementarne ruchy w poszukiwaniu umiejętności, które mogą przydać się w innych sportach. Eric studiował więc alpinistykę, szukając techniki pracy ramion przydatnej dla osób uprawiających kajakarstwo, i przyglądał się możliwości zastosowania płynnych ruchów odpychających z nordic walkingu w kolarstwie górskim.

Podczas naszego spotkania w Denver odkryłem, co tak naprawdę interesuje Erica Ortona: podstawowe zasady funkcjonowania ciała. Uważa on, że kolejne wielkie postępy w sporcie nastąpią nie za sprawą nowoczesnych struktur treningu czy technologii, ale właśnie techniki ruchu. Na czoło wybiją się ci sportowcy, którzy będą w stanie uniknąć kontuzji. Co ciekawe, jego zdaniem w żadnej dyscyplinie nie było aż tak wiele do zrobienia na tym polu jak w bieganiu. Można by pomyśleć, że ten najstarszy i najbardziej popularny sport świata został już opanowany do perfekcji, ale tak naprawdę stał się sportem podwyższonego ryzyka. Co roku ponad 50 procent biegaczy doznaje kontuzji – ten wynik pojawia się od czasu, gdy zaczęto gromadzić dane na ten temat, a więc od lat 70. XX wieku. Urazowość w tym sporcie jest więc zasadą, a nie wyjątkiem. Gdyby udało nam się wyeliminować czynniki ryzyka, otworzyłoby to drogę do niesamowitego postępu nie tylko w zakresie wyników sportowców, ale także ogólnej popularności biegania. Wyobraź sobie miliony osób, które chciałyby biegać, ale nie mogą ze względu na dotychczasowe urazy, i miliony innych, które zniechęciły się do treningów, słuchając historii o zniszczonych kolanach. Postęp w dziedzinie techniki biegu uwolniłby je i od bólu, i od strachu.

Dla Erica było zagadką, dlaczego nikt nie zdaje sobie sprawy z prostej zależności: zmień sposób, w jaki porusza się twoje ciało, a zmienisz to, co się z nim dzieje. Sądził, że jeśli bieganie jest powodem kontuzji, to kolejnym logicznym krokiem jest zmiana sposobu, w jaki biegamy.

– Wszyscy myślą, że wiedzą, jak trzeba biegać, ale to czynność równie złożona co każda inna – powiedział. – Kogokolwiek zapytasz, usłyszysz: ludzie po prostu biegają. To nonsens. Czy ludzie po prostu pływają? W każdym innym sporcie nauka techniki jest czymś podstawowym. Nikt nie kupuje kija golfowego i nie wychodzi z nim na pole albo nie próbuje zjechać z góry na nartach bez lekcji z instruktorem. Inaczej nie byłby w stanie poradzić sobie z nowym sportem i łatwo nabawiłby się kontuzji.

– Z bieganiem jest dokładnie tak samo – dodał. – Jeśli nie nauczysz się biegać poprawnie, nigdy nie odkryjesz, jak dużą może to sprawiać przyjemność.

Moment – dlaczego nikt wcześniej mi tego nie powiedział? Gdy usłyszałem to z ust Erica, nagle wydało mi się to śmiesznie proste. Stało się dla mnie oczywiste, że jest coś takiego jak poprawna i niepoprawna technika biegu. W wypadku każdej czynności biomechanicznej istnieją lepsze i gorsze metody jej wykonywania, od rzucania piłką po jedzenie pałeczkami. Dlaczego więc bieganie miałoby być jedyną czynnością nieobciążoną prawami fizyki? A jednak nigdy wcześniej nie spotkałem się z podobnym tokiem rozumowania. W czasopismach dla biegaczy czytałem tylko o wszystkich tych rzeczach, które należy kupić – butach stabilizujących, wkładkach ortopedycznych, skarpetkach kompresyjnych. Nigdy o tym, co należy robić.

To, co potem powiedział Eric, było dla moich uszu piękną muzyką:

– Każdy jest stworzony do biegania.

Przez lata wmawiano mi coś wręcz przeciwnego. Lekarze i fizjoterapeuci powtarzali, że bieganie jest szkodliwe dla ludzkiego ciała, zwłaszcza dla kogoś z posturą Shreka. A ja im wierzyłem, bo miałem dowód w postaci szwankujących ścięgien Achillesa. Mało tego, Eric postanowił udowodnić swoją nowatorską tezę. Zaoferował, że będzie przesyłał mi mailem wskazówki treningowe, dzięki którym z obolałego eksbiegacza stanę się nie tylko maratończykiem, ale i ultramaratończykiem. Obiecał, że za dziewięć miesięcy będę w stanie ukończyć 80-kilomerowy wyścig w Miedzianym Kanionie organizowany przez legendarne plemię Indian Tarahumara.

Oczywiście zaintrygowało mnie to, ale podobną ciekawość wzbudziła we mnie również wizja wyprawy do Idaho, a wiemy już, jaki był jej rezultat. Poświęciłem trzy dni na przebiegnięcie 80 kilometrów, a na koniec wylądowałem z nogami w strumieniu. Chłodziłem zerwane ścięgna i przysięgałem sobie, że nigdy więcej nie zrobię niczego równie głupiego. A teraz Eric nie tylko proponował, żebym przebiegł 80 kilometrów w jeden dzień, ale też żebym zwiększał dystanse szybciej, niż przewiduje to zasada 10 procent tygodniowo, jaką zaleca większość branżowych magazynów. „Nigdy nie dotrwam do wyścigu", pomyślałem. „Wykończą mnie same treningi".

– Za każdym razem, gdy próbuję biegać więcej, kontuzje wracają – powiedziałem.

– Tym razem tak nie będzie.

– Mam kupić wkładki ortopedyczne?

– Zapomnij o nich.

Nadal byłem sceptyczny, ale pewność siebie Erica zaczynała mnie przekonywać.

– Chyba powinienem najpierw zrzucić kilka kilo, żeby tak bardzo nie obciążać nóg.

– Nawet się nie zorientujesz, gdy zaczniesz się inaczej odżywiać. Poczekaj, to zobaczysz.

– A joga? Joga chyba pomaga?

– Zapomnij o jodze i rozciąganiu. Napięcia mięśni nie można usunąć rozciąganiem. Każdy znany mi biegacz, który uprawia jogę, cierpi na bóle mięśni.

Podobało mi się to, co usłyszałem. Żadnej diety, żadnej jogi, żadnych wkładek. Zaczynałem się łamać.

– Jesteś pewien, że się uda?

– Prawda jest taka – powiedział Eric – że masz zerowy margines błędu i naprawdę możesz to zrobić.

Pochłonięty wątpliwościami nie zastanawiałem się nawet nad wyzwaniem, jakie podejmował Eric. Nie tylko miał przywrócić sprawność facetowi, którego trzech lekarzy specjalistów uznało za niezdanego do biegania, ale musiał też przebić się przez gruby mur moich oporów. Tak jak wszyscy czasem obiecuję, że coś zrobię, choć wcale nie mam takiego zamiaru. Nie było sensu dawać mi planu treningowego, który i tak bym zignorował, więc Eric musiał ustalić, jakiego rodzaju ćwiczenia sprawiają mi przyjemność. Nie miał pojęcia, z czym się mierzy.

– Chodzisz na siłownię?

– Nie.

– Jaki sprzęt treningowy masz w domu?

– Żadnego. Nie znoszę podnoszenia ciężarów. Nie cierpię liczenia i powtarzania. To potwornie nudne.

Nie wiem, dlaczego Eric nie wycofał się już wtedy. Z jakiegoś powodu dzielnie brnął dalej.

– No dobra – powiedział. – A co w takim razie lubisz?

Milczałem chwilę, zastanawiając się, czy to, co odpowiem, zabrzmi dziwnie, czy jedynie zupełnie nie na temat.

– Są takie wielkie piły zębate – zacząłem. – Wiesz, takie, jakich używano w dziewiętnastym wieku do ścinania sekwoi.

– Nooo…?

– Mam na ich punkcie bzika. Ogrzewamy dom drewnem. Kilka lat temu przestałem używać piły mechanicznej i przerzuciłem się właśnie na zwykłą, zębatą. Większość ludzi tego nienawidzi, ale ja mógłbym ciąć nią cały dzień. Mam ich chyba z sześć.

– Dobrze – odparł Eric. – Wykorzystamy je.

Plan, jaki opracował, był po prostu genialny. Tak genialny, że cały jego geniusz odkryłem dopiero niedawno. Byłem tak podekscytowany drzewami – planem treningowym Erica, jego rewolucyjną techniką biegania i filozofią, według której każdy biegacz musi najpierw zostać sportowcem – że nie widziałem spoza nich lasu. Zresztą, jak mówiłem, była jeszcze ta naga kobieta. Eric z pewnością próbował mi to wszystko wytłumaczyć, ale nawet gdybym go wysłuchał do końca, jego twierdzenia były dla mnie wówczas zbyt

radykalne, żebym mógł je w pełni pojąć. Teraz, po kilku latach, gdy miałem czas przetworzyć to wszystko i oswoić się z wpływem, jaki trening Erica wywarł na moje ciało, wreszcie jestem w stanie docenić to, co starał się mi przekazać, a co Jenni Blake udało się odkryć samodzielnie podczas samotnych treningów w rezerwacie w Idaho.

A jest to rzecz bardzo prosta: ludzie kochają się ruszać. Ruch mamy zapisany w genach; dzięki niemu staliśmy się najlepiej rozwiniętym i najbardziej rozpowszechnionym gatunkiem na Ziemi (i poza nią). Jednak dla współczesnego człowieka brzmi to podejrzanie. Od dnia narodzin wmawia się nam, żeby podejrzliwie podchodzić do wszystkiego, co sprawia nam przyjemność, wszystkiego, co wydaje nam się zbyt miłe. Każdą zabawę i każdą przyjemność obracamy więc w jeszcze jedną formę pracy. Nikt nie mówi, że idzie na siłownię się pobawić, prawda? Idzie „popracować nad rzeźbą".

Eric jednak wie, że sprawność fizyczna i sukcesy nie są zależne od siły woli. Jest na tyle szczery, by przyznać, że jeśli próbujemy się do czegoś zmuszać, prędzej czy później z tego rezygnujemy. Model samodyscypliny i poświęcenia w imię sukcesu po prostu się nie sprawdza. Dlatego opracował model, który zastępuje cierpienie przyjemnością. Sprawił, że aktywność fizyczna odzyskała znamiona sztuki, co w moim wypadku zmieniło wszystko. Dziś wychodzę z domu, rozglądam się i obieram kierunek, który wydaje mi się ciekawy. Zaczynam biec i nie przestaję, dopóki mam ochotę – tak jak robiłem, gdy byłem dzieckiem. Nie myślę o kontuzjach i wiem, że prędzej zabraknie mi czasu albo wody niż energii do dalszego treningu. Kiedy kończę, już nie mogę doczekać się kolejnego razu.

Gdyby ktoś powiedział mi to pięć lat temu, uznałbym, że to niemożliwe.

ROZDZIAŁ 1

JA I MÓJ
NIEWIARYGODNY CEL

Pozwól, że opowiem ci pewną historię.

W marcu 2006 roku stałem na starcie biegu na 80 kilometrów, wiedząc, że oto realizuję swój wielki Niewiarygodny Cel. Oprócz koszulki i szortów z szybkoschnącego materiału, plecaka wypełnionego napojami i batonami energetycznymi poupychanymi po kieszeniach nic w tym wyścigu nie miało być zwyczajne. Prawdę mówiąc, miał być bardzo daleki od zwyczajności. Znajdowałem się w malutkiej, odciętej od świata wiosce Urique, ukrytej pomiędzy rzeką a stromymi zboczami Miedzianego Kanionu w północno-zachodnim Meksyku. Nie było pompowanej bramy startowej, mikroczipów z pomiarem czasu w butach, wystrzału z pistoletu ani zwartego tłumu biegaczy czekających na sygnał do startu. Było tylko kilkadziesiąt osób, zwykła linia namalowana na chodniku pośrodku miasta i wysoki opalony Amerykanin z blond czupryną o pseudonimie Caballo Blanco, który wykrzyknął głośno: „Start!".

Co najważniejsze jednak, moimi rywalami tego dnia nie byli sportowcy, z którymi zwykle stawałem w szranki. To był wyścig łączący dwie kultury – starą i nową – obydwie oddane bieganiu, i to bieganiu ekstremalnemu na bardzo długich dystansach. Tego dnia czekało nas pokonanie 80-kilometrowej trasy przez surowy górzysty krajobraz Miedzianego Kanionu.

Nową kulturę reprezentowali najwybitniejsi amerykańscy ultramaratończycy, w tym niesamowici Scott Jurek i Jenn Shelton. Dwoje doświadczonych, utalentowanych biegaczy o stalowych nerwach, z licznymi medalami i tytułami na koncie.

Przedstawicielami starej kultury byli Indianie z plemienia Tarahumara. Ciemni, o miedzianej karnacji i umięśnionych nogach, ubrani w przepaski na biodrach i kolorowe koszule z długimi rękawami, które podczas biegu łopotały na wietrze. Ich buty, tzw. *huaraches*, były tak naprawdę spłaszczonymi kawałkami starych opon, przymocowanymi do stóp skórzanymi paskami. Prawdziwa nazwa plemienia brzmi Rarámuri (dosłownie „biegacze"). Wywodzi się ono z kilku odrębnych tajemnych ludów zamieszkujących Miedziany Kanion i prowadzących tryb życia niewiele różniący się od tego, jaki wiedli ich przodkowie kilkaset lat temu. Są znani przede wszystkim z zamiłowania do niezwykłych zawodów wytrzymałościowych wykorzystujących ich wrodzoną umiejętność wielogodzinnego przemierzania górzystych, skalistych ścieżek w jednym z najbardziej wymagających miejsc życia na ziemi. O tych legendarnych biegach słyszałem wiele lat temu, ale możliwość udziału w jednym z nich była dla mnie swego rodzaju cudem.

Wśród uczestników znaleźliśmy się ja i Christopher McDougall. Oczywiście miałem już za sobą niejeden ultramaraton, ale zawodnicy tacy jak Scott raczej nie widzieli we mnie groźnego rywala. Zresztą ostatnie miesiące przed wyścigiem spędziłem głównie na zmienianiu pieluszek i kołysaniu do snu swojej nowo narodzonej córeczki. Mój najdłuższy trening biegowy przed przyjazdem do Meksyku trwał nędzne trzy godziny, czyli jedną trzecią tego, co czekało mnie dzisiaj. Wreszcie, nie startowałem jako zawodnik, ale jako trener Chrisa.

Chris chyba jako jedyny uczestnik biegu nigdy wcześniej nie brał udziału w ultramaratonie, a gdy poznałem go rok wcześniej, określał siebie mianem wraku człowieka, który nie jest w stanie przebiec nawet krótkiego odcinka bez nabawienia się jakiejś kontuzji. Początkowo plemieniem Tarahumara zainteresował się jako dziennikarz, szukając inspiracji do nowego artykułu. To się jednak zmieniło i teraz Chris miał nadzieję ukończyć ten wyjątkowy ultramaraton – dla siebie, aby udowodnić sobie, że go na to stać.

Stał obok mnie na linii startu zestresowany i cichy. To zresztą dość typowe zachowanie, gdyż jako debiutant nie chciał przyciągać uwagi pozostałych. Przy 193 centymetrach wzrostu był zdecydowanie potężnym mężczyzną, ale od czasu naszej pierwszej rozmowy schudł prawie 20 kilogramów.

– Co ty z nim zrobiłeś? – zapytał mnie Caballo, widząc, jak bardzo mój podopieczny zmienił się od czasu ich pierwszego spotkania.

Ale fakt pozostał taki, że Chrisa czekał 80-kilometrowy bieg po zdradliwym stromym terenie w palącym pustynnym słońcu. Wiedziałem, że fizycznie jest w stanie sobie poradzić. Pytanie brzmiało, czy poradzi sobie psychicznie. On sam miał na pewno wątpliwości i w jednej, i w drugiej kwestii.

Tuż przed startem powiedziałem mu:

– Zajmij się sobą, własnym wyścigiem. Rób to, co wiesz, że umiesz, a jeśli będziesz miał poczucie, że pracujesz, to będzie oznaczać, że za bardzo się starasz.

Wkrótce potem Caballo dał sygnał do startu i ruszyliśmy. Indianie wyrwali do przodu w imponującym tempie niespełna 5 minut na kilometr, a może jeszcze szybciej. Byłem zafascynowany i nieco zdezorientowany – czy oni naprawdę będą w stanie podtrzymać to tempo przez cały wyścig? Trudno było oderwać oczy od ich uśmiechniętych twarzy, nóg unoszących się nad ziemią tak, że niemal nie dotykali jej stopami. W ciągu kilku sekund znaleźli się z dala od zgiełku linii startowej i centrum Urique.

Podążyłem za nimi w tempie 5 i pół minuty na kilometr, a za mną, nieco wolniej, Chris. Czekała nas długa droga, dlatego powiedziałem mu, żeby zajął się własnym wyścigiem. Pierwszych kilka kilometrów biegliśmy po piaszczystym brzegu rzeki Barranca. Czułem się dobrze – zrelaksowany, skupiony na sobie. Minęliśmy podwieszany drewniany most, który trząsł się i kołysał na wszystkie strony, gdy przebiegliśmy po nim gęsiego. Zaraz potem zaczęliśmy pierwszy większy podbieg, okropnie wyczerpujący dla nóg. Pod górę biegliśmy 45 minut i na szczycie poczuliśmy to bolesne uniesienie, jakie dane jest doświadczyć wyłącznie biegaczom.

Mógłbym wam opowiedzieć, że już w łonie matki miałem na stopach buty do biegania i wprost z sali porodowej udałem się na linię startu. Albo że już w przedszkolu nosiłem na szyi gwizdek, a w ręce notes, nie mogąc się doczekać, aż zostanę trenerem. Ale obydwie te historie byłyby zmyślone, ta zaś jest prawdziwa.

Podobnie jak u większości ludzi moja życiowa droga pełna była zakrętów, pętli i zgubionych szlaków. Przy urodzinach musiałem walczyć o pierwszy oddech – moje płuca zaatakowała astma.

Pierwszą Gwiazdkę spędziłem w namiocie tlenowym. W szkole wszystkie przyjęcia urodzinowe z nocowaniem kończyły się u mnie szaleńczą zadyszką, podczas gdy moi koledzy, objedzeni tortem i lodami, spali w najlepsze. Już jako dziecko miałem bardzo silną świadomość własnego ciała; doskonale zdawałem sobie sprawę z tego, co mogę, a czego nie mogę zrobić. Jednak ani moi rodzice, ani lekarze nigdy nie wyznaczali mi granic, nigdy nie zabraniali mi żadnej formy aktywności fizycznej ani uprawiania sportu. Do dziś im jestem im za to wdzięczny, ponieważ gdy stawiałem sobie większe wymagania, nabywałem większej sprawności i siły.

W moim rodzinnym miasteczku u podnóża Alleghenów w stanie Nowy Jork byłem kimś w rodzaju gwiazdy futbolu. Oczywiście gwiazdy na miarę naszej małej społeczności. Grałem na pozycji biegacza, równie dobrze radząc sobie z mocnymi zderzeniami, jak i przyłożeniami. W ostatniej klasie liceum zacząłem biegać głównie po to, żeby poprawić szybkość gry. Ku wielkiemu zdziwieniu odkryłem, że podczas biegu odczuwam taką samą radość jak na boisku – mam pełną świadomość swojego ciała, poprzez które mogę wyrazić to, kim jestem. Może zabrzmi to śmiesznie, ale czułem się jak artysta.

Potem były dwa lata w drużynie futbolowej w college'u, końcowe egzaminy i bolesne zderzenie z rzeczywistością. Musiałem się zastanowić, co chcę robić w życiu, z czego będę się utrzymywał, znaleźć mieszkanie. Wezwał mnie Dziki Zachód – a dokładniej rzecz biorąc, Denver. Zacząłem biegać, jeździć na rowerze, pływać, wspinać się i wiosłować w rześkim powietrzu Gór Skalistych. Brałem udział w wyścigach kolarskich, maratonach, triatlonach, rajdach przygodowych i ultrabiegach. Stałem się dużo szybszym, silniejszym i lepszym sportowcem, niż kiedykolwiek wydawało mi się możliwe. Ale sport był nadal tylko moim hobby. W tygodniu posłusznie stawiałem się do pracy w firmie konsultingowej zajmującej się ochroną środowiska. Ten układ mi odpowiadał: ciekawa praca, regularna pensja, wspaniałe widoki za oknem i dreszczyk emocji w weekendy. Miałem wszystko, o czym zawsze marzyłem… Mimo to nie czułem się spełniony.

Przez wszystkie lata spędzone w Denver żyłem przede wszystkim bieganiem. A jednocześnie nie byłem pewien, dokąd mnie to zaprowadzi. Z czasem zdałem sobie sprawę, że nigdy nie będę najlepszy w tym sporcie. Byłem jednak bardzo dobry dzięki długoletnim treningom i aktywności fizycznej. Zacząłem się zastanawiać, w jaki sposób mogę wykorzystać swój talent – i umiejętności, które z takim trudem udało mi się wypracować. Zdałem sobie sprawę, że chcę poświęcić się sportowi całkowicie – i pomóc innym w odkrywaniu ich sportowego potencjału.

Zarzuciłem więc karierę w firmie konsultingowej i zatrudniłem się na pół etatu w recepcji studia fitnessu przy Centrum Medycyny Uniwersytetu Kolorado. Zarabiałem siedem dolarów za godzinę. Niektórzy mówili mi, żebym wreszcie dorósł, że wybrałem niewłaściwą ścieżkę zawodową. Nie przejmowałem się tym. Zapisałem się na zajęcia z fizjologii, anatomii, biomechaniki i żywienia. Pojechałem do Amerykańskiego Centrum Olimpijskiego w Colorado Springs i jako jeden z pierwszych w kraju zdobyłem uprawnienia trenera triatlonu. Wciąż pracując w studiu fitnessu, zacząłem trenować najpierw jedną osobę, potem kolejne. Wkrótce zostałem dyrektorem do spraw fitnessu w Centrum Medycyny Uniwersytetu Kolorado i opiekunem całej armii biegaczy i triatlonistów. Choć prawdę mówiąc, sam byłem nadal w równym stopniu uczniem, co nauczycielem.

Z miłości i przywiązania do swojej żony Michelle, która musiała zaopiekować się rodzicami w miasteczku Jackson w stanie Wyoming, zdecydowałem się opuścić Denver. Zanim uznacie mnie za świętego, szybko dodam, że egoizm i strach przed utratą swoich sportowców sprawiły, iż długo nie mogłem pogodzić się z tym wyborem. Wkrótce odkryłem jednak, że nie mogłem trafić lepiej. Jackson, położone w cieniu strzelistych szczytów gór Teton, okazało się najlepszym środowiskiem treningowym, o jakim mogłem zamarzyć, pełnym zapalonych sportowców i wielbicieli aktywności fizycznej. Tuż za progiem naszego domu zaczynał się labirynt najwspanialszych na świecie górskich tras biegowych.

W tej atmosferze uniesienia, entuzjazmu i poczucia niekończących się możliwości moja kariera trenerska nabrała rozpędu. Zawsze powtarzałem sobie, że nieważne, ile osób trenuję, ważne, bym spełniał się jako trener i jako biegacz. W Jackson Hole opiekowałem się grupą sportowców startujących w najróżniejszych zawodach (a także kilkoma osobami z Kolorado w formie coachingu online), czerpiąc ogromną satysfakcję z ich regularnych, czasem błyskawicznych postępów, które same w sobie były dla mnie wielką nagrodą. Sukcesy, jakie odnosili w zawodach, pod wieloma względami cieszyły mnie jeszcze bardziej niż moje. A ich lista stale się wydłużała: tytuły mistrzów w biegach i wyścigach kolarskich na 80 i 160 kilometrów, zwycięstwa w różnych kategoriach wiekowych i miejsca na podium na najróżniejszych dystansach, od 5 do 50 tysięcy metrów, kwalifikacje do Maratonu Bostońskiego i hawajskiego Ironmana, srebrny medal w mistrzostwach świata w 24-godzinnym wyścigu na rowerach górskich, mistrzostwo stanu Wyoming w młodzieżowych biegach przełajowych, a do tego możliwość szkolenia zawodowego gracza hokeja, kilku najsprawniejszych ludzi Hollywood i popularnego gitarzysty rockowego. Ubóstwiałem to – rozpisywanie sesji treningowych, opracowywanie programów, planowanie ćwiczeń. Inni również zaczęli to zauważać. Zwłaszcza jedna osoba.

Jak to w książkach bywa, zaczęło się od tego, że do moich drzwi zapukał pewien nieznajomy. A właściwie do mnie zatelefonował. Chris McDougall. Było to w 2005 roku. Chciał napisać artykuł pod tytułem *Jak najskuteczniej przygotować się do rajdu przygodowego*, a ja – jego zdaniem – byłem „absolutnym guru treningowym w najbardziej usportowionym mia-

steczku Ameryki". Co do ostatniego, to zdecydowanie miał rację. Aby oszczędzić mu uroków surowej zimy w Wyoming, zaproponowałem spotkanie w Denver.

Od razu nawiązaliśmy świetny kontakt, a ja zamęczałem go pytaniami o Indian Tarahumara, o których pisał do „Runner's World". Gdy dziesięć lat wcześniej przedstawiciele tego plemienia po raz pierwszy wzięli udział w Leadville 100, morderczym ultramaratonie w samym sercu Gór Skalistych, bezapelacyjnie zostawili konkurentów daleko w tyle. Swego czasu marzyłem, żeby należeć do Tarahumara – albo przynajmniej biegać tak jak oni. Właśnie ci Indianie i ich tajemniczy świat w dużej części zachęcili mnie do uprawiania sportów wytrzymałościowych. Byłem nimi zafascynowany. Jako biegacze byli tacy… pierwotni. Czyści. Chciałem zobaczyć, jak to jest wziąć udział w tym wielkim biegu, doświadczyć tego, co dzieje się w umyśle człowieka, gdy biegnie bez przerwy pięć, osiem, dziesięć godzin. Podobała mi się wizja biegania cały dzień jak Indianie.

A teraz siedział przede mną Chris, który miał okazję spotkać się z plemieniem Tarahumara w jego rodzimym kanionie i myślał o przebiegnięciu przynajmniej kawałka 80-kilometrowej trasy. Zawody organizował Caballo Blanco – tajemniczy, ekscentryczny ultrabiegacz, który żył i biegał razem z Tarahumara.

Ale Chris nie przyjechał do Denver, żeby rozmawiać ze mną o Miedzianym Kanionie. Chciał poznać tajniki przygotowań do rajdów przygodowych, dowiedzieć się, jak wzmocnić ciało, by móc uprawiać kilka różnych dyscyplin (kajakarstwo, wspinaczka, turystyka wysokogórska), i napisać o tym artykuł. Na początek zabrałem go na przebieżkę po niskich pagórkach. Był dość wysportowany, bo w college'u uprawiał wioślarstwo. Czuł się jednak załamany swoimi problemami z bieganiem. Powiedział, że nie jest w stanie biegać, ponieważ jest to dla niego zbyt bolesne, i że brakuje mu odpowiedniej kondycji. Nie lubił trenować. Słowem, całkowicie się poddał.

Tamtego wieczoru wróciłem do hotelu, podarłem nasz program treningowy i postanowiłem nauczyć go biegać. Wiedziałem, że każdy człowiek – wysoki, niski, gruby, chudy, wysportowany albo nie – może przeistoczyć się w sprawnego biegacza. Gdy spotkaliśmy się następnego dnia rano, zaproponowałem Chrisowi, że mu pomogę. Wyjaśniłem, że można biegać prawidłowo albo nieprawidłowo. Chris miał tendencję do overstridingu (zbytnie-

go wydłużania kroku), za niską kadencję, poruszał się mało wydajnie i wybijał się z pięty. Każdy krok coraz bardziej przybliżał go do kolejnej kontuzji.

Cały następny dzień demonstrowałem mu prawidłową technikę biegania i opracowałem program, który miał pozwolić mu spełnić jego największe marzenie: biegać ile chce i kiedy chce przez resztę życia. Na koniec sesji usiedliśmy na zielonym polu golfowym w Denver's City Park i rozmawialiśmy o wyścigu w Miedzianym Kanionie. Chris powiedział, że nigdy nie będzie w stanie wziąć w nim udziału, choć bardzo by chciał. Zawarliśmy układ. Obiecałem, że będą go trenował, a jeśli będzie przestrzegał moich zaleceń i wytycznych, ukończy ten bieg. Zapytał, czy będę mu towarzyszyć podczas wyścigu.

– Tak – odpowiedziałem bez chwili namysłu. Z większym przekonaniem wymówiłem to słowo tylko na swoim ślubie.

Rok później, po wielu mniej lub bardziej udanych treningach i narodzinach mojej córeczki, zasiadłem obok Chrisa w rozklekotanym autobusie przemierzającym meksykański stan Chihuahua. Autobus wspiął się stromą wąską dróżką 1800 metrów do miasteczka Batopilas. Po jednej stronie mieliśmy urwisko, po drugiej skalistą ścianę i baliśmy się, że nasz dream team, jak nas nazywał Caballo, stoczy się w przepaść, zanim jeszcze zdołamy poznać któregoś z indiańskich biegaczy.

Batopilas było pierwszym przystankiem na trasie naszej przygody. Po dwóch nocach w obskurnym hotelu ruszyliśmy pieszo w stronę kanionów. Musieliśmy pokonać niemal 50-kilometrowy odcinek dzielący nas od miasteczka Urique, skąd zaczynał się wyścig. Cały dobytek załadowaliśmy na muły, ze sobą wzięliśmy jedynie niezbędny prowiant. Po 45 minutach doszliśmy do polany osłoniętej baldachimem drzew. I nagle otoczyli nas Indianie Tarahumara. Wyłonili się spośród drzew bezgłośnie niczym duchy. Caballo przedstawił nas nazwami zwierząt, które wcześniej nam przypisał. Ja zostałem El Gavilan, Jastrzębiem – cichym, pewnym siebie i uważnym. Chris otrzymał imię Oso – Niedźwiedź.

W jednej chwili poczuliśmy bardzo mocną i bliską więź z Indianami. Nie mówiliśmy wspólnym językiem – my nie znaliśmy ich języka, oni naszego. Podczas całej 50-kilometrowej wędrówki do Ulrique nikt nie odezwał się ani słowem. Były tylko gesty i mimika, ale bieg sprawiał, że pomiędzy nami wykształciło się poczu-

cie wspólnoty. Podczas wyprawy uważnie przyglądałem się członkom plemienia: ich butom, technice biegu, sile, nagłym przyspieszeniom, temu, co jedli, oraz sprawności, z jaką omijali większe kamienie na trasie. Nie mogłem wyjść z podziwu i co chwila musiałem zamykać rozdziawione ze zdumienia usta.

Do Urique dotarliśmy już po zmroku. W ciągu kilku dni poprzedzających wyścig maszerowaliśmy i biegaliśmy po niektórych odcinkach trasy wyścigu. Za każdym razem, gdy pytałem, jak ciężki będzie bieg, Caballo uśmiechał się pod nosem. Trenowaliśmy razem z Indianami, mieliśmy na stopach gumowe *huaraches*, pochłanialiśmy gigantyczne porcje świeżych tortilli i tamali, a wieczorami relaksowaliśmy się przy piwie. Tak naprawdę nie różniło się to wiele od prostego górskiego życia skupionego wokół biegania, jakie stworzyłem sobie w Jackson.

Po bezsennej nocy nadszedł dzień wyścigu. Rano Chris, który zawsze na obudzenie pił filiżankę espresso, podzielił się ze mną swoim cennym napojem. Włożyłem koszulkę startową (numer 16) i wsunąłem na plecy system nawadniania. Czekała na nas linia startu. Stałem obok Chrisa, wiedząc, że ma poczucie, iż nie należy do tej grupy biegaczy wytrzymałościowych nowej i starej szkoły. Wyścig miał pokazać, czy się myli.

Biegłem przez kaniony, rzeki, pagórki, pokonywałem ostre zakręty i niekończące się wąskie serpentyny w kurzu i upale, kilometr za kilometrem. Bolało. Najmłodszy z Indian Tarahumara, który od razu wyrwał daleko do przodu, zaczął zwalniać. Raczej nie miałem szans na pobicie swojego rekordu – czułem się średnio. Od samego początku wiedziałem, że nie odniosę zwycięstwa, ale jestem ambitny i lubię mieć poczucie, że liczę się w grze.

Po około 30 kilometrach, gdy dotarliśmy do płaskiego odcinka trasy, musiałem się zatrzymać. Coś było nie tak. Nie mogłem skupić się na biegu. Gdy traci się koncentrację, łatwo ulec zmęczeniu. Stałem na poboczu, dysząc ciężko, a strumienie potu ściekały mi po twarzy. Zza zakrętu wyłonili się Scott i Arnulfo i przemknęli obok mnie. Ich smukłe, umięśnione nogi poruszały się szybko i pewnie.

I wtedy zdałem sobie sprawę, że muszę przestać myśleć o tym biegu jak o wyścigu i zacząć czerpać z niego przyjemność. Cała podróż do Miedzianego Kanionu była częścią mojego życia poświęconego bieganiu, o jakim marzyłem i które od lat pieczołowicie budowałem, nie pozwalając,

żeby wątpliwości czy strach odwiodły mnie od celu. To była kwintesencja mojego Niewiarygodnego Celu, z którym zwycięstwo w tym wyścigu nie miało nic wspólnego.

Liczył się czas spędzony na trenowaniu Chrisa i towarzyszenie mu podczas biegu przez Miedziany Kanion. Przygoda w Meksyku nie będzie dla mnie w pełni satysfakcjonująca, jeśli Chris nie przekroczy – biegiem – linii mety. Dołączenie do plemienia biegaczy było jego Niewiarygodnym Celem, a moją rolą było dopilnowanie, żeby mu się to udało.

Gdy nareszcie uporządkowałem swoje priorytety, mogłem wrócić na trasę, czując, że złapałem wiatr w żagle. Pobiegłem w dół długą wąską ścieżką, tą samą, którą wspinaliśmy się na samym początku. Czułem się silniejszy i szybszy niż wcześniej i odkryłem, że od mety dzieli mnie już tylko kilka kilometrów.

Wtedy w pobliżu zwodzonego mostu zobaczyłem Chrisa. Biegł na końcu i powoli zbliżał się do ostatniego wzniesienia. Czekały go jeszcze przynajmniej dwie godziny biegu. Był optymistycznie nastawiony, choć upał i pokonane kilometry wyraźnie dawały mu się we znaki.

– Pamiętaj, że teraz podbieg będzie wydawał ci się znacznie dłuższy. Bądź na to przygotowany – powiedziałem i ucieszyłem się, że nie zrezygnował. – Może ci się wydawać, że to najdłuższy odcinek w twoim życiu. Przygotuj się na to i po prostu biegnij.

Chris skinął głową i ruszył przed siebie. Podczas treningów nigdy nie byłem do końca pewien, czy to, co mówię, w jakikolwiek sposób do niego dociera, ale cóż. Teraz był zdany tylko na siebie. Moja rola się skończyła.

Po przekroczeniu linii mety w Urique – która była też naszą linią startową – usiadłem wraz z innymi zawodnikami, Amerykanami i Indianami, w jedynej w miasteczku restauracji. Jedliśmy, piliśmy i rozmawialiśmy o biegu, przeżywając wszystko jeszcze raz, jak mają to w zwyczaju biegacze. Potem znowu jedliśmy, piliśmy i rozmawialiśmy. Cały czas myślałem o Chrisie, mając nadzieję, że nadal biegnie.

Dwie godziny później – a więc po ponad dwunastu godzinach od rozpoczęcia wyścigu – gdy słońce chyliło się ku zachodowi, barwiąc całe niebo na pomarańczowo, dostrzegłem go w oddali. Wszyscy zawodnicy wraz z orkiestrą zebrali się na linii mety. Ruszyłem Chrisowi naprzeciw, chcąc dotrzeć do niego jako pierwszy. Wreszcie wbiegł na rynek. Energicznie, ożywiony adrenaliną, która zwykle zaczyna krążyć we krwi pod koniec najdłuższego nawet wyścigu. Zacząłem wiwatować, a inni poszli w moje ślady. Unieśli zaciśnięte pięści, skandując:

– Dalej, Oso! Dalej!

Chris zdołał pokonać 80 kilometrów morderczego biegu. Dołączył do plemienia biegaczy wytrzymałościowych. Po przekroczeniu mety podszedł do mnie w milczeniu. Jakiś czas później powiedział mi, że rada, którą dałem mu tuż przed ostatnim wzniesieniem, okazała się bardzo pomocna, ale na mecie był zbyt zdyszany i spragniony, by mówić. Próbowaliśmy przybić piątkę, ale się nie udało. Moja ekscytacja, jego zmęczenie – co tu dużo mówić. Nasze dłonie minęły się w powietrzu. Ale wtedy Chris chwycił moją dłoń w swoją wielką niedźwiedzią łapę i serdecznie ją uścisnął. Czułem bijącą od niego radość i żadne słowa nie były potrzebne.

Dzięki mojej pomocy Chris osiągnął swój Niewiarygodny Cel. Mogę z dumą powiedzieć, że wielu innym moim podopiecznym udało się to samo. A teraz z radością poprowadzę ku niemu ciebie.

ROZDZIAŁ 2

WITAJ W JACKSON HOLE

No dobrze. Dość już o mnie i o przeszłości.

Teraz chodzi o ciebie i o twoją przyszłość. O ciebie jako sportowca. I używam tego słowa z pełną świadomością i odpowiedzialnością. Ponieważ niezależnie od twojego poziomu zaawansowania i doświadczenia w bieganiu możesz podjąć decyzję, żeby zostać sportowcem. Możesz zacząć myśleć jak prawdziwy zawodnik i uczynić z takiej postawy sens życia. Nikt nie rodzi się sportowcem. To błąd myślowy, mit – serio – który zbyt często staje się przeszkodą albo, co gorsza, wymówką. Bycie sportowcem jest swego rodzaju wyborem. Dokonanie tego wyboru – odpowiednie nastawienie – będzie krokiem, który umożliwi ci wejście na kolejny poziom. O tym jest ta książka. I tego będę od ciebie oczekiwać.

U sportowca najważniejsza jest świadomość. Ta prosta fraza jest sednem mojego programu treningowego. Przez to stwierdzenie rozumiem to, że bycie sportowcem oznacza zdawanie sobie sprawy ze swojej formy i techniki, z tego, w jaki sposób porusza się nasze ciało, do jakiego wysiłku jesteśmy zdolni i jak oddychamy, czy zwracamy uwagę na to, jak się odżywiamy (bądź nie zastanawiamy się nad tym), a także, co najważniejsze, zdawanie sobie sprawy z tego, co myślimy (i co w tym myśleniu pomijamy).

Tę koncepcję rozwiniemy w dalszych rozdziałach. Najpierw musimy zająć się aspektami fizycznymi. Jestem przekonany, że umysł podąża za ciałem. A gdy podąża za wysportowanym ciałem, dociera tam, gdzie powinien. Od tego więc rozpoczniemy podróż do twojego Niewiarygodnego Celu.

Na początek poproszę, abyś spojrzał na pewne rzeczy nieco inaczej, niż zapewne robiłeś to do tej pory. Przedstawię ci kilka nowych metod i poproszę cię o ich wypróbowanie, żebyś mógł wspiąć się na wyższy poziom biegania i maksymalnie wykorzystać każdy przebiegnięty kilometr. Po drodze będę cię namawiać do przekraczania granic, które dotychczas wyznaczałeś sobie w bieganiu, a także – zakładam – w życiu.

Chciałbym być dobrze zrozumiany: ten proces, to wyzwanie, ta szansa są dostępne dla każdego biegacza. Ta książka jest przeznaczona zarówno dla rozpoczynających przygodę z bieganiem, jak i zawodowców mających nadzieję odzyskać entuzjazm i optymizm właściwy nowicjuszom w tym sporcie; dla czynnych zawodników szukających nowych metod poprawy wyników na ważnych imprezach sportowych, jak i biegaczy rekreacyjnych traktujących bieganie jako okazję do spotkań towarzyskich; dla osób wracających do biegania po dłuższych kontuzjach, jak i entuzjastów pragnących odkryć uroki biegania boso, kulturę Indian Tarahumara i chcących przeżyć inne przygody.

W trakcie lektury tej książki odkryjesz kluczową rolę wizualizacji w osiąganiu sukcesów w sporcie. Umysł podąża za ciałem, a za umysłem podąża wydajność. Opanowanie tej kolejności, kontrolowanie jej i umiejętne wykorzystanie tak, żeby pomogła nam dotrzeć do celu, jest wyzwaniem, z którego wiele osób nie zdaje sobie sprawy. Straciliśmy kontakt ze sztuką snucia marzeń. Nie chodzi mi tu o marzenia, jakie pojawiają się w naszej głowie po kilku godzinach surfowania po wakacyjnych stronach internetowych albo kupieniu biletu na loterii. W tym wszyscy jesteśmy nieźli. Chodzi mi o marzenia, które mogą pokierować naszymi działaniami i przygotować nas do wędrówki w kierunku naszego Niewiarygodnego Celu.

Spróbujmy więc. Zróbmy to. Właśnie teraz. Zamiast opisywać, o czym będą kolejne rozdziały, a potem przedstawiać poszczególne programy i ćwiczenia, wyjaśniać mechanikę, fizjologię i psychologię biegu – po prostu pozwolę ci to wszystko przeżyć. Codziennie rano budzę się w Jackson z poczuciem zachwytu dla tego miejsca, które można śmiało nazwać rajem biegaczy i wielbicieli sportów ekstremalnych, wdzięczny, że mogę żyć tak, jak to sobie wymarzyłem. No właśnie: ja to sobie wymarzyłem. A teraz to marzenie stało się równie prawdziwe jak ogromne postrzępione szczyty gór Teton, które witają mnie za każdym razem, gdy przekraczam próg domu, albo jak niedźwiedź, który przecina mi ścieżkę podczas porannej przebieżki, albo jak kłujący ból w płucach po sprincie stromym stokiem. Chciałbym, żeby i twoje marzenia stały się rzeczywistością.

Chcę, byś sobie wyobraził, że przyjeżdżasz do mnie na intensywny siedmiodniowy obóz treningowy do Jackson Hole. Ten indywidualny kurs będzie zupełnie niepodobny do wszystkich innych treningów, które być może masz za sobą. Wprowadzi cię szczegółowo we wszystkie elementy mojej metody biegania. Jackson Hole to nie żarty – to prawdziwy Dziki Zachód. Tutaj możesz odkryć swoje granice i ze zdumieniem je przekraczać. Mam nadzieję, że tego właśnie oczekujesz od tej wizyty i od tej książki, gdyż ja tego oczekuję od ciebie.

A więc jesteś... Od Denver czy Salt Lake City dzieli cię jedynie krótka podróż samolotem (przesiadka jest konieczna, bo jeśli nie masz prywatnego odrzutowca, do Jackson nie dotrzesz żadnym bezpośrednim lotem). To jak skok w inny wymiar. Samolot wynurza się z chmur i nagle ukazuje się majestatyczny krajobraz, który zapiera dech w piersiach i wywołuje uśmiech na twojej twarzy, gdy przyciskasz twarz do niewielkiego okna: postrzępiony i ośnieżony łańcuch górski wznoszący się aż po horyzont, Snake River wijąca się dolinami, lśniące brązy i zielenie cypli. Z całą pewnością (ani realnie, ani metaforycznie) nie jesteś już w Kansas.

Od razu też staje się jasne, dlaczego to miejsce nazywane jest Jackson Hole (*hole* po ang. „dziura"). Dno doliny znajduje się na wysokości 1980 metrów n.p.m., ale góry Teton po jej zachodniej stronie tworzą pionową ścianę wznoszącą się niemal na 4000 metrów, a pasmo Gros Ventre na wschodzie mierzy ponad 3600 metrów. Traperzy i myśliwi, którzy zawędrowali w te rejony w XIX wieku, musieli odnieść wrażenie, że przekraczają jakąś niewidzialną granicę, schodząc stromymi kanionami do otoczonej górami doliny. Ty też tak się czujesz, gdy twój samolot opada poniżej szczytów i szykuje się do lądowania w Jackson Hole, a niska rustykalna zabudowa lotniska idealnie wtapia się w otoczenie.

Raczej nie uświadczysz tu podestu i czerwonego dywanu. Chwytasz walizkę z przywiązanymi do rączki butami do biegania i wysiadasz prosto na asfaltową płytę. Bierzesz głęboki oddech. Powietrze uderza do głowy, a niebo jest szerokie i zadziwiająco nisko nad tobą. Idąc betonową ścieżką w kierunku terminalu, obracasz się, by spojrzeć na góry, i masz wrażenie, że wyrastają tuż przed twoim nosem. Przebiegasz oczami po pofalowanej linii szczytów zdominowanej przez centralny masyw – majestatyczny Grand Teton – i przeciętej głębokimi kanionami w kształcie litery V. Próbujesz wyobrazić sobie, jak po nich biegniesz szlakiem prowadzącym prosto do Teton Crest. Wydaje się, że to inny świat. A może inny ty.

Witaj w Jackson; ta niesamowita panorama, która skrywa wielką obietnicę i wielkie wyzwanie jednocześnie, jest wszechobecna. Właśnie dla niej tu jesteś. W następnych kilku dniach będziesz miał okazję bezpośrednio doświadczyć wszystkiego, co Jackson ma do zaoferowania, a jednocześnie poznasz mój program treningowy, moje oczekiwania oraz perspektywy, jakie mam nadzieję otworzyć przed tobą – w sferze biegania i na innych życiowych polach – dzięki nowej metodzie treningowej i nowemu sposobowi myślenia.

Spotykamy się przed lotniskiem. Ja to ten łysy chudy facet z przygarbionymi ramionami i radosnym uśmiechem na twarzy. Cieszę się, że cię widzę. Wsiadamy do samochodu i odjeżdżamy z opuszczonymi szybami.

Po drodze z lotniska do domu mijamy na poboczu bawołu – tak, czasem się tędy przechadzają – i łosia widocznego na tle niebieskiego nieba, stojącego na górskim grzbiecie, tym samym, na którym będziemy trenować w najbliższych dniach. Mijamy trójkę rowerzystów, którzy zjeżdżają z góry prawie tak szybko jak my. Wkrótce się przekonasz, że w Jackson Hole trudno nie natknąć się na kogoś, kto nie znajduje się w ruchu; niemal każdy, kogo spotykasz, jedzie na rowerze, biegnie, spaceruje, wiosłuje w dół strumienia, a zimą zjeżdża na nartach. Najbardziej usportowione miasteczko Ameryki – co do tego Chris miał rację.

Ale pierwszego wieczoru, zanim na poważnie przejdziemy do działania, mamy czas usiąść i pogadać. Rozmawiamy o tobie i o tym, co osiągniemy przez najbliższe siedem dni, a także później. Siedząc przy steku z sałatą albo grillowanym pstrągu w Snake River Brewery, rozmawiamy o wielu różnych sprawach. O Jackson i historii doliny. O Dzikim Zachodzie. O jeżdżeniu na nartach w porze lunchu i o tym, jak naprawdę człowiek czuje się przy temperaturze −20°C. O zwariowanych cenach nieruchomości i lwach górskich. Wszystko to jest podszyte atmosferą wyczekiwania, zbliżającej się przygody. Może jesteś nieco zmęczony podróżą, ale jak każdy biegacz przed ważnym sprawdzianem czujesz ekscytację, mrowienie w brzuchu. Rozmawiamy o najważniejszych aspektach czekającego cię treningu. Ponieważ lubię zaczynać od podstaw, wiedz, że najpierw zajmiemy się twoimi stopami.

Nie martw się, nie każę ci wyrzucić butów. Jeden z moich współzawodników w Miedzianym Kanionie i pionierów biegania boso mógłby ci powiedzieć wiele mądrych rzeczy na ten temat, dla mnie jednak bieganie bez butów jest jedynie narzędziem – środkiem, który pozwala wzmocnić mięśnie i poprawić technikę – a nie celem samym w sobie ani, jak twierdzą niektórzy, stylem życia. Pamiętaj, że Indianie Tarahumara pokonują kamieniste ścieżki w swoich *huaraches*, nie boso. Na razie skupimy się na wzmocnieniu twoich stóp. Zależy mi, żebyś czuł – naprawdę czuł – wszystko, co robimy.

Zdejmij buty. Nie przejmuj się, jesteśmy w Jackson, nie będziesz pierwszym bosym gościem w tej restauracji. Teraz spójrz na swoje stopy – nieco bledsze poniżej linii skarpetek, z palcami szeroko rozstawionymi na kamiennej podłodze. Większość treningów koncentruje się na mięśniach nóg,

gibkości i sile korpusu, ale prawda jest taka, że bieganie rozpoczyna się od tych dwóch śmiesznych struktur. Podobnie jak działanie każdego samochodu wyścigowego, niezależnie od wielkości silnika i zaawansowanego podwieszenia, zależy od czterech okrągłych kawałków gumy niosących go po torze, tak wydajność i zdrowie biegacza zależą od pracy stóp złożonych z 26 kości, 33 stawów i ponad 100 różnych mięśni, ścięgien i więzadeł. Silne stopy pozwalają na prawidłowe wykorzystanie mięśni całej nogi i korpusu oraz osiągnięcie równowagi mięśniowej niezbędnej do prawidłowego biegu. Będziemy nad tym pracować w trakcie naszego kursu.

Może zacząłeś sobie teraz wyobrażać siłownię pełną skomplikowanych urządzeń i szczękającego metalu, może zerkasz ukradkiem na swoje bicepsy, starając się przypomnieć sobie, ile razy udało ci się ostatnio wycisnąć sztangę. Ale w treningu siłowym nie chodzi o wielkość obciążenia. Nie na tym polega wyzwanie. Chodzi o zachowanie otwartości umysłu i ukierunkowania na cel. Trening siłowy polega na wykształceniu równowagi mięśniowej tak, żeby duże mięśnie odpowiadające za ruch nie przytłoczyły mniejszych mięśni podtrzymujących. Inaczej całe ciało zostaje wytrącone z równowagi

33

i nie jest w stanie wydajnie się poruszać. Ważniejsze jest nie to, jak sprawnie potrafisz się poruszać i wykorzystywać swoją siłę, ale jak duży ciężarek jesteś w stanie unieść.

W równowadze mięśniowej najwspanialsze jest to, że osiągnięta dzięki niej siła atletyczna pozwoli ci lepiej biegać. W ten sposób uda nam się także zapobiec dobrze znanym ci bólom, zakwasom i zesztywnieniu, które dotąd wydawały ci się nieuniknioną ceną biegania.

Powiem dobitnie: wszystkich tych bóli i zakwasów można bez problemu uniknąć. Może nauczyłeś się myśleć inaczej, ale w trakcie naszego kursu przekonasz się, że to nieprawda. Siła, równowaga mięśniowa, dobra technika i właściwy program treningowy pozwolą nam wyeliminować powszechne dolegliwości biegaczy i zapewnić ci większą radość z biegania oraz znacznie większe postępy.

Ale spokojnie – nie chcę cię przytłoczyć informacjami. Zapłaćmy rachunek i przejdźmy się po rynku. To nie Times Square w Nowym Jorku, ale brak błyszczących neonów rekompensują cichy urok tego miejsca i niezapomniana panorama gór.

Chcę się dowiedzieć czegoś więcej o tobie. Jeśli jesteś z natury nieśmiały, zapomnij o skrępowaniu. To ważne. Zanim zaczynam trening z nową osobą, lubię szczegółowo poznać jej dotychczasowe doświadczenia. Zresztą my, biegacze, uwielbiamy rozmawiać o bieganiu. Przychodzi nam to tak naturalnie jak chodzenie. Porozmawiajmy więc o twoich dotychczasowych startach – tych mniej i tych bardziej udanych. O treningach siłowych i dłuższych biegach. Opowiedz mi o swojej ulubionej trasie i o tym, jak szybko udało ci się ją ostatnio pokonać. Pozwoli mi to określić twój poziom zaawansowania i doświadczenia. Zadam ci też pytanie, które na pewno zadałeś już sam sobie: jakie są twoje cele? Czego oczekujesz od biegania – w nadchodzącym sezonie, podczas najbliższych treningów i zawodów, ale także w całym swoim życiu? Jeśli nie brałeś dotąd udziału w zawodach, możemy porozmawiać o tym, jak starty mogą dodatkowo zmotywować cię do działania i nadać twojej przygodzie z bieganiem całkiem nowy wymiar.

Okej, jak na razie dużo gadania, a mało konkretów. Miło byłoby napić się razem piwa, a jeśli nie lubisz alkoholu – kawy albo herbaty. Tego pierwszego wieczoru nie powinniśmy jednak siedzieć do późna. Czeka nas długi tydzień, więc czas położyć się spać. Wszystko, czego dowiedziałem się na temat twoich doświadczeń z bieganiem i celów na przyszłość, trafia do mojej dokumentacji.

Po powrocie do hotelu kładziesz się spać przy otwartym oknie, rokoszując się chłodnym górskim powietrzem, i zastanawiasz się, co cię czeka w Jackson.

Tuż po wschodzie słońca strome zbocza gór Teton wyraźnie odcinają się na tle nieba rozświetlone jasnymi promieniami słońca, a pofalowane podnóże mieni się złotem i zielenią. Spotykamy się w punkcie wyznaczającym początek szlaku Cache Creek Canyon. To popularny szlak spacerowy, rowerowy i rajdowy biegnący wzdłuż Cache Creek w pobliżu centrum Jackson, który doskonale nadaje się na nasz pierwszy, rozpoznawczy bieg. To jeszcze nie trening. To tylko łatwa, lekka przebieżka po lesie pobudzająca krążenie, która tobie da szansę przyzwyczajenia się do wysokości, a mnie poobserwowania, jak się poruszasz.

Sesja potrwa pewnie 35–40 minut – tyle, ile dasz radę. Na początek celowo będę starać się ograniczyć swoje uwagi do minimum, do zdawkowego „nie spiesz się" albo okazjonalnego „powolutku", gdyż najważniejsze dla mnie jest poznanie twojego sposobu biegania. Będę analizować twoją technikę, więc w tym celu na zmianę będę się wysuwać na prowadzenie i zostawać z tyłu. Na wybranych odcinkach mogę nieco przyspieszyć, a potem znów zwolnię. Będę patrzeć na twoje reakcje: czy starasz się dotrzymać mi tempa pomimo moich próśb, żebyś się nie spieszył? Czy też biegniesz po swojemu? Będę obserwować, jak pewnie czujesz się w wybranej przez siebie szybkości.

Podczas wspólnej lekkiej przebieżki można dużo dowiedzieć się o naszym towarzyszu. Każdy krok może zdradzić wiele szczegółów. Po drodze będę robić w głowie notatki. Aha, ma dobre tempo. Hm, krzyżuje nogi. Oho, nie używa mięśni pośladkowych. O, biega z pięty. To wszystko pozwoli mi wytyczyć dalszy plan postępowania.

Jestem ekspertem od biegania i mówienia, na tym polega moja praca. Podczas biegu opowiem ci więc nieco o prawidłowej technice. Tak jak wytłumaczyłem Chrisowi, można biegać prawidłowo i nieprawidłowo, a ja mam za zadanie pokazać ci różnicę. Szczegóły omówimy później. Na razie zajmijmy się znaczeniem techniki.

Jeśli mamy dobrą technikę, biegamy wydajnie. Jeśli mamy złą technikę – tak jest, zgadłeś – biegamy niewydajnie. Zła technika zmusza cię do silniejszego angażowania niektórych mięśni i mniejszego angażowania innych, co nie jest wskazane. Z czasem silniej angażowane mięśnie wzmacniają się, a pozostałe osłabiają. To nie fizyka kwantowa. Jest oczywiste, że w ten sposób wytrącamy ciało z równowagi, o czym wspominałem już wcześniej. Gdy tak się dzieje, twoje mięśnie stają się napięte i zaczynają doskwierać ci typowe dla biegaczy dolegliwości bioder, kolan, stawów skokowych i stóp. Poświęcimy dużo uwagi technice. Jestem pewien, że już niedługo zauważysz pozytywne zmiany.

Na razie ważne jest, żebyś biegł rozluźniony, w naturalny sposób, nie koncentrując się nadmiernie na swoim ruchu. Najtrudniejszą rzeczą, gdy wiemy, że ktoś nas ocenia, jest biegać tak jak zwykle. Bardzo możliwe, że będziesz trochę rozproszony – krajobrazem Jackson, budzącym się lasem, górami wyzierającymi spomiędzy drzew, rozmyślaniem o tym, co czeka cię w następnych siedmiu dniach, oraz, oczywiście, wysokością.

Jeśli na co dzień mieszkasz na poziomie morza, twój pierwszy bieg na wysokości prawie 1900 metrów będzie prawdziwym przebudzeniem – nie tylko w dosłownym tego słowa znaczeniu. Już

kierując się od samochodu do szlaku, będziesz czuł, jakby z każdym oddechem do twoich płuc trafiało odrobinę mniej tlenu niż zwykle. Nawet gdy będziesz biec wolno, możesz początkowo odczuwać lekką panikę, gdyż każdy kolejny krok pod górę będzie zwiększał twój dług tlenowy. Tak, tak, Jackson jest piękne, przezierające przez korony drzew poranne słońce jest przecudne, a na szlaku możemy spotkać niedźwiedzia, lwa górskiego albo kto wie jakie inne zwierzę, jednak po jakichś 10 minutach spokojnej przebieżki twoje pole widzenia zawęzi się do ścieżki przed twoim nosem, a twój umysł nie będzie w stanie skupić się na niczym innym poza kolejnym krokiem. I to ma być bieg rozpoznawczy? Przypomina raczej test surwiwalowy. Ale nie poddasz się. W końcu po to tu przyjechałeś. I ze zdumieniem odkryjesz, że twoje ciało będzie potrafiło zaadaptować się do nowych warunków. Już pod koniec tego pierwszego krótkiego wypadu poczujesz się nieco silniejszy, bo zauważysz, że wciąż możesz dać z siebie więcej. To też jest część procesu.

Gdy na ostatnim spadku w stronę naszego punktu startowego zwolnimy do truchtu, a potem do marszu, twoje tętno i oddech powrócą do normy, a twoje myśli już zaczną krążyć wokół kolejnego biegu i większych wyzwań. Czujesz ochotę, ekscytację, pobudzenie.

To dobry moment, żebym przedstawił ci sedno mojego programu. Czasem nazywam go treningiem kardio, ponieważ w znacznym stopniu angażuje układ krwionośny i oddechowy. Ale tak naprawdę elementów będzie dużo więcej – poprawa wydolności podczas biegania, rozwój siły, spalanie tkanki tłuszczowej, podnoszenie progu mleczanowego, zwiększanie prędkości. Nazywam to strategicznym fundamentem biegowym. Nie jest to slogan, ale przede wszystkim system biegów treningowych odbywanych w konkretnych zakresach szybkości lub zakresach tętna, oparty na szczegółowym dziennym harmonogramie.

Przestrzeganie go pozwoli ci zbudować fundament wytrzymałości, szybkości i siły potrzebny do dowolnego rodzaju biegów, które chciałbyś uprawiać niezależnie od twojego poziomu zaawansowania. Program jest wystarczająco elastyczny i dynamiczny, by mogła go wykonywać zarówno osoba początkująca, która chce nauczyć się prawidłowych podstaw biegania, jak i doświadczony zawodnik, który chciałby zrobić postępy albo przygotować się do pierwszego biegu na 5 lub 10 tysięcy

metrów, półmaratonu, maratonu czy innych wyzwań.

Już na samą myśl o tym można poczuć ekscytację, prawda?

Kolejny przystanek to śniadanie. Wracamy do miasteczka i wpadamy do Bunnery nieopodal głównego rynku. Jasne wnętrze jest pełne ludzi, którzy zatrzymali się tu w drodze do pracy lub po porannym treningu – biegaczy, kolarzy, alpinistów i kajakarzy. Nie ma przyjemniejszego uczucia niż siąść do śniadania, mając za sobą poranny bieg. Silnik został odpalony i czeka na dolanie paliwa.

Wśród zapachu świeżo upieczonych muffinów, bułeczek, burrito i naleśników z jagodami znajdujemy chwilę na rozmowę o prawidłowym odżywianiu. Dieta jest bardzo ważnym elementem mojego programu (co zresztą będziesz miał okazję odkryć w ciągu najbliższych dni), choć nie dostaniesz ode mnie szczegółowego tygodniowego jadłospisu. Nie chodzi też o przyklejenie ci jakiejś łatki (weganin, paleo, wegetarianin). Dla mnie odżywianie to przede wszystkim kwestia mentalności: deklaracja chęci bycia sportowcem wiąże się z zobowiązaniem do życia w świadomy sposób. Obejmuje to także świadomość tego, co jesz. Będziemy rozmawiać o naturalnym jedzeniu i unikaniu żywności przetworzonej, a zwłaszcza cukru. Ale główne założenie jest takie, że każdy z nas tak naprawdę wie, co powinien, a czego nie powinien jeść. Chodzi o to, żeby zarzucić półśrodki i po prostu przestrzegać zdrowej diety. Aha, i podaj, proszę, sos do jajek.

Śniadanie skończone i mamy teraz wiele do przetrawienia. Masz czas wolny, możesz odpocząć w hotelu albo udać się na relaksujący spacer. Poznaj lepiej Jackson, porozmawiaj z jego mieszkańcami, staraj się wczuć w miejsce, w którym spędzisz najbliższy tydzień. Przyjadę po ciebie, gdy słońce będzie chyliło się ku zachodowi.

Jest późne popołudnie, znów siedzimy w aucie i pędzimy na północ. Mijamy lotnisko i docieramy do Parku Narodowego Grand Teton. Skręcamy w Moose Junction, przecinamy Snake River, którą pokrywają teraz wydłużone cienie. Jedziemy wzdłuż Teton Park Road, zagłębiając się coraz dalej w park. Jest wciąż przyjemnie ciepło, ale twój wzrok przyciągają wąskie słupy rozmieszczone w regularnych odstępach na poboczu drogi. Wyznaczają kraniec chodnika, gdy szlak pokrywa się śniegiem. Są wyższe od naszego samochodu. Patrząc na zielono-brązowy las dookoła,

zastanawiasz się, jak to miejsce wygląda zimą, gdy wszystko wokół jest białe.

Zanim na dobre rozmarzysz się o jeździe na biegówkach albo rowerem po śniegu, parkujemy na wschodnim skraju Jenny Lake.

Tutaj zrobimy sobie kolejny bieg. To miejsce nie przypomina niczego, co w życiu widziałeś. Utworzone 12 tysięcy lat temu przez lodowiec, Jenny Lake jest otoczone przez najwyższe szczyty gór Teton. Ma ponad trzy kilometry długości i ponad półtora kilometra szerokości. W krystalicznie czystej wodzie widać idealne odbicie nieba i gór. Przez następną godzinę ta żywa widokówka będzie tłem dla naszego treningu – choć będziesz się koncentrować bardziej na swoich odczuciach niż na scenerii.

Ruszamy pokrytą igliwiem ścieżką wokół jeziora. Chciałbym, żebyś podczas biegu pomyślał, jak ważny jest trening umysłu – nie tylko ciała. Myślenie wpływa na wydajność ruchu. Kropka. W ciągu najbliższych kilku dni będziemy jeszcze sporo o tym mówić, ale na razie chciałbym trochę bardziej szczegółowo omówić kwestię świadomości.

Wraz ze świadomością przychodzi możliwość dokonywania kontroli i poprawek, robienia postępów i osiągania mistrzostwa – a także, co najważniejsze, pojawiają się nowe szanse. Pod wieloma względami sama treść naszych myśli nie jest ważna. Ważna jest świadomość tego, o czym myślimy, oraz tego, co możemy z tym zrobić. Na przykład w ludzkiej naturze leży chęć przewidywania konsekwencji naszych działań, więc zanim czegoś spróbujemy, pytamy: Co się stanie? Jaki będzie rezultat? Nasz sposób myślenia – potrzeba, żeby wiedzieć – często powstrzymuje nas przed robieniem tego, na co mamy ochotę, zwłaszcza gdy nie jesteśmy pewni swoich umiejętności. To lęk przed nieznanym. Może nas powstrzymać, zanim jeszcze zaczniemy działać. Jeśli jednak jesteśmy w stanie zidentyfikować ten lęk – mamy jego świadomość – i pomimo niego nie ustaniemy w wysiłkach, znajdziemy się na prostej drodze do sukcesu. Gdy wejdziesz na tę drogę, zaczną się dziać szalone rzeczy. Szalone w pozytywnym sensie. Życie mnie tego nauczyło i stało się podstawą mojej działalności sportowej i filozofii treningu. Jeśli cokolwiek zaczynasz robić, bardzo ważne jest, abyś nie koncentrował się wyłącznie na wyniku. Rzecz jasna każdy sportowiec ma swoje cele, a dążenie do nich jest ważne i potrzebne. Ale nie wiadomo, jak to się skończy – i to właśnie jest piękne.

To nie tylko oderwana od rzeczywistości teoria (nie zamierzam przedstawiać ci niczego w teorii bez wyjaśnienia, jak można to osiągnąć w praktyce). Nie. Nauczę cię konkretnych technik. Naszą podróż zaczniemy od tego, że pomogę ci określić twoje cele i ustalić, co tak naprawdę chcesz osiągnąć jako biegacz. Robiliśmy już trochę wizualizacji, ale na dalszych etapach będzie jej więcej.

Pokażę ci także, jak wykorzystywać mantrę. Spokojnie. Nie będziesz musiał siedzieć jak Budda ze skrzyżowanymi nogami i kadzidełkiem w ręku, wydając z siebie przeciągłe „om". Oczywiście możesz, jeśli masz na to ochotę. Mantra może mieć różne formy. Możesz po prostu powtarzać w kółko jakieś powiedzenie, na przykład: „Rób, co do ciebie należy". Jej siła polega na skupieniu myśli, ukierunkowaniu ich na cel.

To mocna rzecz, ale jeśli mi zaufasz i pozwolisz poprowadzić się przez kolejne etapy drogi do Niewiarygodnego Celu, zobaczysz, jak bardzo jest skuteczna.

Teraz zwolnij i usiądź obok mnie na brzegu jeziora. Dobrze. Wiem, co ci chodzi po głowie. No śmiało, zdejmij buty, wiem, że masz ochotę zanurzyć zmęczone stopy w zimnej niebieskiej wodzie Jenny Lake. Miłe uczucie, prawda? Powinieneś teraz poczuć przepływ energii przez całe ciało, rodzaj zrelaksowanej więzi z otoczeniem.

Siedzimy tak przez chwilę, nie odzywając się do siebie, chłonąc atmosferę tego miejsca.

Spójrz w górę na szerokie błękitne niebo nad Wyoming. Gdzieś tam krąży orzeł, pozornie bez wysiłku unosząc się wraz z prądem powietrza, tak jakby nie było dla niego rzeczy niemożliwych. Prawdopodobnie wkrótce poczujesz się tak jak on.

ROZDZIAŁ 3

PRAWDZIWA SIŁA

No dobrze, czas na prawdziwy trening. Zaczynamy od siły. Zdążyłeś się już zadomowić w Jackson Hole. Może nie całkiem jeszcze przystosowałeś się do wysokości, ale prawdopodobnie odczuwasz coraz większą ochotę i gotowość do intensywniejszych ćwiczeń, które pozwolą ci osiągnąć twój Niewiarygodny Cel.

Spotykamy się w Snow King Resort, kawałek drogi biegiem od głównego rynku. To tu mieszkańcy Jackson przychodzą pojeździć na nartach. Farba na wyciągach jest nieco odrapana – ale komu to przeszkadza? Przed nami pionowa, około trzech kilometrów długości ściana stoku wznosząca się na wysokość ponad 450 metrów. Stroma. Po sezonie zimowym ośrodek przeistacza się w centrum innych sportów wyczynowych. Kolarze na

rowerach górskich podjeżdżają pod górę, żeby potem doświadczyć szaleńczego pędu w dół. Amatorzy turystyki pieszej przemierzają szlaki prowadzące przez gęsty sosnowy las. Po niebie szybują paralotnie. A nieopodal stołu piknikowego, przy którym zatrzymujemy się na chwilę rozmowy, trójka alpinistów mierzy się z parkiem wspinaczkowym. Spójrz na nich – jak pracują ciałem, jak bardzo są świadomi swoich ruchów, jak doskonale potrafią wykorzystać swoją siłę. Od osób uprawiających wspinaczkę można się wiele nauczyć. Ty możesz się od nich wiele nauczyć.

Porzućmy na moment naszą wizualizację. Gdybyś naprawdę przyjechał do mnie na indywidualny kurs treningowy, od razu opowiedziałbym ci o sile, technice, strategicznym fundamencie biegowym, diecie, świadomości i treningu mentalnym. Ale w tej książce mamy dużo czasu, więc po co się spieszyć? W kolejnych rozdziałach szczegółowo przyjrzymy się każdemu z tych elementów. Omówię podstawy teoretyczne, skupimy się na wszystkich ważnych aspektach, a następnie zaprezentuję szczegółowy program treningowy. Pamiętaj jednak, że żadnego z tych elementów nie należy rozpatrywać ani trenować niezależnie od pozostałych. Siła wspomaga technikę, technika wspomaga siłę – i tak jest w wypadku wszystkich zagadnień, o których piszę. I jeszcze jedna, ostatnia uwaga, czy raczej sugestia. Zanim przejdziesz do wykonywania któregoś z programów (na przykład opisywanych przeze mnie ćwiczeń na siłę stóp), zapoznaj się z treścią całej książki, a dopiero później wróć i zacznij wdrażać w życie konkretne zalecenia.

Książka jest tak skonstruowana, że pozwala osiągać najlepsze efekty, gdy masz ogląd na całość omawianych w niej zagadnień. Wtedy możesz wykonywać ćwiczenia siłowe, pracując jednocześnie nad techniką biegu (oraz programem przejściowym/reaktywacyjnym), potem przejdziesz do strategicznego fundamentu biegowego. W tym czasie możesz już stosować zasady zdrowego żywienia i zwiększać swoją świadomość.

Wreszcie, pod koniec książki, nauczę cię, jak trenować samego siebie i słuchać swojego ciała, a jednocześnie być zadowolonym i trenować zgodnie ze swoim poziomem zaawansowania. Trzeba też dodać, że realizację programu należy rozpocząć w momencie, w którym czujesz się dobrze i nie doskwierają ci żadne kontuzje. Jeśli masz jakieś pytania czy wątpliwości odnośnie do swojego stanu zdrowia, przed rozpoczęciem programu powinieneś skonsultować się z lekarzem lub fizjoterapeutą.

Okej, teraz możemy już wrócić do Snow King. Przed nami jeszcze sześć dni. Jak już wiesz, na początku skoncentrujemy się na sile. Może się dziwisz, że proponuję taką właśnie kolejność. W jaki sposób można wykonać trening siłowy w parku u podnóża stoku narciarskiego? Być może, jak wielu biegaczy, sądzisz, że wykonujesz wystarczająco dużo ćwiczeń typu crossfit niebędących bieganiem, zwiększających ogólną sprawność fizyczną.

W twojej głowie pojawia się wiele pytań. To dobrze – świadczy to o twoim zaangażowaniu.

Po pierwsze, zaufaj mi. Po drugie, pamiętaj, że siła wspomaga technikę, i odwrotnie. Po trzecie, zrozum, że mój program siłowy pozwoli ci rozwinąć ogólną sprawność. Wreszcie pora na mój żelazny argument: długie godziny spędzane w siłowni wcale nie zapewniają poprawy sprawności fizycznej. Wiem, że lubisz biegać, a ćwiczenia siłowe, które polecam, nie są czasochłonne, więc pozostanie ci wiele czasu na to, co lubisz najbardziej.

Dziś wyjaśnię dokładniej, jak rozumiem siłę oraz w jaki sposób możemy ją budować (i w których partiach ciała). Opiszę również rolę świadomości w tym procesie, a na koniec przedstawię serię przydatnych ćwiczeń. Dzięki tej sesji poznasz swoje ciało od zupełnie nowej strony.

NOWA KONCEPCJA SIŁY

Zapomnij o swoim dotychczasowym rozumieniu siły. Nie mówimy tu o podnoszeniu ciężarów, wyciskaniu sztang, przebijaniu się przez tłok na poniedziałkowych zajęciach body sculptingu ani o ćwiczeniach crossfit. Wszystkie wymienione powyżej aktywności pozwalają zaspokoić wiele osobistych potrzeb, jednak ja chciałbym, żebyś zaczął patrzeć na siłę inaczej – z perspektywy biegacza. Pamiętaj, że Indianie Tarahumara są nie tylko doskonałymi biegaczami, ale także wspaniałymi atletami.

Dla mnie siła jest umiejętnością magazynowania energii w mięśniach, generowania mocy pozwalającej na jak najbardziej efektywne powodowanie i stabilizowanie ruchu. To zdolność wykorzystywania energii do wykonywania określonych zadań w pewnym czasie. Jako biegacze chcemy pokonywać różne, często znaczne dystanse w stałym tempie. Nie chcemy czuć zmęczenia, nabawiać się urazów ani zatracać techniki. Wszystko to wymaga siły.

Taka koncepcja siły nierozerwalnie wiąże się z równowagą. Chcemy, żeby wszystkie części naszego ciała funkcjonowały jako całość. Chcemy osiągnąć skuteczność dzięki prawidłowemu wykorzystaniu ich i zrównoważeniu. Równowaga mięśniowa eliminuje zjawisko, które nazywam dominacją dużych mięśni (mięśni czworogłowych, mięśni klatki piersiowej) kosztem mniejszych mięśni podtrzymujących (mięśnie stawów skokowych, bioder, kręgosłupa). Równowaga przekłada się na dobry ruch, stabilność, wytrzymałość i moc.

Jako trener wielokrotnie widziałem biegaczy, którzy podczas treningów siłowych koncentrowali się głównie na rozwijaniu większych grup mięśniowych. Skutkuje to dominacją preferowanych mięśni i osłabieniem lub stagnacją pozostałych, a w efekcie potęguje nierównowagę w ciele sportowca, jaka mogła wykształcić się już wcześniej z powodu słabej techniki i innych problemów. Brak równowagi powoduje napięcia i prowadzi do powszechnych dolegliwości u biegaczy: napięć zginaczy biodra, ścięgien podkolanowych, pasma biodrowo-piszczelowego, urazów ścięgna Achillesa, rwy kulszowej, trudności z oddychaniem, kolana biegacza, usztywnień tułowia, przygarbionych ramion i słabej biomechaniki.

Chcę podkreślić, że chroniczne napięcie mięśni jest wywołane dominacją określonych grup mięśniowych i ich nierównym wykorzystywaniem. Jeśli w twoim ciele jest zachowana równowaga, żaden z twoich mięśni nie powinien być trwale napięty. Dlatego też wbrew temu, co sądzi wiele osób, nie powinniśmy się nadmiernie rozciągać. Duże napięcia są oznaką jakiegoś problemu i choć rozciąganie może sprawić, że poczujesz się lepiej, to nie wyeliminujesz przyczyny.

Pamiętaj, że pewne napięcie mięśni jest konieczne do wygenerowania odpowiedniej szybkości, mocy i siły. Klasyczną analogią jest gumka recepturka. Jeśli nadmiernie ją naciągniesz, straci elastyczność i stanie się bezużyteczna. Gumka powinna być elastyczna i po rozciągnięciu szybko wracać do wyjściowej długości.

Tak samo jest z rzeźbieniem mięśni. Mięśnie magazynują i uwalniają energię, działając na zasadzie sprężyny. Z tego wynika siła i szybkość. To jest zdrowe.

Musimy przestać myśleć o sile jako wyznaczniku tego, jak duże ciężary potrafimy udźwignąć, ile okrążeń przebiec, gdyż wytężony wysiłek może skutkować utratą techniki. Zamiast tego powinniśmy się skupić na równowadze i pobudzeniu do pracy uśpionych mięśni, wspierając torowanie neuromięśniowe, które pozwoli nam wykorzystywać więcej grup mięśniowych. Przestań myśleć, że silny korpus jest celem samym w sobie. Pomyśl raczej o tym, jak zaktywizować mięśnie korpusu podczas ruchu i biegu. To samo można powiedzieć o stopach, łydkach, ścięgnach podkolanowych, mięśniach czworogłowych ud i ramionach.

Na sprawność fizyczną wpływa kilka czynników jednocześnie. Polega ona na prawidłowym i wydajnym sposobie poruszania się. Na kontrolowaniu ruchu dzięki świadomości własnego ciała – w czasie i w przestrzeni – oraz współpracy poszczególnych jego partii. Trening siłowy pozwala uzyskać stabilność i równowagę wszystkich tych pojedynczych elementów i zapewnia ich płynną, wydajną współpracę, która z kolei umożliwia nam realizowanie pożądanych celów sportowych.

Chodzi więc o prawdziwą siłę. Spójrz na park wspinaczkowy, na alpinistów uczepionych skał z rękami białymi od kredy, z wysiłkiem sięgających w stronę kolejnego chwytu. Zwróć uwagę na ich umięśnione ramiona i nogi. Popatrz, jak wykorzystują całe ciało, przenosząc ciężar raz na jedną, raz na drugą jego stronę, cały czas w pełni świadomi tego, gdzie są i co robią. Ich ruchy są precyzyjne, a jednocześnie pozbawione napięcia, ukazują perfekcyjną równowagę pomiędzy siłą a rozluźnieniem. Panując nad każdym kilogramem swojego ciała i świadomie pokonując każdy centymetr w górę, ludzie ci mogą uważać się za najsilniejszych, najbardziej wydajnych i najbardziej zrównoważonych sportowców na świecie. Są ucieleśnieniem czystej siły. Potrafią doskonale łączyć swoje umiejętności anaerobowe z wytrzymałością aerobową. Tego właśnie chcę nauczyć cię od podstaw, począwszy od stóp – dosłownie – po czubek głowy.

PRAWDZIWA SIŁA – OD STÓP PO CZUBEK GŁOWY

Stopy i nogi

Wstań. Odsuń się od stołu piknikowego, zdejmij buty i skarpetki. Wykonując to polecenie, ze zdziwieniem zauważasz, że wyjmuję z podręcznej torby dziwne przyrządy. Drewniana pochyła deseczka o wymiarach 12 × 12 cm, z podpórką, która przypomina mały podest, to slantboard. Okrągła deseczka o średnicy 12 cm, z zaokrąglonym kołkiem pod spodem to dysk balansujący. Kijki narciarskie, które dostrzegłeś już wcześniej, pomogą ci utrzymać równowagę, gdy na jednej z deseczek będziesz stał na jednej nodze. Narzędzia te są potrzebne do wykonania serii ćwiczeń rozwijających siłę stóp i nóg.

Zgadza się – stóp. Mało kto mówi o konieczności rozwoju sprawności fizycznej u biegaczy – a ta obejmuje również siłę. Jeszcze rzadziej mówi się o sile stóp. Ogromnie mnie to dziwi, bo struktura ludzkiej stopy – od palców aż po piętę – determinuje naszą zdolność biegania w ogóle. Można pokusić się o stwierdzenie, że w czasach, gdy ludzie prowadzili łowiecko-zbieraczy tryb życia, stopy były kluczowe dla ich zdolności przetrwania i rozwoju. Wszystkie kości, stawy, mięśnie, ścięgna i więzadła stóp decydują o naszej sile i równowadze. Większość sportowców nie ma pojęcia o tym, że można trenować stopy. Jest to jednak możliwe i powinniśmy dbać o to tak samo jak o trening mięśni korpusu.

Siła stóp ma dla biegacza niewiarygodnie duże znaczenie. Od nich wszystko się zaczyna. Są fundamentem – dobrym albo złym – dla całych nóg. Powinniśmy się starać, żeby był on jak najlepszy.

Dlaczego poprosiłem cię o zdjęcie butów? Nie jestem zagorzałym fanatykiem biegania boso. Nie uważam, że rozwiązuje ono wszystkie nasze problemy. Niemniej podczas treningu siłowego zawsze proszę sportowców o zdjęcie butów. Obuwie może ograniczać naturalny ruch stóp, a z całą pewnością utrudnia wyczuwanie podłoża. Ponieważ będziemy zajmować się twoim ciałem od dołu do góry, musisz zrozumieć, w jaki sposób pracujesz stopami i jak wpływają one na wydajność twojego poruszania się. Wszystkie ćwiczenia będziemy wykonywać więc bez butów.

A skoro mowa o butach: czy podczas ostatniej wizyty w sklepie obuwniczym powiedziano ci, że masz płaskostopie, nadpronację (nadmierny ruch stopy do wewnątrz) albo nadsupinację (nadmierny ruch stopy na zewnątrz)? Jeśli tak, wiedz, że nie jesteś jedyny. Często wiedziony dobrymi intencjami sprzedawca podpowie ci, że powinieneś kupić taki czy inny rodzaj butów albo wkładek, które pozwolą zniwelować twoją wadę. Nie słuchaj go. Nadpronacja czy nadsupinacja jest spowodo-

wana przede wszystkim brakiem stabilności stóp, a więc rozwój siły tych części ciała sprawi, że żadne wkładki nie będą ci potrzebne. Tak samo z płaskostopiem. Miałem problem z bardzo niskim sklepieniem. Dzięki ćwiczeniom wzmacniającym mam dziś silne, wysokie podbicie.

Na moment zapomnijmy o slantboardzie i dysku balansującym. Zrobię ci szybki test na siłę stóp. Stań na jednej nodze. Trudne, ale bez przesady. No to teraz postaraj się stanąć na przodostopiu, odrywając piętę od podłoża, i wytrwaj w tej pozycji trzydzieści sekund. Trudniejsze, niż myślałeś, prawda? Prawdopodobnie musiałeś nieźle się wysilić, żeby ani na moment nie oprzeć pięty o ziemię, o ile w ogóle udało ci się wytrwać w tej pozycji tak długo.

Okej, możemy znów usiąść przy stole. Jeśli potrzebujesz, rozmasuj sobie stopy. Chcę ci coś jeszcze wyjaśnić.

Brak siły w stopach zmniejsza stabilność, a stabilność jest fundamentem, którego potrzebujesz, aby efektywnie poruszać się naprzód. Bez niej jesteś niczym dom o chwiejnej strukturze. Z czasem budowla się zawali. Wracamy więc do mojej tezy, że stopy są fundamentem dla wszystkich pozostałych części ciała. To dlatego, że są połączone z wszystkimi innymi partiami kończyn dolnych, od kostek poprzez łydki, kolana aż po pośladki. Czy stojąc na jednej nodze, czułeś pieczenie wędrujące stopniowo w górę łydki aż do pośladka? Otóż to.

To znaczy, że biegacz nie jest w stanie oddzielić siły stopy od siły całej nogi. Prawidłowe użycie stopy (które jest zależne od siły, świadomości i dobrej techniki) aktywuje mięśnie wzdłuż całej nogi i zwiększa równowagę mięśniową. Trenując stopy, pozwalasz mięśniom całej nogi pracować prawidłowo. Dzięki temu angażujesz więcej włókien mięśniowych, co przekłada się na bardziej ekonomiczny i wydajany ruch. Nie chodzi więc o rozbudowanie mięśni, ale o wykorzystywanie większej grup i włókien mięśniowych do generowania siły, mocy i stabilności.

Program ćwiczeń ze slantboardem, który przedstawię ci za chwilę, będzie początkowo znacznym obciążeniem dla twoich stóp. Niemniej w miarę rozwoju siły stóp oraz angażowania mięśni łydek i wyższych partii nóg aż po pośladki to w nich poczujesz pieczenie, a nie w stopach. Będzie to znaczyło, że nareszcie pracujesz właściwymi mięśniami.

Zapewne już zrozumiałeś, jak ważna jest siła stóp dla efektywnej pracy całych nóg, ale chciałbym opisać ci jeszcze jeden przykład powszechnego problemu spowodowanego brakiem tego ważnego

fundamentu. Pokazuje on dobitnie, że wszystkie dolegliwości i urazy biegaczy wcale nie są normą i nie muszą się nam przytrafiać. Udowodnię ci to w trakcie kolejnych dni naszego treningu.

Mięsień pośladkowy średni znajduje się w okolicy biodra (pomiędzy przednią a tylną kieszenią twoich spodni). Jest kluczowy dla stabilności podczas biegu. Z mojego doświadczenia wynika, że słabość lub niedostateczna aktywność tego mięśnia stanowi najczęstszą przyczynę niskiej wydajności biegu i bólów trapiących sportowców. A jak już mówiłem, skuteczne angażowanie tego mięśnia zaczyna się od stóp.

U idealnego biegacza o idealnej kondycji na podłożu ląduje najpierw przodostopie. Duży palec stabilizuje pozycję stopy, sklepienie obniża się w kierunku podłoża, a na koniec ziemi dotyka pięta. Następnie wybijasz się z przodostopia i unosisz piętę, aktywując mięśnie łydki. Staw skokowy i kolano pozostają w jednej linii, mięsień czworogłowy i ścięgna podkolanowe pracują poprawnie, a mięsień pośladkowy średni stabilizuje biodro, podczas gdy całe ciało zostaje wypchnięte w przód. Biegniesz prosto, dynamicznie.

Rzeczywistość jest jednak mniej idealna i nasze stopy często nie są wystarczająco silne. Pociąga to za sobą wiele problemów. Pięty nie unoszą się tak, jak powinny, kostki i kolana nie są w jednej linii, łydki nie pracują dynamicznie, za to mięśnie czworogłowe ud są nadmiernie eksploatowane. Mięsień pośladkowy średni w ogóle nie jest angażowany.

Gdy mięsień pośladkowy średni nie może pełnić swojej roli i stabilizować bioder, zaczynają się one kołysać w lewo i w prawo. Możesz tego nie widzieć albo nie wyczuwać, ale wielu biegaczy wykonuje ten ruch. Stabilizacją bioder muszą się więc zająć zginacze bioder, które nie są przystosowane do tego zadania. Ich rolą jest unoszenie nóg. Jednak przy niewłaściwej pracy stóp muszą zostać zaangażowane do stabilizowania bioder ze szkodą dla siebie (i ciebie).

Z czasem w naszym nieidealnym świecie równowaga biegacza zostaje dodatkowo zachwiana na skutek dominacji i napięcia tych nadużywanych mięśni (czworogłowych ud i zginaczy bioder). Jednocześnie zaniedbane mięśnie łydek i mięsień pośladkowy średni osłabiają się. To niebezpieczne. Pojawiają się bóle bioder, zapalenie okostnej, kolano biegacza i urazy ścięgien Achillesa.

Czy cierpisz na bóle pasma biodrowo-piszczelowego albo powiedziano ci, że to ono odpowiada za wszystkie twoje dolegli-

wości? Prawda jest taka, że napięcie tych mięśni jest przeważnie wynikiem nadużywania mięśni czworogłowych ud, co powoduje nadmierne naprężenie włókien mięśniowych w paśmie biodrowo-piszczelowym oraz mięśni czworogłowych, które są połączone z kolanami. Stąd bóle kolan.

Rzadko bowiem się zdarza, żeby miejsce, w którym odczuwasz ból, dyskomfort czy napięcie, było źródłem problemu. A jednak zwykle leczymy właśnie to miejsce, a nie źródło objawów. Nie musisz być biegaczem stale kontuzjowanym i usztywnionym. Popracuj nad siłą – najpierw stóp – i przerwij szkodliwe błędne koło.

Poświęciłem sporo czasu na omówienie dolegliwości bólowych i urazów. Jestem pewien, że te problemy nie są ci obce, choć wiem, że wśród moich czytelników znajdzie się też wiele osób, którym ten ból nie doskwiera. To wspaniale. Ale jeśli należysz do tego grona, mimo wszystko nie powinieneś rezygnować z pracy nad rozwojem siły stóp i nóg. Pozwoli ci ona biegać w bardziej oszczędny i efektywny sposób. Poprawisz swoją wydajność.

Wypracuj nowe nawyki promujące równowagę mięśniową i stabilność, a będziesz w stanie biegać szybciej i skuteczniej, odczuwając mniej bólu i napięcia i generując większą siłę. Do dzieła!

INDIANIE TARAHUMARA – UCIELEŚNIENIE SIŁY

Podczas mojego pobytu w Urique przed wyścigiem w Miedzianym Kanionie poświęciłem każdą wolną chwilę na obserwowanie Indian Tarahumara i rozmowy z nimi. Chciałem się dowiedzieć, w jaki sposób stali się tak doskonałymi biegaczami wytrzymałościowymi. Co umożliwia im pokonywanie ponad 160 kilometrów jednego dnia w bardzo wymagającym terenie?

Odkryłem ich tajemną „miksturę". Nie mają żadnych dodatkowych mięśni ani jakiejś szczególnej przewagi anatomicznej. Ich sukces jest kombinacją wielu różnych czynników: intensywnych biegów od wczesnego dzieciństwa, sposobu odżywiania się, ukształtowania terenu w ich rodzinnych stronach, specjalnych butów, zabaw w biegu i ogólnie stylu życia skoncentrowanego wokół ruchu. Ale nie ma w tym nic magicznego ani zaskakującego. Wiele z tego, co udało mi się zaobserwować u Indian Tarahumara, odkryłem już w trakcie szkolenia swoich sportowców. Zamiast objawieniem czas spędzony w Meksyku okazał się raczej potwierdzeniem tego, co udało mi się ustalić w ramach własnej działalności sportowej. Trzeba jednak powiedzieć, że dla kogoś zajmującego się treningiem biegaczy będącym połączeniem nauki i sztuki potwierdzenie własnych przekonań jest czymś pięknym i motywującym zarazem.

Jeśli chodzi o siłę, Indianie Tarahumara mają wszystkie atuty niezbędne do biegów wytrzymałościowych. Po raz pierwszy uświadomiłem to sobie, gdy Manuel pełniący funkcję nestora plemienia zaproponował, że wykona dla Bosego Teda *huaraches*. Ten niemal sześćdziesięcioletni mężczyzna w nasuniętej na wciąż kruczoczarne włosy czapeczce Jankesów był jednym z uczestników pierwszego wyścigu Leadville, w którym wzięli udział Indianie.

Robiąc buty dla Teda, cały czas siedział w kucki przy jednej z głównych ulic Urique. Potężny, z pośladkami tuż nad chodnikiem, zawzięcie ciął kawałek starej opony ząbkowanym nożem. Ktoś powiedziałby – nic wielkiego. Spróbuj zrobić głęboki przysiad i zobacz, jak bardzo uda ci się przybliżyć pośladki do podłogi bez wypychania kolan do przodu. Być może kucając, tak naprawdę pochylasz się w pasie do przodu. Manuel siedział w kucki niemal godzinę, jednocześnie pracując rękami. W ten sposób zademonstrował swoją niezwykłą sprawność, mobilność i równowagę mięśniową.

Przez następne dni, które spędziłem na bieganiu tymi samymi szlakami co Manuel i pozostali Indianie, nabrałem pewności, skąd czerpał tę siłę – utwierdziłem się w przekonaniu o kluczowej roli stóp dla ogólnej sprawności fizycznej

49

sportowca. Trasy prowadzące przez strome kaniony wokół Urique nie były zadbanymi, często uczęszczanymi ścieżkami, jakimi miałem okazję biegać w Stanach Zjednoczonych. To nierówne, twarde i kamieniste szlaki. Pokonanie ich wymagało nie tylko wzmożonej koncentracji, ale także zdolności lądowania stopami na kamieniach pod różnym kątem i wybijania się z nich dalej w przód.

Gdy przemierzasz Miedziany Kanion, rzadko się zdarza, aby obie twoje stopy lądowały na płaskim podłożu. Częściej jedną stopą trafiałem w pochyły kamień, a drugą w ścieżkę. To wymaga umiejętności utrzymania równowagi, wykonywania ciągłych wykroków i przysiadów. Indianie Tarahumara nieustannie biegają w ten sposób, dzień za dniem, podczas długich wędrówek w górę i dół

stromych zboczy. Biegają w zużytych *huaraches*, a jedynymi amortyzatorami, jakie mają do dyspozycji, są ich stopy i łydki. Można więc powiedzieć, że podczas biegu wykonują serię szybkich przysiadów na jednej nodze na bardzo kamienistym podłożu. Ich ciała nauczyły się poruszać z ogromną prędkością i siłą, a jednocześnie stabilnie. Przychodzi im to naturalnie. Bez wyciskania sztangi, techniki wolnego unoszenia obciążeń i koncentrowania się na pojedynczych mięśniach.

Pod wieloma względami mój program ćwiczeń ze slantboardem i dyskiem balansującym ma na celu odtworzenie ruchów i wyzwań, jakie stawiali swoim stopom i nogom Manuel oraz inni mieszkańcy Miedzianego Kanionu. Kiedy więc będziesz realizował mój program, pamiętaj, że budujesz w sobie siłę Indian Tarahumara. ∎

Górne partie ciała i korpus

Starczy już tych rozmów przy stole piknikowym u podnóża Snow King Resort. Cały czas strome zbocza patrzyły na nas, błagając o chwilę uwagi. Nie wybieramy się daleko. Wysokość i pionowa, niekończąca się droga w górę i tak szybko dadzą się nam we znaki.

Gotowy? No to biegniemy…

Hej, całkiem nieźle ci idzie! Mówi się, że wiedza to władza, a teraz, gdy wiesz, jak powinieneś pracować ciałem, zyskałeś

całkiem nową przewagę. Poczuj, jak twoje stopy uderzają o strome zbocze. Nawet jeśli masz buty, zapomnij o nich i biegnij tak, jakbyś z każdym krokiem lądował na ścieżce bosymi stopami. Poczuj ogień w łydkach. Zwróć uwagę na mięśnie pośladkowe i czworogłowe ud. Czy czujesz, jak pracują? Jak mocno? To niezwykłe, jak szybko zaczynamy czuć pieczenie w mięśniach, wbiegając pod stromą górę.

Dobrze, nie przerywaj biegu, ale staraj się koncentrować teraz na swoim korpusie i górnych partiach ciała. Zauważ, że ruchy ramion ułatwiają ci poruszanie nogami. Gdy przesuwasz je wyżej, wyżej unoszą się także twoje nogi. To prawie tak, jakbyś był marionetką, a każda twoja dłoń była połączona sznurkiem z przeciwnym kolanem.

Im wyżej wbiegamy, tym większe znaczenie zaczyna mieć to, co się dzieje z naszym ciałem od pasa w górę. Postaraj się wyczuć, jak pracują twoje mięśnie korpusu i ramion. Zobacz, jak zmienia się twoja technika biegu, gdy zaczynasz odczuwać pierwsze oznaki zmęczenia. Czy zaczynasz się pochylać i garbić z zapadniętym brzuchem, walcząc o każdy oddech? Czy też pomimo bólu w nogach udaje ci się prostować plecy, ściągać łopatki i wciągać brzuch? Oddychasz głęboko, spokojnie i jesteś rozluźniony? Mam zgadywać? To, którą z tych postaw prezentujesz, zależy w dużej mierze od siły twoich mięśni korpusu i górnych partii ciała.

Podobnie jak przy sile stóp i nóg zależy nam na wypracowaniu wytrzymałości, mocy, mobilności oraz równowagi mięśniowej. Jeśli zależy ci wyłącznie na umięśnionej klacie i bicepsie jak u Popeye, lepiej udaj się na którąś z kalifornijskich plaż. W Jackson taką sylwetką raczej nie wzbudzisz podziwu, a jedynie przyciągniesz drwiące spojrzenia. Ze względu na powszechne tu uwielbienie dla sportów ekstremalnych większość miejscowych dobrze wie, po czym poznać prawdziwą siłę. Pamiętasz alpinistów w parku wspinaczkowym? Oni ucieleśniają ideał sprawności fizycznej.

Teraz zwolnij. Zatrzymaj się na chwilę. Jeśli musisz, oprzyj ręce o kolana i weź kilka głębokich oddechów. Proszę, napij się z mojego bidonu. Rozejrzyj się dookoła. Gdziekolwiek spojrzysz, zobaczysz góry i niebo. Widzisz Grand Teton wznoszący się na wysokość ponad 4000 metrów n.p.m.? Już wkrótce poznasz go bliżej.

Rozwijając siłę mięśni korpusu i górnych partii ciała, w istotny sposób przyczyniamy się do poprawy techniki biegania. Doskonalimy pracę ramion i mobilność. Uruchamiamy mięśnie wzdłuż kręgosłupa, które chronią całe ciało i pozwalają nam biegać w wyprostowanej, stabilnej postawie. Łatwiej nam się oddycha. Biegniemy bardziej rozluźnieni. Skuteczniej i dłużej podtrzymujemy dobrą technikę, zwłaszcza na kilku ostatnich kilometrach, gdy mamy wrażenie, że zaraz rozpadniemy się na kawałki.

Jeśli natomiast zaniedbamy trening siłowy całego ciała, pojawiają się problemy.

Połączenia pomiędzy poszczególnymi mięśniami mogą być tak samo pomocne co zgubne. Jest niemal zasadą, że biegacze mają zgarbione ramiona, przez co napinają mięśnie klatki piersiowej i naciągają mięśnie pleców. W efekcie odczuwają ból podczas biegu – i w codziennym życiu. Przygarbione ramiona wpływają na oddychanie oraz mobilność ramion i górnych partii ciała. Bez mobilności tors porusza się na boki podczas biegu. Zaburza to wydajność i równowagę, a wraz z nasilającym się zmęczeniem – które następuje szybciej niż przy prawidłowej postawie – zaczynamy się pochylać lub garbić.

Tak samo się dzieje, gdy mięśnie korpusu, a zwłaszcza brzucha i dolnych partii pleców, są słabe i niedostatecznie wykorzystywane. Czy podczas długiego biegu czułeś kiedyś denerwujący ból między łopatkami albo miałeś wrażenie, że mięśnie pleców blokują się z każdym oddechem? Jeśli odpowiedź brzmi „tak", to znaczy, że musisz wzmocnić mięśnie korpusu i górnych partii ciała. Nie martw się, każdy z nas musi.

Twój trening będzie częściowo wykorzystywał ruchy, jakie wykonują alpiniści, którzy wspinają się na skałę albo przemieszczają się po ściance. Dużo ruchów w przód i w tył, z boku na bok i w trzech

płaszczyznach. Będziesz musiał przez dłuższy czas przytrzymać określone mięśnie w jednej pozycji (nazywane jest to napięciem izometrycznym), podczas gdy reszta twojego ciała będzie się ruszać. Pomyśl o alpiniście, który trzyma się skały obydwiema rękami i jednocześnie kołysze nogami, szukając kolejnego podparcia dla stóp.

W bieganiu, tak jak we wspinaczce, musimy nauczyć się uruchamiania określonych części ciała przy jednoczesnym unieruchomieniu innych. Umożliwią ci to ćwiczenia z piłką gimnastyczną.

Wiem, że teraz, gdy już przekonałem cię do swojej koncepcji siły i równowagi mięśniowej całego ciała, nie możesz się doczekać ćwiczeń pomimo lekkiej tremy. Cierpliwości, masz dużo czasu, żeby pobudzić do pracy mięśnie, o których istnieniu nie miałeś dotąd pojęcia. Schodząc ze stoku, porozmawiamy o roli świadomości w moim programie treningowym.

Świadomość a trening siłowy

Jeśli alpinista bez zabezpieczeń straci koncentrację, zgubi technikę i wykona błędny ruch, czeka go długi, bolesny, a niekiedy nawet tragiczny upadek. U biegacza dekoncentracja ma znacznie mniej dotkliwe konsekwencje, jeśli jednak chcemy w pełni skorzystać z dobrodziejstw treningu siłowego, musimy zachować pełną świadomość i wyostrzone zmysły przez cały czas jego trwania.

Na szczęście opracowane przeze mnie ćwiczenia poprawią również twoją świadomość własnego ciała. Wykonując ćwiczenia ze slantboardem, będziesz musiał świadomie używać dużego palca, sklepienia i innych części stopy. W dalszych ćwiczeniach, które wymagają ustabilizowania niektórych części ciała i unieruchomienia innych, nie będziesz miał innego wyjścia, jak w pełni skoncentrować się na funkcjach i reakcjach swojego ciała, na wszystkich napiętych i rozluźnionych miejscach.

Wiele z tych ćwiczeń wymaga uważnego kontrolowania techniki. Musisz wykonywać ruchy, których nie jesteś w stanie zobaczyć, wczuć się w swoje ciało, wyobrazić sobie to, co robisz. W ten sposób zwiększasz swoją świadomość przestrzenną. Zaczynasz zrozumieć, jak porusza się twoje ciało i jakie rozluźnienie jest potrzebne, by pracowało dynamicznie i wydajnie. Jednoczesne zaangażowanie umysłu i ciała podczas aktywności fizycznej daje najlepsze wyniki.

Koncentracja podczas treningu pozwoli ci rozwinąć nie tylko siłę, ale także pamięć mięśniową. Im więcej ćwiczeń wykonasz, tym lepiej twoje mięśnie będą przygotowane do tego, by podświadomie potrafiły wyczuć, jaka forma ruchu jest prawidłowa i zapewnia harmonijną pracę.

Świadomość napędza wydajność, więc jeśli świadomie podejdziesz do treningu siłowego, uzyskasz doskonałe rezultaty, zwłaszcza podczas pracy nad techniką biegania.

PROGRAM ROZWOJU PRAWDZIWEJ SIŁY

Filozofia ćwiczeń

Wyobraź sobie, że trenujesz sztuki walki. Staraj się utrzymać koncentrację i poprawnie opanować ruchy zalecane w poszczególnych ćwiczeniach. Świadomość i technikę uważam za absolutnie najważniejsze i oprócz wymogu wykonywania poniższego programu boso (bez skarpetek) są jedynymi regułami mojego programu. Trzymaj się tych reguł, a gwarantuję, że z czasem wypracujesz prawdziwą siłę. Nie ma potrzeby, żebyś robił wiele powtórzeń, jeśli już w połowie serii tracisz poprawną technikę. Więcej nie zawsze znaczy lepiej. Lepiej znaczy lepiej. Zatrzymaj się na chwilę i przeanalizuj ostatnie zdanie, aż zrozumiesz jego sens. Lepiej znaczy lepiej. Postaraj się prawidłowo wykonywać poniższe ćwiczenia.

Jako sportowiec i trener wiem, że większość osób będzie czuło pokusę odbębnienia wszystkich ćwiczeń podczas każdego treningu. Nie ulegnij jej. Kluczem jest zaangażowanie się w realizację programu. Rób, co możesz i kiedy możesz, ale nie rezygnuj. Ponieważ poniższe ćwiczenia są ukierunkowane na równowagę i angażują zarówno duże mięśnie dominujące, jak i podtrzymujące, w przeciwieństwie do większości treningów siłowych można je wykonywać stosunkowo często. Oczywiście na początku możesz być trochę obolały i potrzebować kilku dni przerwy pomiędzy sesjami.

Jeśli jednak chcesz być konsekwentny, musisz wykonywać przynajmniej po kilka z nich codziennie. Wiem, że niełatwo wygospodarować czas na treningi. Piękno mojego programu polega na tym, że jest nie tylko możliwe, ale wręcz zalecane, by zrealizować jakąś jego część codziennie. Jeśli masz mało czasu, możesz skupić się na jednym, dwóch ćwiczeniach. Gdy nadarzy się sposobna okazja, wykonaj cały cykl. Ćwiczenia ze slantboardem powinieneś wykonywać również bezpośrednio

przed biegami. Dzięki temu przygotujesz właściwe mięśnie i odświeżysz niezbędne elementy techniki przed wyruszeniem na trasę. Nie chodzi o to, żebyś trenował godzinę przed 30-kilometrowym biegiem. Już krótka sesja może zdziałać cuda. Kieruj się przede wszystkim zdrowym rozsądkiem.

Niczego nie przyspieszaj, nie wykraczaj poza aktualny poziom swoich umiejętności. Mój program ma charakter progresywny. Niektóre ćwiczenia pokazane na końcu rozdziału będziesz w stanie wykonać dopiero po kilku sesjach. Nie przejmuj się – tak ma być. Bądź cierpliwy i schowaj ambicję do kieszeni. Trenuj jak zawodnik sztuk walki: wykonując celowe ruchy i zachowując konsekwencję. Dzięki ćwiczeniom zrobisz postępy, wzmocnisz właściwe partie ciała, staniesz się silniejszy i rozwiniesz pamięć mięśniową, która pomoże ci poprawić technikę biegu.

Bądź kreatywny. Zachowaj świeżość umysłu. Dam ci kilka wskazówek, dzięki którym będziesz mógł stawiać sobie nowe wyzwania, ale nie polegaj wyłącznie na mnie. Zmieniaj częstotliwość powtórzeń (8, 10, 12 lub serie po 2 albo 3 powtórzenia) i długość serii (liczbę wykonywanych ćwiczeń), prędkość ruchów, a nawet miejsce treningu. Ćwicz na bieżni albo w parku. Trenuj, słuchając muzyki w swoim salonie. Baw się.

I ostatnia kwestia – przypominaj sobie o tym przed każdym treningiem – ten program, zarówno dla nóg/stóp, jak i górnych partii ciała/korpusu, nie ma na celu rozwoju siły jako takiej. Twoim celem jest poprawa sprawności fizycznej, przygotowanie ciała do pracy w pełnej harmonii, synchronizacji i równowadze oraz rozwój siły, która uczyni z ciebie lepszego biegacza. Technika i świadomość pozwolą ci osiągnąć ten cel.

Sprzęt

Do wykonywania ćwiczeń będziesz potrzebował kilku pomocy. Poniżej wyjaśniam pokrótce, dlaczego używam każdej z nich – i co dokładnie powinieneś kupić (lub znaleźć na siłowni). Na pewno nie zbankrutujesz, a wszystkie te rzeczy będą ogromnie przydatne do dalszego treningu.

1. Slantboard

Ten przyrząd otworzył przede mną nowe możliwości. Początkowo slantboard może wzbudzać twój sceptycyzm. Mała pochyła deseczka? Po co? Ćwiczenia z jej użyciem wyglądają na bardzo proste. Jeden z moich podopiecznych twierdził, że są

niemęskie… dopóki ich nie spróbował. Podobnie jak wszyscy moi sportowcy od razu wyczuł, że slantboard silnie angażuje do pracy całą stopę, zwłaszcza duży palec. Używając go pod różnymi kątami, uruchomił mięśnie całej nogi aż po biodro. Tak samo będzie u ciebie. Po kilku tygodniach pracy ze slantboardem zaczniesz rozwijać siłę i stabilność stóp. To niezwykle prosty, ale też praktyczny i wszechstronny przyrząd do codziennego użytku.

Swoje slantboardy robiłem na zamówienie, dzięki czemu są idealnie dopasowane do moich stóp i wyposażone w specjalny kawałek drewna u dołu, który dodatkowo daje efekt kołysania i wzmacnia działanie przyrządu. W internecie i na większości siłowni (gdzie slantboard służy głównie do rozciągania łydek) możesz znaleźć wiele uniwersalnych modeli, które dobrze spełnią swoje zadanie. Slantboardy są dostępne we wszystkich możliwych kształtach i rozmiarach, więc postaraj się znaleźć wersję jak najbardziej zbliżoną do mojej.

2. Dysk balansujący

Poczynając od slantboardu, zapomnisz o ćwiczeniach wykonywanych na płaskich stopach. Będziesz ćwiczył, opierając się na przodostopiu, z uniesioną piętą, co przypomina pozycję, w której lądujesz podczas biegu. Gdy dzięki slantboardowi uda ci się wzmocnić nieco stopy, możesz przejść do ćwiczeń z dyskiem balansującym. Zwiększa on ruchomość podłoża pod przodostopiem, co pomoże ci dodatkowo wzmocnić równowagę mięśniową. Ten niepozornie wyglądający przyrząd angażuje do pracy mnóstwo włókien mięśniowych i doskonale rozwija siłę bez konieczności podnoszenia ciężarów i rozrostu masy mięśniowej.

Podobnie jak slantboard moje dyski były wykonane na zamówienie i idealne nadają się do proponowanych przeze mnie ćwiczeń. Mogę je z łatwością zabierać ze sobą, dokąd chcę. Odpowiedni sprzęt znajdziesz na większości siłowni oraz w dobrych sklepach internetowych. Oferowane tam dyski mają najróżniejsze kształty i nazwy (np. platforma do balansowania), więc sprawdź, czy wybrany przez ciebie model przypomina mój.

3. Piłka gimnastyczna

Wszyscy wiemy, jak wyglądają duże, ciężkie piłki lekarskie wywodzące się ze Szwajcarii (które z tego powodu bywają nazywane również piłkami szwajcarskimi). Początkowo służyły do rehabilita-

cji pacjentów z porażeniem mózgowym. Lekarze, później fizjoterapeuci, a obecnie także trenerzy i sportowcy znaleźli dla nich wiele przydatnych zastosowań. W przeciwieństwie do pracy na płaskiej stabilnej powierzchni ćwiczenia z piłką gimnastyczną stawiają dodatkowe wyzwanie dla równowagi, pobudzając do pracy więcej mięśni – szczególnie mniejszych, podtrzymujących, które równoważą mięśnie korpusu. Piłki można znaleźć w każdej siłowni i każdym sklepie sportowym. Sprawdź na opakowaniu (lub na stronie internetowej) wymiary wybranego modelu, żeby pasował do twojego wzrostu.

4. Kijki narciarskie

Nie, nie przesłyszałeś się. Kijki narciarskie – choć równie dobrze mogą to być dwie laski albo kijki od mopów. Nie ma potrzeby mówić nic więcej poza tym, że są one kluczowe dla utrzymania poprawnej pozycji/techniki podczas wstępnej pracy

nad siłą stóp i nóg. Przy okazji będziesz miał nowe zastosowanie dla tego drogiego sprzętu poza sezonem zimowym!

Program rozwoju prawdziwej siły stóp, nóg i mięśni pośladkowych

A. Sekwencja ćwiczeń balansujących na slantboardzie

Najpierw skoncentrujemy się na sile stóp, które są fundamentem dla pozostałych partii nóg. Proponowane ćwiczenia pozwolą ci wyczuć, czy masz odpowiednią siłę i stabilność do utrzymania równowagi na przodostopiu z uniesioną piętą. W miarę postępów pozwolą ci także ustabilizować i zrównoważyć mięśnie całej nogi.

Ogólne wskazówki

- Sekwencję ćwiczeń na slantboardzie wykonuj 3–5 razy w tygodniu.
- Poniższe ćwiczenia mają charakter progresywny. Nie należy wykonywać ich łącznie. Aby przejść do następnego, trzeba najpierw opanować poprzednie.
- Wykonuj je w ramach rozgrzewki przed biegiem, żeby pobudzić do pracy mięśnie nóg.
- Wszystkie ćwiczenia wykonuj boso, bez skarpetek.
- Staraj się świadomie wykorzystywać duży palec u stopy do zachowania stabilności i równowagi.
- Kijki trzymaj prostopadle do podłogi. Staraj się jak najmniej zaciskać na nich dłonie.
- O ile to możliwe, staraj się ćwiczyć przed lustrem.
- W każdym ćwiczeniu stopę ustawiamy na slantboardzie w jednej z trzech pozycji:
  - pod górę (duży palec równolegle i jak najbliżej górnej krawędzi)
  - z góry (duży palec równolegle i jak najdalej od górnej krawędzi)
  - do przodu (duży palec prostopadle i jak najbliżej górnej krawędzi).

Z góry

Do przodu

1. Balansowanie na slantboardzie z dwoma kijkami

Stań na slantboardzie prawym przodostopiem, unosząc sklepienie i piętę najwyżej jak potrafisz. Balansuj na prostej nodze, usztywniając kolano i angażując mięśnie pośladkowe. Staraj się utrzymać tę pozycję jak najdłużej (maks. 1–2 minuty). Wykonaj ćwiczenie we wszystkich kierunkach (pod górę, z góry i do przodu) na przemian na każdą nogę.

- Pomagaj sobie kijkami, żeby utrzymać równowagę, ale nie przechylaj się w ich stronę ani nie opieraj się o nie.
- Gdy bez problemu utrzymujesz pozycję 2 minuty (z uniesionym sklepieniem i piętą, bez zbytniego zginania kolana), spróbuj wykonać ćwiczenie przy użyciu tylko jednego kijka.

2. Balansowanie na slantboardzie z jednym kijkiem

To ćwiczenie wykonuje się tak samo jak poprzednie, z tym że w utrzymaniu równowagi pomagasz sobie tylko jednym kijkiem. Teraz widzisz, jak trudne jest to zadanie! Znów ćwicz we wszystkich kierunkach (pod górę, z góry i do przodu) na przemian na każdą nogę.

- Mając do dyspozycji tylko jeden kijek, musisz jeszcze silniej angażować mięśnie, by utrzymać równowagę. Nie przejmuj się wyprostowaną sylwetką ani prostym kolanem.

- Zmieniaj rękę, w której trzymasz kijek, żeby wypróbować różne sposoby ustabilizowania ciała.

- Gdy bez problemu utrzymujesz pozycję 2 minuty (z uniesionym sklepieniem i piętą, bez zbytniego zginania kolana), spróbuj wykonać ćwiczenie bez użycia kijków.

3. Balansowanie na slantboardzie bez kijków

To bardzo trudne ćwiczenie. Wykonuje się je tak jak poprzednie, ale bez użycia kijków. Staraj się jak najdłużej (ok. 1 minuty) balansować na slantboardzie na jednej nodze. Powtórz 3–5 razy i zmień nogę. Wykonaj ćwiczenie we wszystkich kierunkach (pod górę, z góry i do przodu) na przemian na każdą nogę.

- W przeciwieństwie do pierwszych dwóch ćwiczeń, gdy balansujesz na slantboardzie bez pomocy kijków, twoje ciało porusza się i kiwa. Nie poddawaj się i spróbuj złapać równowagę, traktując to jak dobrą zabawę.

- Skup się na balansowaniu stopami, a nie tułowiem. Staraj się, aby wszystkie ruchy i skręty tułowia były jak najwolniejsze. Pomagaj sobie ramionami. Unikaj szybkich, gwałtownych ruchów. Rozluźnij się.

B. Sekwencja ćwiczeń ruchowych na slantboardzie

W tym zestawie ćwiczeń kontynuujemy pracę nad siłą stóp, ale dodajemy kilka ruchów, które zmuszą cię do silniejszego zaangażowania łydek, mięśni czworogłowych ud i pośladków. To duże wyzwanie dla twojej równowagi, które pozwoli ci wypracować ekonomię ruchu i technikę potrzebną do biegania.

Ogólne wskazówki

- Ten zestaw ćwiczeń należy rozpocząć w tym samym czasie co balansowanie na slantboardzie.
- Oba zestawy powinny tworzyć jeden cykl treningowy i być wykonywane jeden po drugim 3–5 razy w tygodniu.
- Wykonuj je w ramach rozgrzewki przed biegiem, żeby pobudzić do pracy mięśnie nóg.

- Wszystkie ćwiczenia wykonuj boso, bez skarpetek.
- Staraj się świadomie wykorzystywać duży palec u stopy do zachowania stabilności i równowagi.
- Kijki trzymaj prostopadle do podłogi. Jak najsłabiej zaciskaj na nich dłonie. Nie bój się korzystać z kijków – mają ci pomóc – ale nie podpieraj się na nich.
- Jeśli to możliwe, ćwicz przed lustrem.
- W przeciwieństwie do sekwencji ćwiczeń z balansowania w tym zestawie możliwe jest tylko jedno ułożenie stopy.
- Pracujemy nad mięśniami nogi opartej na slantboardzie (podpartej), a nie uniesionej (wolnej).
- W tym ćwiczeniu noga podparta powinna być wyprostowana. Zablokuj ją w kolanie.

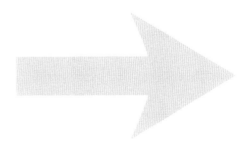

1. Wymachy nogi w bok

Ustaw prawą stopę na slantboardzie w pozycji pod górę, unosząc sklepienie i piętę najwyżej jak potrafisz. Balansuj na prawej stopie, starając się trzymać całą nogę wyprostowaną i nie zginać jej w kolanie. Lewa (wolna) noga również powinna być wyprostowana. Lewa stopa nie dotyka podłogi. Unieś lewą nogę w bok, starając się cały czas utrzymać proste kolano. Unieś ją najwyżej jak potrafisz i przytrzymaj w tej pozycji 1–2 sekundy, a następnie opuść do pozycji wyjściowej.

- Ruch w bok powinien być płynny, ciągły i kontrolowany. Nie musisz podnosić nogi zbyt wysoko ani zbyt szybko. To nie rozciąganie.
- Staraj się, aby palce unoszonej stopy były cały czas skierowane do przodu.
- Biodra pozostają na jednym poziomie nawet podczas wymachu.
- Odchylona pozycja zwiększa mobilność/elastyczność stóp u osób mających wysokie sklepienie.
- Stopniowo zwiększaj liczbę powtórzeń do 20–25 na każdą nogę. Ćwicz zgodnie ze swoimi możliwościami, utrzymując uniesioną piętę i wyprostowaną nogę.

2. Wymachy nogi w bok ze zgiętym kolanem

Ustaw prawą stopę na slantboardzie w pozycji z góry, unosząc sklepienie i piętę najwyżej jak potrafisz. Balansuj na prawej stopie (podpartej), starając się trzymać całą nogę wyprostowaną i nie zginać jej w kolanie. Lewa (wolna) noga również powinna być wyprostowana. Lewa stopa nie dotyka podłogi. Zegnij lewą nogę w kolanie, jednocześnie unosząc ją w bok. Podnieś ją jak najwyżej i wytrwaj w tej pozycji 1–2 sekundy, utrzymując kostkę na wysokości kolana. Następnie wróć do pozycji wyjściowej.

- To wymach nogi w bok, ale ze zgiętym kolanem, a nie wyprostowanym jak w poprzednim ćwiczeniu. Lewa noga powinna być zgięta pod kątem 90 stopni, a kostka powinna się znajdować na wysokości kolana.

- Ruch w bok powinien być płynny, ciągły i kontrolowany. Nie musisz podnosić nogi zbyt wysoko ani zbyt szybko. To nie rozciąganie.

- Biodra pozostają na jednym poziomie nawet podczas wymachu.

- Ta pozycja jest korzystna dla biegaczy z płaskostopiem, gdyż wzmacnia sklepienie.

- Stopniowo zwiększaj liczbę powtórzeń do 20–25 na każdą nogę. Ćwicz zgodnie ze swoimi możliwościami, utrzymując uniesioną piętę i wyprostowaną nogę.

3. Przyciąganie kolan do klatki piersiowej

Ustaw prawą stopę na slantboardzie w pozycji do przodu, unosząc sklepienie i piętę najwyżej jak potrafisz. Balansuj na prawej stopie (podpartej), starając się trzymać całą nogę wyprostowaną i nie zginać jej w kolanie. Lewa (wolna) noga również powinna być wyprostowana. Lewa stopa nie dotyka podłogi. Unieś lewe kolano jak najwyżej w kierunku klatki piersiowej, utrzymując kostkę i stopę lewej nogi pod ścięgnem podkolanowym. Prawa noga jest wyprostowana, a kolano zablokowane. Podnieś lewą nogę jak najwyżej i przytrzymaj ją w tej pozycji 1–2 sekundy. Poczuj, jak zaczynają pracować mięśnie pośladkowe prawej, podpartej nogi, a następnie wróć do pozycji wyjściowej.

- To ćwiczenie pomaga zwiększyć długość kroku – poprawia szybkość, siłę i ekonomię ruchu.

- Stopniowo zwiększaj liczbę powtórzeń do 20–25 na każdą nogę. Ćwicz zgodnie ze swoimi możliwościami, utrzymując uniesioną piętę i wyprostowaną nogę.

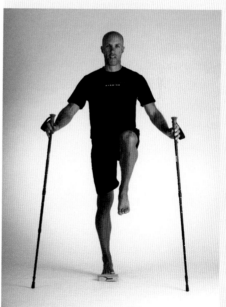

63

C. Sekwencja ćwiczeń ruchowych na dysku balansującym

Gdy uda ci się już opanować ćwiczenia z użyciem slantbordu, możesz dołączyć ćwiczenia z dyskiem balansującym. Są trudniejsze ze względu na mniejszą stabilność podparcia.

Ogólne wskazówki

- Ćwiczenia z dyskiem zacznij dopiero wtedy, gdy opanujesz już sekwencję na slantbordzie. Kontynuuj jednak wykonywanie obydwu zestawów. Nie zastępuj slantbordu dyskiem. Można uznać, że jesteś gotowy na ćwiczenia z dyskiem, gdy potrafisz ustać na nim z uniesioną piętą, podpierając się dwoma kijkami, pełną minutę.

- Oba zestawy powinny tworzyć jeden cykl treningowy i być wykonywane jeden po drugim 2–3 razy w tygodniu.

- Wykonuj je w ramach rozgrzewki przed biegiem, żeby pobudzić do pracy mięśnie nóg.

- Wszystkie ćwiczenia wykonuj boso, bez skarpetek.

- Staraj się świadomie wykorzystywać całe przodostopie i palce stopy do zachowania stabilności i równowagi.

- Kijki trzymaj prostopadle do podłogi. Jak najsłabiej zaciskaj na nich dłonie. Nie bój się korzystać z kijków – mają ci pomóc – ale nie podpieraj się na nich.

- Jeśli to możliwe, ćwicz przed lustrem.

- Pracujemy nad mięśniami nogi opartej na dysku (podpartej), a nie uniesionej (wolnej).

- W tym ćwiczeniu noga postawiona na dysku powinna być wyprostowana. Zablokuj ją w kolanie.

1. Wymachy nogi w bok

Ustaw prawą stopę na dysku balansującym, unosząc sklepienie i piętę najwyżej jak potrafisz. Balansuj na prawej stopie, starając się trzymać prawą nogę (podpartą) wyprostowaną i nie zginać jej w kolanie. Lewa (wolna) noga również powinna być wyprostowana. Lewa stopa nie dotyka podłogi. Unieś lewą nogę w bok, cały czas starając się jej nie zginać. Podnieś ją jak najwyżej i przytrzymaj w tej pozycji 1–2 sekundy, a następnie opuść do pozycji wyjściowej.

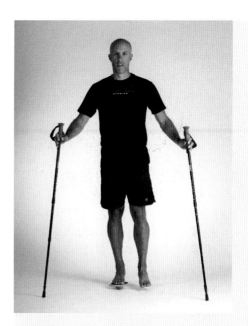

- Ruch w bok powinien być płynny, ciągły i kontrolowany. Nie musisz podnosić nogi zbyt wysoko ani zbyt szybko. To nie rozciąganie.

- Staraj się, aby palce unoszonej stopy były cały czas skierowane do przodu.

- Biodra pozostają na jednym poziomie nawet podczas wymachu.

- Stopniowo zwiększaj liczbę powtórzeń do 20–25 na każdą nogę. Ćwicz zgodnie ze swoimi możliwościami, utrzymując uniesioną piętę i wyprostowaną nogę.

2. Przyciąganie kolan do klatki piersiowej

Ustaw prawą stopę na dysku balansującym, unosząc sklepienie i piętę najwyżej jak potrafisz. Balansuj na prawej stopie (podpartej), starając się trzymać całą nogę wyprostowaną i nie zginać jej w kolanie. Lewa (wolna) noga również powinna być wyprostowana. Lewa stopa nie dotyka podłogi. Podnieś lewe kolano jak najwyżej w kierunku klatki piersiowej, utrzymując kostkę i stopę lewej nogi pod ścięgnem podkolanowym. Prawa noga jest wyprostowana, a kolano zablokowane. Podnieś lewą nogę jak najwyżej i przytrzymaj w tej pozycji 1–2 sekundy. Poczuj, jak zaczynają pracować mięśnie pośladkowe prawej, podpartej nogi, a następnie wróć do pozycji wyjściowej.

- Stopniowo zwiększaj liczbę powtórzeń do 20–25 na każdą nogę. Ćwicz zgodnie ze swoimi możliwościami, utrzymując uniesioną piętę i wyprostowaną nogę.

D. Dynamika, stabilność i siła nóg

Kolejne ćwiczenia różnią się od poprzednich, gdyż wymagają od ciebie znacznie więcej ruchu, co pozwala dodatkowo zwiększyć szybkość i siłę nóg.

Ogólne wskazówki

- Oba zestawy powinny tworzyć jeden cykl treningowy i być wykonywane jeden po drugim 2–3 razy w tygodniu.

- Można uznać, że jesteś gotowy na ćwiczenia z piłką (z wyjątkiem wykroku z podparciem na stopie), gdy potrafisz ustać na dysku balansującym z uniesioną piętą, podpierając się dwoma kijkami, pełną minutę.

- Wszystkie ćwiczenia wykonuj boso, bez skarpetek.

- Staraj się świadomie wykorzystywać całe przodostopie i palce stopy do zachowania stabilności i równowagi.

- Kijki trzymaj prostopadle do podłogi. Jak najsłabiej zaciskaj na nich dłonie. Nie bój się korzystać z kijków – mają ci pomóc – ale nie podpieraj się na nich.

- Jeśli to możliwe, ćwicz przed lustrem.

1. Sekwencja wykroków z piłką gimnastyczną – z podparciem na stopie, slantboardzie i dysku balansującym

Aby wykonać podstawowy wykrok z piłką z podparciem na stopie, stań na prawej nodze, układając stopę płasko na podłodze. Tą nogą wykonasz wykrok. Lewą nogę unieś za siebie i oprzyj stopę na piłce gimnastycznej. Podpierając się na kijkach, zrób przysiad, jak najgłębszy, i lewą nogę przesuń w tył razem z piłką. Wróć do pozycji wyjściowej.

- To ćwiczenie wykonuje się w trzech progresywnych wariantach. Najpierw ze stopą na podłodze. Gdy już je opanujesz, możesz oprzeć stopę na slantboardzie. Kolejny etap to podparcie stopy na dysku balansującym.
- Celem jest jak najsilniejsze oparcie się na nodze robiącej wykrok przy jak najmniejszym obciążeniu nogi będącej na piłce.
- Jeśli piłka wysunie ci się spod nogi, oznacza to, że poruszyłeś biodrami, które najwyraźniej nie są dostatecznie stabilne. Nie zniechęcaj się. Właśnie dlatego robimy to ćwiczenie – żeby wzmocnić biodra. Utrzymuj prawidłową sylwetkę, żeby angażować właściwe mięśnie i nie skręcać bioder. Z czasem wypracujesz potrzebną pamięć mięśniową i siłę, które ci to ułatwią.
- Staraj się przesuwać nogę opartą o piłkę prosto w tył, czego rezultatem jest wykrok przedniej nogi. To zwiększa także mobilność i zakres ruchu nóg.
- Nie przesuwaj kolana przedniej nogi w przód i w tył. Skup się na poruszaniu nim w górę i w dół. Zbyt dużo ruchu w przód i w tył skutkuje nadmiernym obciążeniem tylnej nogi.
- Twoim celem jest zrobienie 3 serii. Stopniowo zwiększaj liczbę powtórzeń do 20–25 na każdą nogę.

- Pozwól, że dam ci radę. Do wykroków z podparciem na slantboardzie przejdź dopiero wtedy, gdy jesteś w stanie wykonać 3 serie z podparciem na stopie po 20–25 powtórzeń na każdą nogę. Stopę przedniej nogi należy ustawiać na slantboardzie wyłącznie w pozycji pod górę. Podobnie jak w poprzednich ćwiczeniach ze slantboardem, unieś sklepienie i piętę. Stopniowo zwiększaj liczbę ćwiczeń do 3 serii po 20–25 powtórzeń na każdą nogę. Po włączeniu slantboardu nie musisz już wykonywać wykroków ze stopą na podłodze.

- Do wykroków z podparciem na dysku balansującym przejdź dopiero wtedy, gdy jesteś w stanie wykonać 3 serie z podparciem na slantboardzie po 20–25 powtórzeń na każdą nogę. Po włączeniu dysku nie musisz już wykonywać wykroków z podparciem na slantboardzie.

2. Przysiad w biegu ze skrętem

Ustaw prawą stopę na dysku balansującym, unosząc sklepienie i piętę tak wysoko, jak potrafisz. Balansuj na prawej stopie, starając się trzymać prawą nogę (podpartą) wyprostowaną i zablokowaną w kolanie. Lewa noga (wolna) również powinna być wyprostowana. Lewa stopa nie dotyka podłogi. Zrób przysiad na prawej nodze do jednej czwartej wysokości nad podłogą, starając się, żeby dysk pozostał ułożony płasko. Unieś się płynnym ruchem, prostując prawą nogę i jednocześnie przyciągając lewe kolano do

klatki piersiowej, utrzymując kostkę i stopę lewej nogi pod ścięgnem podkolanowym. Prawa noga jest wyprostowana, kolano zablokowane. Podnieś ją najwyżej jak potrafisz i przytrzymaj w tej pozycji 1–2 sekundy. Poczuj, jak zaczynają pracować mięśnie pośladkowe nogi podpartej. Skręcaj nogę najdalej jak potrafisz w każdą stronę, trzymając ramiona prosto, a kolano wysoko. Cały czas wzrok powinieneś mieć skierowany w przód. Następnie wróć lewą nogą do pozycji wyjściowej.

- Początkowo jest to dość skomplikowane ćwiczenie, więc nie próbuj wykonać go w całości już za pierwszym razem. Rozbij je na poszczególne ruchy i poćwicz każdy element osobno. Nie spiesz się i dbaj o prawidłową technikę. Gdy opanujesz poszczególne etapy, połącz je, koncentrując się na płynności ruchów.

- Pracujemy nad nogą podpartą. Pamiętaj, żeby podczas skrętów utrzymać ją wyprostowaną.
- Twoim celem jest zrobienie 3 serii. Stopniowo zwiększaj liczbę powtórzeń do 8–12 na każdą nogę. Ćwicz zgodnie ze swoimi możliwościami, utrzymując uniesioną piętę i wyprostowaną nogę.

3. Przysiady na jednej nodze (pistolety)

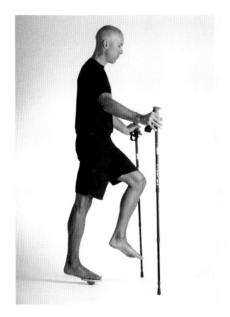

Ustaw prawą stopę na dysku balansującym, unosząc sklepienie i piętę tak wysoko, jak potrafisz. Następnie zrób możliwie najgłębszy przysiad na prawej nodze, starając się, żeby dysk pozostał ułożony płasko. Lewą nogę trzymaj przed sobą – trochę jak zawodnik karate. Wstań, blokując prawą nogę w kolanie. Utrzymaj pozycję 1–2 sekundy. Poczuj, jak zaczynają pracować mięśnie pośladkowe.

- Robiąc przysiad, wyobraź sobie, że siadasz na krześle. Klatkę piersiową pochyl w przód (pracuj tułowiem).

Staraj się nie wysuwać kolana podpartej nogi do przodu, żeby dysk nie przechylił się nadmiernie w przód.

- Początkowo ruchy powinny być minimalne. Rób tylko tyle, ile możesz, stopniowo dochodząc do pełnego przysiadu.
- W miarę postępów ćwicz coraz szybciej i zwiększaj dynamikę ruchów.
- Twoim celem jest zrobienie 3 serii. Stopniowo zwiększaj liczbę powtórzeń do 20–25 na każdą nogę. Ćwicz zgodnie ze swoimi możliwościami, utrzymując uniesioną piętę i wyprostowaną nogę.

Cykle i powtórzenia

Cały cykl ćwiczeń powinieneś wykonywać 2–3 razy w tygodniu, robiąc 1–2 dni przerwy pomiędzy kolejnymi sesjami. Jeśli masz czas wykonać cały cykl, powinien on wyglądać następująco: po kolei realizuj bloki ćwiczeń (A, B, C, D), trzymając się zalecanej liczby powtórzeń. A więc, jeśli dopiero zaczynasz, powinieneś wykonać bloki A, B i D (przy czym wykrok na piłce tylko ze stopą na podłodze). Gdy jesteś gotowy do ćwiczeń z dyskiem balansującym, możesz wykonywać wszystkie bloki (A, B, C, D) i wszystkie ćwiczenia z każdej sekwencji.

Cykl powinien być wykonywany w następującej kolejności, przy czym zaawansowane wersje ćwiczeń (*) należy dodać dopiero wtedy, gdy jesteś do nich gotowy:

A. Sekwencja ćwiczeń balansujących na slantboardzie:
1. Balansowanie z dwoma kijkami
2. Balansowanie z jednym kijkiem (*)
3. Balansowanie bez kijków (*)

B. Sekwencja ćwiczeń ruchowych na slantboardzie:
1. Wymach nogi w bok
2. Wymach nogi w bok ze zgiętym kolanem
3. Przyciąganie kolan do klatki piersiowej

C. Sekwencja ćwiczeń ruchowych na dysku balansującym (*):
1. Wymach nogi w bok (*)
2. Przyciąganie kolan do klatki piersiowej (*)

D. Dynamika, stabilność i siła nóg:
1. Sekwencja wykroków z piłką gimnastyczną
   - z podparciem na stopie
   - z podparciem na slantboardzie (*)
   - z podparciem na dysku balansującym (*)
2. Przysiad w biegu ze skrętem (*)
3. Przysiady na jednej nodze (pistolety)

Program rozwoju siły górnych partii ciała/korpusu

Wstępne ćwiczenia progresywne na piłce gimnastycznej

Ćwiczenia z piłką gimnastyczną pozwalają usprawnić ruchy całego ciała, nie tylko mięśnie. Wzmacniają korpus i górne partie ciała, stymulują układ nerwowy i maksymalnie zwiększają sprawność biegową.

1. Przyciąganie kolan do klatki piersiowej

Przyjmij pozycję do robienia pompek, kładąc nogi na piłce. Ułóż ręce jak do robienia pompek, blokując je w łokciach. Przesuń nogami piłkę w stronę ramion, podciągając kolana do klatki piersiowej. Jednocześnie unieś pośladki. Wróć do pozycji wyjściowej, pomiędzy powtórzeniami angażuj mięśnie brzucha do utrzymania pozycji. Powtórz.

- Wykonując ćwiczenie, staraj się, żeby palce stóp były obciągnięte, i nie zginaj nadmiernie łokci.
- Nie kołysz ramionami w przód i w tył. Pilnuj tego, by plecy się nie zapadły.
- Na początku możesz trzymać piłkę bliżej kolan, ale z czasem odsuwaj ją coraz dalej od siebie w kierunku stóp, zwiększając trudność ćwiczenia.
- To ćwiczenie silnie angażuje mięśnie korpusu. Naszym celem jest stabilizacja i wydolność siłowa górnej części pleców i ramion.
- Twoim celem jest 10–20 powtórzeń. Zawsze wykonuj tylko tyle powtórek, ile jesteś w stanie.

2. Wycieraczki samochodowe

Połóż kolana na piłce, dłonie oprzyj o podłogę, rozstawiając je na szerokość barków. Obracaj biodra z boku na bok, trzymając kolana ugięte. Ruch i skręty bioder powinny być inicjowane i kontrolowane przy użyciu mięśni brzucha.

Aby zachować stabilność, trzymaj dłonie płasko na podłodze, z szeroko rozstawionymi palcami.

- Nogi powinny być zgięte w kolanach pod kątem 90 stopni i oparte na piłce. Przyciągnij je delikatnie w stronę klatki piersiowej.

- Jednocześnie staraj się utrzymać przedramiona jak najbliżej piłki. Nie zginaj nadmiernie łokci, zwłaszcza podczas skrętu bioder.

- Najpierw popracuj nad zwiększeniem zakresu ruchu, a dopiero potem nad szybkością wykonania.

- W tym ćwiczeniu trenujemy rotację bioder. Większość biegaczy nie potrafi płynnie obracać biodrami z powodu napięć zginaczy bioder i mięśni dolnej części pleców. Dodatkowo intensywnie angażujemy mięśnie brzucha, co pozwala generować siłę tych partii ciała podczas biegu.

- Twoim celem jest 10–20 powtórzeń na każdą stronę. Zawsze wykonuj tylko tyle powtórek, ile jesteś w stanie.

3. Skorpion

Przyjmij pozycję do robienia pompek tak, żeby mieć piłkę między biodrami i kolanami, a ręce ułóż jak do robienia pompek. Zablokuj łokcie. Skręć biodra w lewo, układając się na boku prawej nogi. Starając się utrzymać wyprostowaną i stabilnie ułożoną prawą nogę, lewą stopą sięgnij jak najdalej w kierunku prawego łokcia. Podczas tego ruchu kolano powinno być uniesione wysoko i skierowane do góry. Utrzymaj tę pozycję 1–2 sekundy. Następnie wróć do pozycji wyjściowej. Powtórz na drugą stronę.

- To prawdziwe wyzwanie, więc świadomie kontroluj ruchy całego ciała.
- Noga wsparta na piłce powinna być prosta i sztywna. Tylko w ten sposób będziesz w stanie poprawnie wykonać ćwiczenie.

- Mięśnie brzucha są napięte, plecy nie zapadają się.
- Pozwól, żeby łokieć przeciwny do poruszającej się nogi ugiął się. To zwiększy zakres ruchu i pozwoli uruchomić mięśnie górnej części pleców.
- W tym ćwiczeniu intensywnie pracujesz klatką piersiową, ramionami i plecami, walcząc z przygarbioną sylwetką, która zaburza naturalny krok podczas biegu. Wykonywanie skorpiona i pró-

by poprawienia techniki wpływają na koncentrację i świadomość ciała. Dzięki wyzwaniu, przed jakim stanęły twoja mobilność i zdolność utrzymania równowagi, poprawia się ogólna sprawność fizyczna.

- Twoim celem jest 8–15 powtórzeń na każdą stronę. Zawsze wykonuj tylko tyle powtórek, ile jesteś w stanie.
- Filmik z demonstracją tego ćwiczenia znajdziesz na runningwitheric.com.

4. Mostek izometryczny

- Połóż się na plecach, z ramionami i głową na podłodze. Ręce wyciągnij na boki, dłonie oprzyj płasko o podłogę. Stopy połóż na piłce, utrzymuj tułów w linii prostej. Skoncentruj się na unoszeniu bioder, tak jakby ktoś pociągał w górę za dwie linki przymocowane do boków twojego ciała. Aby utrudnić sobie zadanie, unieś proste ramiona nad sobą. Utrzymaj tę pozycję tak długo, jak dasz radę. Potem opuść dłonie na podłogę.
- Podczas ćwiczenia koncentruj się na utrzymywaniu wysoko uniesionych bioder i prostego tułowia.

- Napnij mięśnie pośladków i usztywnij tułów. Skup się na dolnej części pleców.
- Stopy powinny być ułożone blisko siebie, palce obciągnięte. Nie rozstawiaj szeroko palców.
- Ćwiczenie koncentruje się na dolnej części pleców, mięśniach pośladkowych i stabilizuje kręgosłup. Angażuje również ścięgna podkolanowe. Zależnie od ułożenia rąk masz do dyspozycji dwa ćwiczenia w jednym.
- Twoim celem jest utrzymanie pozycji 1–2 minuty. Nie próbuj tego jednak za pierwszym razem. Daj sobie czas, żeby nabrać wprawy.

5. Przełącznik

- Uklęknij na piłce prawym kolanem. Oprzyj się na nim całym ciężarem ciała. Lewa noga jest również zgięta, ale nie leży na piłce. Dłonie oprzyj na szerokość barków na podłodze, starając się cały czas trzymać ręce jak najbliżej piłki. Teraz skręć biodra w lewo, pozwalając, aby piłka przeturlała się pod bok twojej prawej nogi. Kolano pozostaje zgięte pod kątem 90 stopni. Następnie wróć do pozycji wyjściowej. Powinien to być ciągły ruch w przód i w tył. Powtórz na drugą stronę, opierając lewą nogę o piłkę i unosząc prawą.
- Uniesiona noga powinna być zgięta, ale nie powinna opierać się o nogę, która pracuje.
- Skręt ciała powinien być zainicjowany przy użyciu mięśni bioder/mięśnia pośladkowego średniego.
- Gdy próbujesz wrócić z pozycji na boku, skup się na wciskaniu kolana w piłkę.
- Podczas skrętu łokcie i ramiona powinny być proste. Cały czas angażuj mięśnie brzucha, żeby lepiej kontrolować ruch.
- Ćwiczenie to jest dużym wyzwaniem dla całego ciała. Poprawia ogólną sprawność i technikę biegania. Zwiększa siłę i stabilizację mięśni pośladkowych i korpusu.
- Twoim celem jest 8–15 powtórzeń na każdą nogę. Zawsze wykonuj tylko tyle powtórek, ile jesteś w stanie.
- Filmik z demonstracją tego ćwiczenia znajdziesz na runningwitheric.com.

6. Żabka

Przyjmij pozycję do robienia pompek, kładąc nogi na piłce. Ręce ułóż jak do robienia pompek, blokując je w łokciach. Podnieś prawe kolano do prawego łokcia, obracając głowę w stronę kolana. Utrzymaj pozycję 1–2 sekundy i wróć do pozycji wyjściowej. Lewa noga pozostaje prosta i sztywna. Zrób pełen cykl powtórek dla jednej nogi. Następnie wykonaj pełną serię dla drugiej nogi. Gdy nieco się wprawisz w tym ćwiczeniu, zacznij zmieniać nogi co jeden ruch.

- Ruch nie ma być szybki, lecz kontrolowany. Nie podrzucaj nogi do góry.
- Trzymaj plecy proste, a brzuch napięty.
- Na początku piłka może być bliżej kolan, ale z czasem odsuwaj ją dalej od siebie w kierunku stóp, zwiększając trudność ćwiczenia.
- Ćwiczenie koncentruje się na mięśniach korpusu, a poprzez skręty szczególnie silnie aktywuje mięśnie brzucha.
- Twoim celem jest 8–15 powtórzeń na każdą nogę. Zawsze wykonuj tylko tyle powtórek, ile jesteś w stanie.

7. Kołyska

Przyjmij pozycję do robienia pompek, kładąc nogi na piłce. Ręce ułóż jak do robienia pompek, blokując je w łokciach. Odepchnij się dłońmi od podłogi, tak żeby tułów przesunął się po piłce do tyłu. Pozwól, żeby nogi uniosły się wysoko, a ramiona wyciągnęły w przód, a następnie wróć do pozycji wyjściowej. Powtórz ćwiczenie.

- Palce są cały czas obciągnięte, a nogi i tułów wyprostowane i sztywne.

- Jeśli czujesz ból w dolnej części pleców, przesuń piłkę bliżej siebie, ułatwiając sobie zadanie. Unieś biodra i napnij mięśnie brzucha. Nie pozwól, żeby plecy się zapadły.

- Na początku możesz umieszczać piłkę bliżej bioder. W miarę postępów przesuwaj ją stopniowo dalej od siebie, bliżej stóp, żeby zwiększyć trudność ćwiczenia. Aby dodatkowo utrudnić sobie zadanie, staraj się, żeby ruch był bardzo powolny i krótki.

- Podobnie jak w poprzednim ćwiczeniu kołyska silnie angażuje dolne mięśnie brzucha oraz mięśnie korpusu, zwiększając stabilność barków.

- Twoim celem jest 10–20 powtórzeń na każdą nogę. Zawsze wykonuj tylko tyle powtórek, ile jesteś w stanie.

Zaawansowane ćwiczenia progresywne na piłce gimnastycznej

To bardziej zaawansowane warianty ćwiczeń, które już znasz. Możesz do nich przejść dopiero wtedy, gdy opanujesz ćwiczenia 1–7 z poprzedniego zestawu. Staraj się znów poczuć jak mistrz sztuk walki, który krok po kroku pracuje nad poprawą sprawności swojego ciała.

1. Scyzoryk (zaawansowane ćwiczenie)

Przyjmij pozycję do robienia pompek, kładąc nogi na piłce tak, żeby leżała pomiędzy kolanami a kostkami. Ręce ułóż jak do robienia pompek, blokując je w łokciach. Zegnij lewą nogę i przerzuć ją pod sobą, przekręcając się na lewe biodro. Staraj się ustawić nogę pod kątem 90 stopni do tułowia. Wróć do pozycji wyjściowej i powtórz ruch na tę samą stronę.

- Pozwól, żeby twoje ręce zgięły się w łokciach. To pomoże ci przy obrocie.
- Piłka jest ustawiona tak, żebyś mógł wsunąć nogę pod siebie. Jeśli nie jesteś w stanie przeturlać jej tak daleko w tył, oznacza to, że nie jesteś jeszcze gotowy na to ćwiczenie. Pracuj dalej nad żabką i kołyską.
- Nie jesteś także gotowy, jeśli nie możesz utrzymać prostych pleców. Pracuj dalej nad żabką i kołyską.
- Scyzoryk to kwintesencja siły i stabilizacji górnych partii ciała. Podczas skrętu angażujesz mięśnie brzucha i całą górę ciała. Napięcie potrzebne do utrzymania poziomej pozycji zmusi cię także do ustabilizowania barków. Ćwiczenie wymaga doskonałej świadomości ciała i siły korpusu.
- Ostatecznym celem jest wykonanie 5–10 powtórzeń na każdą nogę. Zawsze wykonuj tylko tyle powtórek, ile jesteś w stanie.

2. Otwieracz do puszek (zaawansowane ćwiczenie)

Zegnij nogi w kolanach pod kątem 90 stopni. Lewą nogę połóż na piłce, prawą umieść na lewej. Dłonie rozstaw na szerokość barków i oprzyj je o podłogę. Z tej pozycji przesuń piłkę w lewo, dociskając do niej lewe kolano. Jednocześnie zsuń prawą nogę z piłki w bok w kierunku podłogi. Wróć do pozycji wyjściowej. Powtórz ćwiczenie. Wykonaj wymaganą liczbę powtórzeń na jedną stronę, potem powtórz ćwiczenie na drugą stronę.

- Cały czas utrzymuj kolana zgięte pod kątem 90 stopni. To bardzo istotne. Staraj się świadomie to kontrolować.
- Cały czas podpieraj ciało nogą, która pozostaje na piłce.

- Napinaj mięśnie brzucha.
- To ćwiczenie zwiększa siłę całego ciała. Podobnie jak scyzoryk angażuje wszystkie mięśnie, przy czym nieco silniej mięśnie bioder, i wymaga doskonałej świadomości ciała i dużej siły. Bardzo prawdopodobne, że nie od razu uda ci się je wykonać. Wróć do niego później, gdy opanujesz przełącznik.
- Twoim celem jest 5–15 powtórzeń na każdą stronę. Zawsze wykonuj tylko tyle powtórek, ile jesteś w stanie.
- Filmik z demonstracją tego ćwiczenia znajdziesz na runningwitheric.com.

3. Przyciąganie piłki palcami stóp (zaawansowane ćwiczenie)

Przyjmij pozycję do robienia pompek, opierając palce stóp na piłce. Ręce ułóż jak do robienia pompek, blokując je w łokciach. Przyciągnij palcami piłkę w kierunku ramion, utrzymując proste nogi. Uniesiesz pośladki, a ciało przyjmie kształt odwróconej litery V. Utrzymaj pozycję 1–2 sekundy, a potem wróć do pozycji wyjściowej.

- Palce stóp powinny znajdować się pośrodku piłki.
- Gdy uniesiesz wysoko pośladki, utrzymuj proste łokcie.
- Nogi powinny być cały czas proste, zwłaszcza przy najwyższym położeniu pośladków. Jeśli nie możesz utrzymać prostych pleców, oznacza to, że nie jesteś jeszcze gotowy do tego ćwiczenia.

- Poruszaj się w kontrolowany sposób, dość wolno, ale pracuj nad zwiększaniem zakresu ruchu. W miarę rozwoju siły będziesz w stanie przenieść więcej ciężaru na ramiona i barki.
- Podobnie jak dwa poprzednie ćwiczenia zaawansowane również to angażuje całe ciało i musisz być do niego przygotowany. Jest naprawdę ekstremalnym wysiłkiem dla korpusu i górnych partii ciała. Bardzo prawdopodobne, że nie od razu uda ci się je wykonać. Odczekaj i wróć do niego, gdy opanujesz przełącznik.
- Twoim celem jest 8–20 powtórzeń. Zawsze wykonuj tylko tyle powtórek, ile jesteś w stanie.

Cykle i powtórzenia w programie rozwoju siły górnych partii ciała

Cały cykl należy powtarzać 2–3 razy w tygodniu, wykonując ćwiczenia w przedstawionej powyżej kolejności. Osoby, które nie są jeszcze gotowe do ćwiczeń zaawansowanych (*), wykonują ćwiczenia 1–7. Cykl należy rozszerzać w miarę postępów. Jeśli masz wystarczająco dużo czasu i siły, rób po 2–3 powtórki całego cyklu. Na początku zaplanuj sobie dłuższe przerwy pomiędzy ćwiczeniami, żeby się zregenerować i każde ćwiczenie wykonać z prawidłową techniką. W miarę rozwoju sprawności i siły skracaj przerwy pomiędzy ćwiczeniami i sesjami, żeby zwiększyć stopień trudności treningu.

Bądź kreatywny. W niektóre dni możesz wykonywać więcej powtórzeń i robić więcej przerw pomiędzy ćwiczeniami, innym razem mniej powtórzeń przy krótszym odpoczynku. Możesz nawet różnicować intensywność pomiędzy kolejnymi seriami. Jeśli nie masz dużo czasu, wybierz 2–3 ćwiczenia i powtarzaj je tak długo, aż się zmęczysz. Przez 10–15 minut możesz zrobić naprawdę wiele.

1. Przyciąganie kolan do klatki piersiowej
2. Wycieraczki samochodowe
3. Skorpion
4. Mostek izometryczny
5. Przełącznik
6. Żabka
7. Kołyska
8. Scyzoryk (*)
9. Otwieracz do puszek (*)
10. Przyciąganie piłki palcami stóp (*)

Sekwencje treningowe stóp, nóg i górnych partii ciała

Czy stopy i nogi powinno się trenować tego samego dnia co górne partie ciała? Czy lepiej ćwiczyć je osobno? Jak wkomponować trening siłowy w bieganie? Czy należy biegać i wykonywać treningi siłowe tego samego dnia? Te pytania słyszę bardzo często, więc jestem pewien, że i ty je sobie zadajesz w tej chwili. Nie ma jednej właściwej odpowiedzi ani idealnego grafiku treningowego, ale postaram się zaproponować ci optymalny plan tygodniowy obejmujący mniej intensywne, lekkie przebieżki i dni maksymalnego wysiłku.

Najlepiej wykonywać treningi stóp i nóg w dni, na które masz zaplanowane również intensywne sesje biegowe – najlepiej bezpośrednio po nich. W pierwszej chwili może się to wydawać sprzeczne z intuicją, ale pomyśl: jeśli obydwa typy treningów odbędziesz jednego dnia, w dniach odpoczynku zapewnisz swoim stopom, nogom i pośladkom prawdziwy relaks. Gdybyś jednego dnia intensywnie biegał, a następnego wykonał trening siłowy na stopy i nogi, trzeciego znów biegał itd., twoje mięśnie nigdy nie miałyby czasu na regenerację.

Z kolei trening górnych partii ciała najlepiej zrobić sobie w dni, w które zaplanowałeś lekkie przebieżki. Nie ma większego znaczenia, czy wykonasz go przed biegiem, czy po nim. Przestrzegając tej sekwencji, na przemian trenujesz górne i dolne partie ciała. Okazjonalnie, raz w tygodniu, możesz wykonać je łącznie (ale tego dnia zadbaj o mniej intensywny bieg).

Oto przykładowy tygodniowy grafik, który podpowie ci, jak uporządkować i rozplanować treningi. Jest dopasowany do planu biegowego, który przedstawię później. Grafik wymienia cykle, które

powinieneś wykonać w całości, gdy masz wystarczająco dużo czasu. Jeśli jednak danego dnia się spieszysz, wybierz tylko kilka ćwiczeń z cyklu. Niektórzy mają więcej czasu w weekendy niż w dni robocze lub odwrotnie. Możesz poprzestawiać więc treningi tak, żeby dostosować je do swoich możliwości.

Dzień 1: 1–3 cykle na górne partie ciała

Dzień 2: cykl na stopy/nogi/pośladki

Dzień 3: 1–3 cykle na górne partie ciała

Dzień 4: cykl na stopy/nogi/pośladki

Dzień 5: bez treningu siłowego

Dzień 6: połączone cykle na górne partie ciała i stopy/nogi/pośladki

Dzień 7: bez treningu siłowego

Nie jest to program, od którego nie ma odstępstw. To ty zdecydujesz o jego ostatecznym kształcie. I pamiętaj – grunt to dobrze się bawić.

ROZDZIAŁ 4

BIEGANIE WYCZYNOWE

Następnego ranka spotykamy się przy Jackson Hole High School, a dokładniej – na szkolnym boisku z bieżnią. Widzę, że co pewien czas robisz krążenia ramionami albo lekko uginasz którąś nogę. To naturalne, że po treningu siłowym zaczynasz czuć mięśnie, o których istnieniu nie miałeś dotąd pojęcia. Pamiętaj jednak, że nareszcie docierasz do właściwych miejsc w swoim ciele.

Pewnie się zastanawiasz, dlaczego prowadząca na bieżnię bramka kołysze się w przód i w tył? Jej zadaniem jest powstrzymanie ciekawskich dzikich zwierząt przed wtargnięciem na teren boiska. Dla łosi ta przepiękna, wiecznie zielona, sztuczna murawa jest niezwykle nęcąca. Dla nas jest to idealne miejsce, żeby popracować nad twoją techniką. Będziemy biegać boso.

Technikę, którą za chwilę ci objaśnię, określam mianem „biegania wyczynowego". Bez techniki nie ma mowy o żadnych wyczynach w sporcie. Taka jest bolesna prawda.

Niektórzy biegacze twierdzą, że nie potrzebują doskonalić techniki. Argumentują to na wiele sposobów: „Nie traktuję biegania aż tak poważnie, żeby się tego uczyć", „Nigdy nie uczyłem się techniki", „Biegam tak od lat i nic mi nigdy nie było", „Moje ciało biega tak, jak powinno". Jasne, rozumiem. Ale dlaczego nie postawić sobie poprzeczki trochę wyżej? Zobaczysz, jak wspaniale się poczujesz, zmieniając sposób biegu. A jeśli w przeszłości cierpiałeś na różnego rodzaju bóle, dolegliwości czy urazy związane z bieganiem, pamiętaj, że nie pojawiały się one bez powodu. Bardzo możliwe, że ich źródłem była właśnie błędna technika.

Nasze ciało jest zaprojektowane do poruszania się w określony sposób, identyczny dla wszystkich ludzi. Wierzę więc, że istnieje coś takiego jak jedna, uniwersalna, idealna technika biegu. Owszem, niektórzy z nas mogą mieć większe wrodzone predyspozycje do biegania (albo i innych dyscyplin sportu), a inni mniejsze. Ale dzięki właściwemu skorygowaniu techniki każdy może nauczyć się biegać z maksymalną dla siebie skutecznością, na miarę swojego indywidualnego potencjału.

Weźmy sprinterów. Całe lata spędzają na doskonaleniu postawy i techniki, zwracając uwagę na najdrobniejsze detale, żeby poprawić swój czas o setne sekundy. Oglądając olimpiadę albo jakiekolwiek zawody z biegami na 100 metrów, z pewnością zauważysz, że wszyscy sprinterzy zachowują się tak samo od momentu startu poprzez nabieranie prędkości aż po ostatnie zmagania na finiszu. Przyjmują identyczną postawę, ponieważ doskonale wiedzą, jak zapewnić sobie maksymalną wydajność podczas sprintu. A sprint to rodzaj biegu.

Teraz pomyśl o maratonach. Zignoruj najlepszych zawodników z przodu stawki i poobserwuj pozostałych. Każdy uczestnik biegnie zupełnie inaczej. W żadnym innym sporcie coś takiego nie jest możliwe. W tenisie, golfie, pływaniu technika jest kwestią absolutnie podstawową. Dlaczego? Ponieważ prawidłowa technika decyduje o wynikach.

Pod tym względem bieganie nie różni się od innych dyscyplin. Przeprowadzono badania biomechaniczne, które szczegółowo opisują korzyści płynące z prawidłowego wybicia się stopą z podłoża, ruchu ramion itp. Niemniej moim celem są nie tylko wyniki. Uważam, że prawidłowe bieganie jest ważne, ponieważ zapewnia ciału naturalną równowagę i pozwala w pełni czerpać korzyści z treningu siłowego. Równie ważny – zwłaszcza dla osób cierpiących na napięcia, bóle i zakwasy – jest fakt, że dzięki prawidłowej technice stopniowo uczymy się biegać bez wysiłku. Brzmi sensacyjnie, wiem.

Mam dobre wieści: nauka prawidłowej techniki biegu wcale nie jest trudna. Możemy wyróżnić pięć faz kroku biegowego: lądowanie, podparcie, przewinięcie kolana do przodu (właściwe uniesienie kolana, przesunięcie go do przodu i wycofanie), odbicie, przeniesienie ramienia. Gdy nauczysz się, na czym polega każda z nich, będziesz mieć całą potrzebną ci wiedzę do wydajnego biegu.

Mam też złą wiadomość: konsekwentne utrzymywanie prawidłowej techniki to ciężka praca. Jej opanowanie nie przychodzi automatycznie, ale wymaga stałej świadomości i praktyki.

Na początku będziesz musiał koncentrować się na każdej z pięciu faz kroku. Prawdopodobnie będziesz spięty. To zupełnie normalne. Z czasem dzięki wielu ćwiczeniom myślenie o poprawnej technice stanie się podświadome (wciąż pracuję nad tym podczas każdego treningu). Nadal będziesz zwracał na nią uwagę, ale już na poziomie odczuć. Będziesz w stanie wyczuć, czy twoja technika jest prawidłowa. Kiedy prowadziłem zajęcia pływackie dla triatlonistów, wszyscy doświadczeni zawodnicy mówili mi to samo w odniesieniu do techniki pływania. Po prostu umieli wyczuć błędny ruch i odpowiednio go skorygować. W bieganiu jest tak samo.

Skąd bierze się to wyczucie? Ma ono związek z pamięcią mięśniową. Nasze ciało tak dobrze opanowuje różnicę między błędną a prawidłową techniką, że poprawny bieg przestaje wymagać od nas świadomej kontroli. Zastanów się, czy świadomie kontrolujesz chodzenie, jazdę na rowerze albo pisanie. Oczywiście, że nie. A jednak każda z tych czynności wymaga doskonałej koordynacji wielu różnych mięś-

ni. Jest to możliwe właśnie dzięki pamięci mięśniowej. Piękne jest to, że dzięki świadomości i praktyce możesz zmienić sposób pracy mięśni i przeformatować swoją pamięć tak, aby zacząć wykonywać daną czynność prawidłowo.

Nauka prawidłowej techniki nie jest naszym ostatecznym celem. Jest nim natomiast stworzenie i wykorzystanie pamięci mięśniowej. Trzeba też wiedzieć, że proces ten nie ma końca; nigdy nie możemy stwierdzić, że w pełni opanowaliśmy prawidłową technikę. Musimy nad nią nieustannie pracować. Ale trzeba zacząć od podstaw. Korzyści w postaci wydajniejszego kroku biegowego będą natychmiastowe. Potem możesz je utrwalać. Dla mnie prawidłowa technika jest czymś, nad czym można z radością pracować całe życie.

Ponieważ dziś koncentrujemy się na technice, pewnie zastanawiasz się, dlaczego przyniosłem ze sobą slantboard i kijki narciarskie. Przecież przerobiliśmy już trening siłowy – myślisz. Już za chwilę zrozumiesz dlaczego. Zdejmij buty i skarpetki i stań lewą stopą na slantboardzie. Zaczniemy od kilku ćwiczeń balansujących. Nie da się oddzielić techniki od siły. Wzajemnie się wspierają, podobnie jak strategiczny fundament biegowy, o którym opowiem ci w następnym rozdziale. Slantboard ułatwia nie tylko podtrzymanie prawidłowej techniki, ale także wypracowanie potrzebnej pamięci mięśniowej.

Ćwicząc, pamiętaj o jednej rzeczy: każdy z nas, niezależnie od poziomu zaawansowania czy doświadczenia, może skorzystać na zmianie lub udoskonaleniu techniki. Podczas biegu i po jego zakończeniu będziesz czuł się dużo lepiej fizycznie. Tę korzyść doceni każdy biegacz, ale – niestety – nie da się tego dowieść naukowo.

Gdy poczujesz pracę odpowiednich mięśni, przeniesiemy się na murawę. Będę uważnie cię obserwować, analizować twoją technikę i szukać miejsc wymagających poprawy. Potem będziesz musiał jednak sam się na nich koncentrować. Postęp będzie możliwy tylko dzięki twojej świadomości – tego, jak biegasz, i tego, jak powinieneś biegać.

NAJCZĘSTSZE BŁĘDY PODCZAS BIEGU

Zrób okrążenie wokół bieżni. Staraj się wyczuć swoje ciało i być świadomym swoich ruchów: tego, jak twoja bosa stopa ląduje na trawie. Zwróć uwagę na długość kroków, ułożenie tułowia, pracę kolan i sposób odbicia od podłoża. Potem zapomnij o szczegółach i zastanów się nad swoimi odczuciami – czy ten sposób biegu wydaje ci się naturalny?

Teraz wróć do mnie. Usiądź na chwilę. Dziś jeszcze twoje nogi sporo się namęczą. Nie ma potrzeby, żebym szczegółowo opisywał wszystkie twoje błędy. Chcę, żebyś sam spróbował je znaleźć. Pamiętaj tylko, że nawet jeśli twój sposób biegania wydaje ci się naturalny, nie znaczy to od razu, iż jest prawidłowy. Co więcej – gdy zmienimy twoją technikę, początkowo może ci się ona wydać wręcz nienaturalna! Będziesz działać wbrew swojej pamięci mięśniowej, w której zakodowane są błędy.

Można wymienić kilka rodzajów nieprawidłowej techniki biegania. Zobacz, które z wymienionych poniżej najczęstszych błędów (oraz problemów, jakie powodują) występują u ciebie. Obserwuj też innych biegaczy i staraj się analizować ich sposób biegu. To przydatny materiał do pracy nad własną techniką i świadomością.

- **Lądowanie na pięcie:** Biegacz stawia na podłożu najpierw piętę. To powoduje problemy ze stabilnością i mocno obciąża mięśnie czworogłowe ud.

Efektem jest wolna kadencja i niedostateczne zaangażowanie stóp, co uniemożliwia prawidłową pracę łydek. Skutkiem są dolegliwości pasma biodrowo-piszczelowego, napięcia zginaczy bioder i osłabienie mięśnia pośladkowego średniego.

- **Overstriding:** Wysuwanie stopy wiodącej zbyt daleko przed środek ciężkości ciała. Często jest to połączone z lądowaniem na pięcie. Overstriding jest jednak możliwy również przy lądowaniu na płaskiej stopie lub przodostopiu. Przy prostowaniu nogi stopa wysuwa się przed kolano. Biegacz ląduje z obciągniętymi palcami lub na zewnętrznej krawędzi stopy. Zwykle efektem jest wolna kadencja i niestabilność w kolanach/biodrach/pośladkach.

- **Nadmierne uginanie kolan:** Kolana pozostają zbyt mocno ugięte przez cały cykl ruchu (bardzo powszechne zjawisko wśród osób, które biegają boso lub rzadko zwiększają prędkość). Nie prostując nóg podczas ruchu, nadmiernie obciążasz mięśnie czworogłowe ud, co skutkuje ich dominacją oraz osłabieniem mięśnia pośladkowego średniego i łydek. Osoby biegające z ugiętymi kolanami często skarżą się na bóle stawów kolanowych, pasma

biodrowo-piszczelowego oraz napięcie zginaczy bioder.

- **Zarzucanie nogami na boki:** Zamiast unosić nogi podczas biegu biegacz zarzuca nogami na boki i na zewnątrz, przy każdym kroku wykonując nimi małe półkola. Biodra poruszają się aktywnie, ale przy braku odpowiedniego przewijania kolan do przodu biegacci odczuwają wiele podobnych dolegliwości co osoby biegające z ugiętymi kolanami lub lądujące na pięcie.

- **Pochylenie tułowia:** Biegacz nadmiernie pochyla górną partię tułowia lub całe ciało od pasa w górę. Zwykle jest wówczas zmuszony biec z ugiętymi kolanami, co ogranicza pracę mięśni korpusu i pośladków i pozbawia go strukturalnego podparcia.

- **Podskakiwanie:** Biegacz podczas wykonywania każdego kroku podskakuje i opada, zamiast utrzymywać barki w jednej linii poziomej przez cały ruch. To skutkuje nadmiernym przewijaniem kolan do przodu i/lub zbyt dużą siłą uderzenia o podłoże w porównaniu do rozwijanej prędkości (biegacz traci energię na ruch w pionie, a nie naprzód). To bardzo nieekonomiczna technika biegu.

- **Wysoki wykop:** Biegacz unosi nogi zbyt wysoko za sobą lub odpycha się do tyłu (jakby hamował na stopie). Uniemożliwia to unoszenie/przewijanie kolan do przodu i może prowokować do pochylania tułowia.

Skąd się biorą te błędy? Każdy z nas jest inny. Zasadniczo to, w jaki sposób biegamy, ma związek z naszymi dotychczasowymi doświadczeniami. Duży wpływ na technikę mogą wywrzeć buty ze wzmocnionymi piętami, ale do tej kwestii wrócimy później. Wiedz jednak, że znam bardzo wielu ludzi biegających boso mających błędną technikę, więc pozbycie się butów jeszcze nie załatwia sprawy. Na postawę biegacza wpływa jego dotychczasowa aktywność sportowa. Jeśli rozbudowałeś określone mięśnie kosztem innych, odbije się to na twojej postawie i technice biegu.

Nie ma jednak sensu skupiać się na źródłach błędów. Ważne, żebyś je zrozumiał i uzbroił się w cierpliwość podczas pracy nad ich wyeliminowaniem. Zdaję sobie sprawę z tego, że to trudne. Kiedy przyjechałem do Denver i zacząłem biegać na dłuższych dystansach, nie sądziłem, że moja technika wymaga jakichkolwiek korekt. Ale pewnego dnia, gdy biegłem uliczkami miasta, zobaczyłem swoje odbicie w oknie sklepowej wystawy. Nie mogłem uwierzyć własnym oczom. Biegacz,

którego ujrzałem, prezentował się tragicznie. Jego ruchy nie były ani trochę płynne, kuśtykał sztywno na piętach. Dotąd wydawało mi się, że nadal biegam jak za czasów swojej kariery futbolowej, gdy gładko sunąłem z piłką przez boisko, albo jak wtedy, gdy pędziłem sprintem do strefy zmian podczas sztafety 4 × 100 metrów.

Po powrocie do domu przejrzałem swoje dawne nagrania z meczów. Nie zwariowałem. Za każdym razem, gdy biegłem z piłką przez boisko, moje ruchy były płynne. Ale gdy tylko wracałem na linię boczną albo na środek boiska, znów pojawiało się sztywne kuśtykanie, które zobaczyłem w szybie. Zacząłem więc analizować swoją technikę sprintu i starałem się odtworzyć ją w wolniejszym tempie. Wyeliminowałem wybicie z pięty, zacząłem wyżej unosić kolana i stawiać na ziemi wyprostowane nogi. Dzień za dniem, miesiącami trenowałem i ćwiczyłem, doskonaląc technikę i rozwijając pamięć mięśniową, która miała pozwolić mi biegać wyczynowo.

Zanim więc przejdziemy do poszczególnych elementów prawidłowej techniki, chciałbym, żebyś włożył zwykłe buty do biegania i poprosił kogoś, by zrobił ci z boku kilka zdjęć podczas biegu. Zdjęcia są lepsze niż nagrania wideo, ponieważ pozwalają dokładnie uchwycić w bezruchu ułożenie stóp, nóg, bioder, tułowia i głowy w poszczególnych fazach. Następnie porównaj zdjęcia ze zdjęciami przedstawiającymi prawidłową postawę, które znajdują się w książce (później możesz je porównać ze zdjęciami, które zrobimy, gdy rozpoczniesz już pracę nad poprawą techniki. Dzięki temu zauważysz zmiany, jakie zajdą w twoim sposobie biegania).

Nawiązując do powyższej listy najczęstszych błędów, chciałbym podkreślić jeszcze jedną istotną kwestię. Metody korygowania słabości nie mają charakteru indywidualnego. Moim zdaniem twierdzenie, jakoby każdy błąd czy problem z bieganiem wymagał jednostkowego rozwiązania i podejścia, niepotrzebnie komplikuje sprawę. Większość z nas uważa, że ich problemy czy urazy są wyjątkowe. Rozumiem to. Muszę jednak powiedzieć, że przeprowadziłem w życiu ponad tysiąc treningów z najróżniejszymi biegaczami i większość miała dokładnie te same problemy, które niezależnie od przyczyny (np. buty) można było sprowadzić do braku równowagi mięśniowej i błędów technicznych. Dlatego dla większości mam takie samo rozwiązanie oparte na treningu siłowym oraz ćwiczeniach technicznych.

To dość pocieszające wnioski. Można powiedzieć, że nikt z nas nie jest w tym wszystkim osamotniony. Trzymając się identycznych zasad, możemy doskonalić siebie i swoje wyniki.

PRAWIDŁOWA TECHNIKA BIEGU

Teraz zdradzę ci pewien sekret. Przyprowadziłem cię tutaj ze względu na miękką murawę, ale również po to, żeby zademonstrować ci czystą sprawność fizyczną i prawidłową technikę w akcji. Nie na swoim przykładzie. Słyszysz gwizdek? Oto i oni. Uczniowie, którzy przyszli tu na lekcję wuefu.

Dzieci. Zgadza się. Przypatrz się, jak biegają. Staraj się pilnie prześledzić ich ruch na bieżni, ponieważ są doskonałą ilustracją tego, co próbuję ci przekazać. Zobacz, jaką przyjemność sprawia im bieg. Sprężynują, podskakują, co chwila wybuchając śmiechem. Sama radość. Zwróć uwagę: biegnąc, podskakują, często w wyrazie ekscytacji. Moja córeczka robi tak samo. Odkąd skończyła dwa lata, nieustannie biega, skacze. To właśnie jest sprawność fizyczna w czystej formie.

Powiem ci coś jeszcze. Te dwie czynności – bieganie i skakanie – są takie same.

Tak właśnie powinniśmy je postrzegać. Gdy skaczemy, odbijamy się nogami od ziemi, żeby przemieścić ciało w przeciwnym kierunku – do góry. Podobnie jest przy bieganiu. Jedyna różnica polega na tym, że zamiast do góry podczas biegu wypychamy ciało do przodu. Przy obydwu tych ruchach nasze nogi przez moment znajdują się w powietrzu.

Wstań. Teraz udowodnię ci swoją tezę. Podskocz w miejscu. Jeszcze raz, trochę wyżej. I jeszcze raz, najwyżej jak potrafisz. Spróbuj zarejestrować, jak zachowuje się twoje ciało. Teraz przeanalizuj swój ruch. Czy żeby podskoczyć, generujesz energię i odbijasz się piętami od ziemi? Nie. Czy lądujesz na piętach? Nie. Czy lądujesz, mając stopy pod kolanami? Tak. Czy szykując się do skoku, uginasz kolana, żeby wytworzyć większą siłę? Tak. Czy twoje kolana znajdują się przed tobą czy za tobą? Przed.

Świetnie. Te odpowiedzi otwierają nam drogę do zrozumienia istoty biegania wyczynowego. A teraz przeskoczymy – nomen omen – do pięciu faz prawidłowego biegu. Postaraj się przeanalizować je po kolei. Razem dostarczą ci wiedzę, której potrzebujesz do nauki poprawnej techniki.

Ruszaj więc wokół boiska i staraj się świadomie lądować na ziemi na przodostopiu.

1. Lądowanie na przodostopiu

Podobnie jak w treningu siłowym fundamentem prawidłowej techniki biegania jest stopa, a dokładnie jej przednia część zwana przodostopiem. Lądowanie na przodostopiu, które pokazano na zdjęciu nr 1, to pierwszy element gwarantujący stabilność kroku biegowego. Palce, zwłaszcza duży palec, dotykają podłoża. To uruchamia sklepienie i zapewnia stabilną bazę, która pozwala ci ustawić kolano i biodro w jednej linii. Gdy lądujesz na przodostopiu, staw skokowy – który nie powinien wysunąć się przed kolano – zapewnia dobrą amortyzację wstrząsów powstałych przy uderzeniu pięty o ziemię. Lądowanie na przodostopiu zapobiega overstridingowi (choć nie zawsze) i zapewnia wyższą kadencję. Biegając boso, możesz doskonale wyczuć wszystkie te procesy.

Technika i świadomość

- Ląduj na ziemi na przodostopiu.
- Kostkę utrzymuj w linii z kolanem. Nie wysuwaj stopy za daleko w przód, żeby staw skokowy nie znalazł się przed kolanem.
- Bez względu na prędkość sposób lądowania stopy w stosunku do reszty ciała nie powinien się zmieniać.

- Ramiona pozostają w jednej linii z biodrami, nie pochylaj tułowia w przód.

Ćwiczenia

Ćwiczenia opisane przy pierwszej fazie biegu oraz przy czterech pozostałych fazach pozwolą ci zrozumieć prawidłową technikę oraz poczuć jej zalety. Umożliwią ci także opanowanie i utrwalenie prawidłowej techniki poprzez stworzenie odpowiedniej pamięci mięśniowej. Na późniejszych etapach mogą służyć jako rozgrzewka przed biegiem – a nawet mogą być wykonywane w trakcie sesji w celu skorygowania techniki.

- **Ćwiczenia balansujące i ruchowe na slantboardzie/dysku balansującym:** Omówione wcześniej ćwiczenia siłowe pomogą ci rozwinąć wytrzymałość niezbędną do podtrzymania lądowania na przodostopiu.
- **Podskoki w miejscu, boso:** To ćwiczenie pozwoli ci zrozumieć i wyczuć lądowanie na przodostopiu. Biegacze powinni najpierw lądować na ziemi przodostopem, a dopiero potem piętą. Im szybciej biegniesz, tym silniejsze stają się z czasem twoje stopy i tym skuteczniej jesteś w stanie utrzymywać piętę w górze. Niemniej podczas pierwszych

1.

ćwiczeń oraz wolniejszego biegu po wylądowaniu przodostopiem powinieneś opuszczać piętę na podłoże.

- **Bieg w miejscu, boso:** Biegając w miejscu, jesteś zmuszony biec poprawnie. Zobaczysz, że biegnąc stosunkowo szybko w miejscu, zaczynasz stosować prawidłową technikę bez pomocy czy wskazówek trenera. Lądujesz na przodostopiu, wysuwasz kolana przed siebie i opuszczasz je pionowo w dół. Podczas prawdziwego biegu tak naprawdę zmienia się wyłącznie kąt, pod jakim stawiasz stopę na ziemi, żeby wypchnąć ciało naprzód zamiast pionowo

w górę. To doskonałe ćwiczenie na prawidłowe odbicie od podłoża oraz wysuwanie kolan przed siebie.

2. Podparcie

Choć fazę lądowania na przodostopiu od fazy przewinięcia kolana do przodu (faza 3) dzieli zaledwie ułamek sekundy, ważne, aby przejście to zostało wykonane poprawnie. Zauważ, że w fazie podparcia postawiona na podłożu noga (na zdjęciu nr 2 moja lewa) podtrzymuje całe ciało, które powinno pozostać wyprostowane. Nie pochylaj tułowia w przód. Dzięki temu unikniesz obciążania stawu skokowe-

2.

go i łydki i będziesz mógł sprawnie przejść do fazy przewinięcia kolana. W fazie podparcia mięśnie angażowane podczas lądowania na przodostopiu przesyłają energię dalej, w górę łydki. Kolano, zwłaszcza mięsień pośladkowy średni, jest ustabilizowane, a całe ciało podparte, co zwiększa równowagę i wydajność mięśniową.

Technika i świadomość

- Po wylądowaniu na przodostopiu pozwól, żeby twoja pięta dotknęła podłoża.
- Poczuj, jak twoje ciało stabilizuje się od stopy w górę poprzez kolano i biodra aż po pośladki.
- Podparta noga znajduje się niemal bezpośrednio pod tułowiem.
- Tułów jest wyprostowany. Nie pochylaj się ani nie zginaj w pasie.

Ćwiczenia

- **Ćwiczenia balansujące i ruchowe na slantboardzie i dysku balansującym:** Pozwolą ci pracować mięśniami od przodostopia aż po mięsień pośladkowy średni, który uruchamia się podczas prawidłowego podparcia, stabilizując dolne partie ciała.
- **Bieg boso:** Trenując boso, możesz wyczuć prawidłowy sposób lądowania pięty na podłożu zaraz po skontaktowaniu

z podłożem przodostopia. Wykonuj po 5–10 kroków umiarkowanym tempem w czasie 10–20 sekund. Możesz biegać po trawie prawdziwej lub sztucznej murawie. Ćwiczenie pozwoli ci wyczuć prawidłowy sposób lądowania pięty na podłożu po trafieniu w nie przodostopiem.

- **Marsz:** Nie, nie pomyliłem się! Maszeruj w miejscu lub do przodu w odcinkach po 40–50 m. Pozwoli ci to wyczuć ustawienie podpartej nogi bezpośrednio pod tułowiem. Ćwiczenie powtarzaj często, żeby wypracować właściwą pamięć mięśniową.

3. Przewinięcie kolana do przodu

Podczas dwóch pierwszych faz – lądowania na przodostopiu i podparcia – koncentrowałeś się na ruchu i ustawieniu tylko jednej, podpartej nogi. Teraz musisz zwrócić uwagę na obydwie nogi jednocześnie. Nogę podpartą wciśnij w podłoże i unieś nogę przenoszoną (na zdjęciu nr 3 moja prawa). Ta faza wymaga całościowej stabilizacji i wygenerowania odpowiedniej siły do wypchnięcia ciała w przód.

Zachodzą tu dwie ważne czynności. Po pierwsze, noga podparta stabilizuje i przekazuje siłę do podłoża stosownie do twojej prędkości. (Kąt ustawienia nogi wskazuje na tempo biegu). Po drugie, mięśnie łydki nogi podpartej uruchamiają się, przygotowując cię do wybicia z przodostopia i palców stopy. Wizualizacje, które prezentuję po ćwiczeniach, pomogą ci w opanowaniu tej fazy.

Technika i świadomość

- Unieś i przesuń w przód kolano nogi przenoszonej. Staw skokowy powinien być rozluźniony i znajdować się pod ścięgnem kolanowym. Nie wysuwaj go przed kolano. Dzięki temu kolano inicjuje cały ruch.
- Jednocześnie, wykorzystując mięśnie łydki, przejdź na przodostopie i palce nogi podpartej. Wciśnij nogę w podłoże, żeby wypchnąć ciało w przód.
- Podczas tego etapu noga przenoszona unosi się na swoją maksymalną wysokość, która jest bezpośrednio zależna od twojej prędkości. A więc im wyżej uniesiesz kolano, tym szybciej biegniesz. Kostka pozostaje pod ścięgnem podkolanowym i za kolanem.
- Jednocześnie noga podparta niemal się prostuje, a ty stajesz na palcach, nadal mocno zapierając je o ziemię (nie odpychając się w tył). Biodra są otwarte. Nie pochylaj tułowia.

3.

- Cały czas góra ciała pozostaje wyprostowana i rozluźniona. Mięśnie brzucha i pośladków pracują.
- Poczuj, co się dzieje z łydką nogi podpartej. Powinna być zwinięta niczym sprężyna i gotowa uwolnić energię potrzebną do kolejnej fazy.

Ćwiczenia

- **Ćwiczenia ruchowe ze slantboardem i dyskiem balansującym:** Przyciąganie kolan do klatki piersiowej i przysiady w biegu ze skrętami to kluczowe ćwiczenia na rozwój siły i pamięci mięśniowej potrzebnej do wykonania tej fazy biegu. Konieczne są silne stopy i łydki, które angażujesz do pracy, przechodząc na przodostopie i szykując się do odbicia. Przydatne są wszystkie ćwiczenia na stopy.
- **Bieg w miejscu, boso:** Zwróć uwagę na sposób, w jaki unosisz kolano nogi przenoszonej, jednocześnie mocno zapierając się o ziemię nogą podpartą i umożliwiając skierowanie siły w dół, do podłoża.
- **Płotki:** Biegnij szybko, pokonując samodzielnie zrobione płotki o wysokości 20–30 cm rozstawione mniej więcej co 30 cm. To zmusi cię do wyższego unoszenia kolan i efektywniejszego zapierania się nogą podpartą.

- **Marsz:** Unoś wysoko kolana niczym żołnierz. Nogi powinny być proste, co zapewni ci lepszą stabilność. Podczas marszu stawaj na palcach, nie trzymaj stóp płasko na ziemi. Pracuj nad pamięcią mięśniową.
- **Podskoki na wyznaczonym odcinku:** To cię zmusi do przewijania kolan do przodu oraz pokaże zależność pomiędzy wysokością kolan a siłą generowaną w fazie podparcia/odbicia.
- **Sprint pod górę:** Pobiegnij pod górę z rękami założonymi za szyję. To cię zmusi do aktywnego unoszenia kolan oraz angażowania mięśni korpusu i pośladków.

4. Odbicie

To faza, w której przechodzisz do lotu; obydwie twoje nogi znajdują się w powietrzu, a ty przemieszczasz się w przód. Podobnie jak podczas skoku musisz wykorzystać energię skumulowaną w mięśniach na poprzednich etapach. Ta energia, która przekłada się na szybkość, zależy od odległości pomiędzy kolanem nogi przenoszonej a stopą nogi podpartej (im wyżej znajduje się kolano i im większy jest kąt ustawienia nogi podpartej, tym większa jest twoja siła i szybkość). Warto to zauważyć, ponieważ na tym etapie rozpoczynasz jednocześnie nowy cykl ruchowy drugą nogą (przenoszoną), która układa się do lądowania na przodostopiu. Nie powinieneś wysuwać jej dalej przed siebie; staraj się zwiększyć prędkość dzięki dłuższemu wykrokowi. Przodostopie powinno zawsze lądować pionowo w dół niezależnie od szybkości ruchu.

Technika i świadomość

- Stopą nogi podpartej delikatnie odepchnij się od podłoża, samymi tylko palcami. Siła jest generowana dzięki neutralnemu zaangażowaniu stawu skokowego i łydki nogi podpartej, która wciska się w podłoże. Nie obciągaj palców u stopy, żeby użyć stawu skokowego do odbicia się od ziemi.

- Noga przenoszona osiąga swój najwyższy punkt (zależny od szybkości), następnie ustawia się pod kątem niemal 90 stopni. Stopa znajduje się nieznacznie za kolanem, pod ścięgnem podkolanowym. Przy lądowaniu nie wysuwaj stopy zbyt daleko przed siebie. Bądź cierpliwy, pozwól, żeby ziemia sama wyszła ci na spotkanie. Dzięki temu będziesz mógł się wybić z przodostopia.

- Gdy przodostopie nogi przenoszonej uderza o podłoże, noga ta staje się nogą podpartą i stabilizuje ciało.

4.

- Tułów jest wyprostowany i pionowy, biodra otwarte.

Ćwiczenia

- **Ćwiczenia ruchowe ze slantboardem i dyskiem balansującym:** Podobnie jak w poprzedniej fazie przyciąganie kolan do klatki piersiowej i przysiady w biegu ze skrętem to kluczowe ćwiczenia na rozwój siły i pamięci mięśniowej potrzebnej do wykonania tej fazy biegu.
- **Podskoki na wyznaczonym odcinku:** Pozwolą ci poćwiczyć energiczny wyskok do góry przy jednoczesnym opuszczeniu drugiej nogi. Dodatkowo rozwijają siłę nóg.

- **Wbieganie po schodach/sprint pod górę:** Szybko i energicznie wbiegnij po schodach lub pod górę, wysoko unosząc kolana. Trenuj dynamiczne wybicia i prostowanie nogi i za każdym razem energicznie uderzaj stopą o podłoże. To fantastyczne ćwiczenie imitujące cykl ruchowy podczas biegu.

5. Przeniesienie ramienia

Przesuwając ramiona w przód i w tył w trakcie cyklu biegowego, otwierasz klatkę piersiową i automatycznie się prostujesz, co zwiększa wydajność ruchu i ułatwia oddychanie. Staraj się nie przecinać

5.

ramionami linii środkowej ciała i nie skręcać barków z boku na bok. Zachowując prawidłowe ułożenie rąk, pozwalasz im pracować w harmonii z nogami. To poprawia płynność ruchu i pozwala na rozluźnienie całego ciała. Przyspieszając, prostujesz nieco ramiona, żeby zwiększyć efekt dźwigni i siłę zarówno podczas sprintu, jak i na ostatniej prostej do mety.

Technika i świadomość

- Ręce powinny być zgięte pod kątem 90 stopni.
- Przesuń łokcie w tył i trzymaj je blisko tułowia.
- Nie sięgaj ramionami zbyt daleko do przodu. Pozwól, żeby poruszały się z naturalną kadencją dostosowaną do ruchu nóg.
- Rozluźnij górę ciała, ramiona, barki i dłonie. Rozluźniony biegacz to szybki biegacz.
- Ramiona powinny się kołysać w jednej płaszczyźnie w przód i w tył. Nie powinny przekraczać osi ciała.
- Wyobraź sobie, że trzymasz w dłoniach hantle, i pozwól, żeby twoje ciało samo znalazło najbardziej ekonomiczny sposób ich niesienia. Łokcie są zgięte, a ręce wykonują krótkie ruchy, starając się zminimalizować obciążenie.

Oto pięć elementów prawidłowej techniki biegu. Wkładając z powrotem buty do biegania, pozwól, żeby twój mózg spokojnie przetrawił wszystkie te informacje. Pojedziemy autostradą 22 za miasto pobiegać wzdłuż Snake River. Trasa jest nieco kamienista, ale płaska, przynajmniej jak na warunki panujące w Jackson.

PRAWIDŁOWA TECHNIKA BIEGU – ĆWICZENIA POMOCNICZE

Wizualizacje

Wyobrażanie sobie prawidłowej techniki jest niezwykle skuteczną metodą nauki. Wizualizację można wykorzystać w ramach rozgrzewki przed treningiem, a także podczas każdego biegu jako ćwiczenie na zwiększenie świadomości. Gdy chcesz popracować nad prawidłową techniką i pamięcią mięśniową, możesz wykorzystać następujące scenariusze wizualizacyjne.

- **Bieg przez bale drewna:** Aby utrwalić prawidłowe przewijanie kolan do przodu, wyobraź sobie, że biegniesz przez równomiernie rozłożone na ziemi drewniane bale. Unoś wysoko kolana, żeby przekroczyć wyimaginowaną przeszkodę. Im szybciej biegniesz, tym większe powinny być te wyobrażone bale. Pamiętaj tylko, że stopę należy stawiać pod ścięgnem podkolanowym.

- **Kowboj i lasso:** Aby pomóc sobie w prawidłowym ułożeniu tułowia, wyobraź sobie kowboja, który zarzucił na ciebie lasso. Lina owinęła ci się wokół pasa, a ty ciągniesz kowboja za sobą.
- **Łuk i strzała:** W tej fazie musisz skupić się na obydwu nogach. Energicznie zapierając się nogą podpartą o podłoże, musisz jednocześnie myśleć o przewinięciu drugiego kolana do przodu. Przypomina to działanie łuku i strzały. Zgięte ramię naciągające cięciwę to noga przenoszona. Proste ramię trzymające sztywno łuk – noga podparta. Wspólnie zapewniają siłę i stabilizację konieczne do wypchnięcie ciała w przód. Możesz zobaczyć to na zdjęciu. Wyobraź sobie, że twoje nogi podczas biegu są łukiem i strzałą.

Kadencja

Kadencja jest kluczowa dla prawidłowego wykonania wszystkich pięciu faz biegu. Niezależnie od wzrostu powinieneś lądować stopą na podłożu około 22–23 razy co 15 sekund.

Biegacze, którzy chcą zwiększyć kadencję, często nadmiernie skupiają się

na nodze podpartej. Chcąc biec szybko, zaczynają niedbale uderzać nią o ziemię. Tymczasem powinni robić coś wręcz przeciwnego. Aby zwiększyć kadencję, pracuj nad przyspieszeniem ruchu nogi przenoszonej. Wyobraź sobie, że jesteś Bruce'em Lee, który jednym potężnym ciosem posyłał przeciwnika na drugi koniec pokoju. Lee opowiadał, że taki wyczyn był możliwy nie tyle dzięki sile uderzenia, co prędkości, z jaką wycofywał pięść (podobnie jak biegacz wycofuje kolano nogi przenoszonej; trzeba tylko uważać, żeby noga podparta była niemal prosta, a nie zgięta – przypomnij sobie łuk i strzałę).

Nie zajmuj się kadencją, ćwicząc jednocześnie poszczególne fazy biegu. Czasami zbyt dużo rzeczy naraz nie sprzyja postępom. O kadencji myśl co 5–10 minut podczas lekkich przebieżek. Odliczaj minuty, a potem odpowiednio zwalniaj lub przyspieszaj. Z czasem dzięki praktyce nauczysz się wyczuwać właściwą kadencję.

Dobre i złe buty

Spójrz na rzekę. O tej porze roku Snake River jest dość wezbrana. Płynie w niej zimna przejrzysta woda wprost z gór. Dalej, w dole nurtu, można napotkać miłośników spływów kajakowych. Podczas pobytu u mnie koniecznie musisz wybrać się na podobną wyprawę. Wiosłowanie po spienionej, wzburzonej wodzie dostarcza wielu emocji.

Teraz chciałbym ci opowiedzieć o butach do biegania, ponieważ to one są odpowiedzialne za większość problemów i kontuzji, jakie spotykam u biegaczy – a na pewno przyczyniają się do ich powstania. Jak dotąd nie mówiłem nic na temat twoich butów, ale cóż, będę szczery. Może są dość stare i mają wyraźne ślady zużycia. Może kupiłeś ostatnio nową, niedrogą parę, ale martwiłeś się, czy poradzisz w niej sobie na kamienistych górskich szlakach. Czas jednak, abyś zdał sobie sprawę, że tego rodzaju buty – ze wzmocnioną piętą, która ma ci zapewniać stabilność – predysponują cię do różnego rodzaju dolegliwości, nawet jeśli według reklam mają robić coś wręcz przeciwnego.

Tak jak mówiłem, nie jestem fanatykiem biegania boso i nie uważam, że jest to jedyna słuszna metoda. Bieganie bez butów ma pewne korzyści, zwłaszcza podczas wykonywania ćwiczeń wzmacniających i trenowania techniki. Pozwala ci wyczuć pracę stóp, palców, sklepienia, zrozumieć, w jaki sposób należy je wykorzystywać podczas biegu. Wspomaga także trening siłowy i wytrzymałościowy.

Ale jestem trenerem, który wyjaśnia biegaczom, jak poprawić wyniki sportowe, i wiem, że bardzo trudno jest intensywnie ćwiczyć i startować w maratonach bez odpowiedniej ochrony stóp. Nawet Indianie Tarahumara chronią swoje stopy, gdy pokonują wiele kilometrów górskimi ścieżkami swoich rodzinnych kanionów. Powinniśmy wziąć z nich przykład.

Czym innym jednak jest ochrona, a czym innym typ butów, który mogłeś kupić ty i który kupiły zapewne miliony innych ludzi na świecie – ze wzmocnionymi piętami i grubymi podeszwami mającymi zapewniać amortyzację i stabilizację stóp. Są one problematyczne z wielu powodów: ograniczają naturalne ruchy stopy, nie pozwalają wykorzystywać jej do utrzymywania stabilności i uruchamiania prawidłowych mięśni, są za ciężkie oraz, przede wszystkim, unoszą piętę. Ta ostatnia ich cecha ma dramatyczne skutki.

Jesteśmy na szlaku, a ty masz na nogach buty ze wzmocnioną piętą. Spróbuj biec od przodostopia. Wcale nie takie proste, prawda? Niemal zmuszasz się do tego, a nawet wtedy nie jesteś w stanie w pełni zaangażować łydek, ponieważ twoje pięty za szybko uderzają o podłoże. To znaczy, że nie wykorzystujesz przodostopia do stabilizacji i uruchamiania mięśni w górę łydki do kolana i pośladków. Co gorsza, gdy biegniesz od pięty, twoje łydki nie pracują prawidłowo, w związku z tym tracisz energię, elastyczność oraz przeciążasz mięśnie czworogłowe ud.

Zatrzymaj się. Chcę ci uzmysłowić, dlaczego bieganie z uniesioną piętą jest szkodliwe. Podskocz w górę i zeskocz na dół na przodostopiu. Pamiętasz, jak elastycznie udawało ci się to zrobić, gdy byłeś boso? Teraz, gdy jesteś „na obcasach", przestało to być takie proste. Nasze łydki działają niczym sprężyny – gdy skaczemy lub biegamy, na przemian kumulują i uwalniają energię. Muszą być naładowane („naciągnięte"), żeby uwolnić energię i zapewnić naszym ruchom sprężystość. W butach o podwyższonej pięcie nie jest to możliwe, ponieważ pięta za wcześnie ląduje na podłożu, nie pozwalając łydkom odpowiednio długo pozostać w naciągniętej, naładowanej pozycji. Z tego powodu kolano zostaje wypchnięte w przód, co skutkuje zbyt silnym angażowaniem mięśnia czworogłowego uda i niedostatecznym użyciem mięśni pośladkowych. Mam nadzieję, że teraz rozumiesz, dlaczego biegacze powinni odejść od butów z podwyższoną piętą. Lepsza technika, więcej energii, mniej urazów.

Od dawna wiedziałem, jak duże znaczenie dla prawidłowej techniki biegu mają właściwe buty, ale dopiero ostatnio, gdy zacząłem przyglądać się mojej biegającej córeczce, doznałem olśnienia. Przez pierwsze cztery lata jej życia jedyne buty, jakie byłem w stanie dostać dla niej w sklepach, były płaskie, o niemal zerowym spadku pięta–palce (zero-drop). Czyli podeszwa miała taką samą grubość na całej długości. Boso lub w takich właśnie butach moja córeczka biegała doskonale. Z idealną, naturalną techniką, od przodostopia. Potem, gdy skończyła pięć lat, okazało się, że mogę jej kupić wyłącznie buty z podwyższoną piętą, że te typu zero-drop są nieosiągalne. Producenci obuwia zdawali się wręcz promować błędną technikę biegania, wyposażając buty w fajne kolorowe światełka, które błyskały, gdy dziecko uderzało o ziemię piętą. W takich butach moja córka zaczęła biegać od pięty. Okropność.

Czy istnieją idealne buty? Nie jestem pewien, ale wiem na pewno, że istnieją buty złe. I z całą pewnością złym butem jest taki typ, który producenci ironicznie nazywają „tradycyjnym" (stabilizujący, z grubą podeszwą, 12–15-milimetrowym spadkiem pięta–palce). W sklepie daje wrażenie komfortu, ale podczas biegu może narobić poważnych szkód. A gdy już uda ci się wypracować prawdziwą siłę stóp, będziesz zdziwiony, że kiedykolwiek dawałeś radę w nich biegać.

Są też buty, które określam mianem „wyczynowych": bez spadku pięta–palce, z cienką podeszwą, elastyczne. Ten typ pozwala na prawidłowe wybijanie się z pięty, prawidłową technikę, stabilność palców i całej stopy, a także wydłużenie i naciąganie łydek tak, żeby mogły działać na zasadzie sprężyny. Biegając w nich, promujesz siłę stóp i równowagę mięśniową w całym ciele, ponieważ efektywniej pracujesz stopami.

Wróćmy jeszcze raz do Indian Tarahumara. Biegają w kawałkach starych opon przyciętych na wymiar stopy, trzymających się wyłącznie na kawałku skórzanego rzemyka biegnącego pomiędzy palcami i wokół kostek. W swoim życiu biegałem już chyba w każdych dostępnych na rynku butach różnych marek i wzorów – z uniesioną piętą, z minimalnie uniesioną piętą, bez spadku pięta–palce, o niskim profilu, o wysokim profilu, stabilizujących i nie. Nigdy jednak nie czułem się silniejszy, stabilniejszy, lepiej skoordynowany i bardziej wolny od bólu niż w tych – jak je nazywam – minimalistycznych butach wyczynowych. Jeśli większość treningów odbędziesz w butach typu zero-drop, prawidłowo pracując stopami i pilnując właściwej techniki, zaczniesz zauważać różnicę w rozkładzie mięśni bioder oraz znaczny spadek napięcia zginaczy tych okolic.

Jeśli jednak nadal masz wątpliwości, po prostu spróbuj. Pobiegaj w dobrych butach, poeksperymentuj z butami wyczynowymi typu zero-drop. Przekonaj się, o ile łatwiej jest ci utrzymać prawidłową technikę i jak silniejszym stajesz się biegaczem.

Ale nie wyrzucaj starych butów do śmieci i nie próbuj z dnia na dzień przestawić się w pełni na buty wyczynowe. Przejście z tradycyjnych butów na buty wyczynowe powinno odbywać się stopniowo, ponieważ będziesz musiał zacząć używać mięśni, które dotąd zaniedbywałeś. Początkowo wykorzystuj buty zero-drop do krótszych przebieżek, a stare buty do dłuższych. Potem stopniowo zwiększaj dystanse pokonywane w nowych butach. W miarę jak twoje stopy i łydki będą się stawały coraz mocniejsze dzięki ćwiczeniom i poprawie techniki, stare buty zaczną wydawać ci się niewygodne. To będzie znak, że możesz całkowicie z nich zrezygnować. Aby ułatwić sobie okres przejściowy, zastosuj się do

INDIANIE TARAHUMARA – UCIELEŚNIENIE TECHNIKI

Gdy przyjrzymy się Indianom Tarahumara biegnącym po Miedzianym Kanionie, zauważymy, że zawsze, w każdej sytuacji – pod górę, z góry, przez rzekę – są w stanie utrzymać prawidłową technikę. Pod tym względem są absolutnie perfekcyjni. Dlaczego? Jak to możliwe?

Już jako dzieci uczą się biegać w swoich *huaraches*, które ułatwiają prawidłową pracę stóp i angażowanie łydek w pełnym zakresie ruchu. Nie przeszkadzają im żadne zaawansowane techniczne buty z grubą podeszwą, podwyższoną piętą i kolorowym logo, jakie my wkładamy swoim dzieciom. A gdy podczas Leadville 100 nęcono ich wizją sponsoringu i zaoferowano tego typu obuwie, w czasie wyścigu zrzucili je z nóg i znów wsunęli na stopy *huaraches*.

Druga sprawa to ukształtowanie terenu. Od małego Tarahumara nieustannie, całymi dniami wspinają się po zboczach Miedzianego Kanionu. W ten sposób wzmacniają stopy i nogi oraz rozwijają pamięć mięśniową. Tak naprawdę wykonują naturalną wersję moich ćwiczeń ze slantboardem, zwłaszcza przyciąganie kolan do klatki piersiowej, jednocześnie doskonaląc technikę.

Indianie z Miedzianego Kanionu słyną również z gry w piłkę o nazwie rarajípari. Bardziej szczegółowo opowiem ci o niej podczas naszej kolejnej sesji, ale zasadniczo obejmuje ona dużo szybkich sprintów, ucząc prawidłowego wybijania się z przodostopia oraz prostowania bioder i nóg. Indianie grają w nią na bardzo nierównych trawiastych boiskach pełnych kamieni i dziur, co zmusza ich do szybkiego unoszenia stóp i kolan. Nie mają do dyspozycji gładkiego, czyściutkiego pola, na którym można sobie pozwolić na powłóczenie stopami albo zarzucanie nogami. Już jako dzieci Tarahumara muszą nauczyć się właściwej techniki biegania, jeśli nie chcą nieustannie się potykać i przewracać. ∎

treningów opisanych w programie przejścia na bieganie wyczynowe, które prezentuję później.

A teraz mam dobre wieści – to dlatego szukam czegoś w plecaku. Ponieważ przyjechałeś do Jackson Hole, żeby ze mną trenować, zamówiłem dla ciebie parę butów minimalistycznych w twoim rozmiarze, byś mógł zacząć się do nich przyzwyczajać. Chciałbym, żebyś je dziś wypróbował podczas naszej pracy nad techniką.

Oto i one... Fajne, prawda? Ale jedna ostatnia uwaga: nie ma butów idealnych na każdą okazję. Gdy biegasz po drodze, wyczynowe buty bez spadku pięta–palce, jak te, w zupełności ci wystarczą. Kiedy jednak ruszasz na szlak, mogą nie zapewnić twoim stopom wystarczającej ochrony. Nie ma co się oszukiwać – nadepnięcie na kamień jest bolesne. Tak jak bieganie boso nie zawsze jest dobrym pomysłem, tak też minimalistyczne buty mają pewne ograniczenia. Jeśli więc konkretny teren wymaga nieco grubszej podeszwy, nie wahaj się jej użyć. Staraj się jednak, by spadek pięta–palce był jak najmniejszy, a jednocześnie żeby podeszwa zapewniała ci konieczną ochronę. Jeżeli większość sesji wykonujesz w butach zero-drop i zawsze koncentrujesz się na prawidłowej technice, okazjonalna rezygnacja z elastyczności na rzecz ochrony na pewno ci nie zaszkodzi.

No dobrze. Pora przejść do treningu właściwej techniki.

TRENING TECHNIKI

Zanim zaczniemy biegać i szlifować prawidłową technikę, przypomnimy sobie, co pokazałem ci na bieżni. Zamknij oczy i wyobraź sobie, że biegniesz w prawidłowy sposób. Chcę, żebyś naprawdę zobaczył w myślach ten obraz, jakbyś stał na skraju drogi i widział, jak przebiegamy obok ciebie. Wyobraź sobie siebie podczas każdej z pięciu faz prawidłowego biegu. Zobacz, jak poprawnie i bez trudu wykonujesz każdą z nich.

Udało się?

No to zaczynamy. Spróbuj połączyć te etapy w całość: lądowanie na przodostopiu, podparcie nogi, przewinięcie kolana do przodu, odbicie. Zawsze przy właściwej pracy ramienia – w przód i w tył. Skup się, cały czas bądź świadomy tego, jak porusza się twoje ciało.

Dobra robota. Pamiętaj tylko o wyraźnym przenoszeniu kolan w przód. Chociaż na temat prawidłowej techniki wiesz już wszystko, wcale niełatwo będzie ci ją zaprezentować. Bądź cierpliwy. Jeśli długo biegałeś w określony sposób, nauka nowego stylu będzie cię kosztować nieco wysiłku. Minie trochę czasu, zanim zacznie ci on przychodzić naturalnie.

Nie będę mógł ci towarzyszyć przez cały czas, żeby korygować twoje poczynania. Ale nie martw się. Nie jest to konieczne. Sportowcom, których trenuję osobiście lub zdalnie na całym świecie, także nieustannie powtarzam dokładnie to, co pisałem powyżej przy poszczególnych fazach biegu. Wiesz, co masz robić. Musisz ćwiczyć, ćwiczyć i jeszcze raz ćwiczyć – to jedyny sposób, żeby się nauczyć.

Postaraj się zrozumieć wszystkie etapy, wyobraź sobie siebie podczas ich wykonywania, a następnie powtórz to samo w rzeczywistym świecie. Wyczuj poszczególne ruchy, powielaj je, przez cały czas powtarzając sobie: lądowanie stopą, podparcie nogi, przewinięcie kolana do przodu, odbicie, przeniesienie ramienia. Aż zacznie ci się udawać. Podobnie jak przy treningu siłowym również podczas treningu techniki staraj się myśleć niczym mistrz sztuk walki. Strategia małych kroków i świadome działanie doprowadzą cię do sukcesu. Poza tym, jak już wspominałem, warto robić sobie zdjęcia podczas biegu, żeby móc oceniać swoje postępy.

To, w jaki sposób uda ci się przejść do biegania wyczynowego, zależy od wielu rzeczy, w tym od obecnej techniki oraz siły stóp i nóg. Jeśli od bardzo dawna biegasz z pięty, mogą boleć cię łydki i będziesz się czuł dziwnie, wybijając się z przodostopia. Bieganie wyczynowe, tak jak trening siłowy, pomaga w wykształceniu równowagi mięśniowej. Technika biegu, którą ci objaśniłem, jest zgodna z tym, jak nasze ciało powinno się poruszać. Z czasem zaczniesz czuć się lepiej, będziesz mniej spięty, mniej zmęczony,

wolny od wszystkich powszechnych dolegliwości biegaczy. Zaczniesz też biegać szybciej i wydajniej. Zaufaj mi, ten wysiłek ci się opłaci.

Aby ułatwić sobie naukę prawidłowej techniki, zacznij od treningów, które prezentuję poniżej. To ułatwi i przyspieszy cały proces. Przez cały okres nauki nie zaprzestawaj wykonywania ćwiczeń siłowych. Jeśli będziesz miał poczucie, że musisz popracować mocniej nad mechaniką ruchu, wypróbuj ćwiczenia, które opisałem przy poszczególnych etapach biegu. Wszystko razem pozwoli ci rozwinąć pamięć i równowagę mięśniową, które sprawią, że nie tylko opanujesz prawidłową technikę, ale też utrwalisz ją na całe życie. W tym programie wszystkie elementy są skoordynowane tak, by pomóc ci biegać w zgodzie z naturą.

Program przejścia na bieganie wyczynowe

Poniższy plan i poszczególne ćwiczenia pomogą ci w okresie zmiany obuwia i poprawy techniki biegu. Proces ten najlepiej jest rozpocząć wtedy, gdy nigdzie się nie spieszysz i nie czujesz żadnej presji. Jeśli właśnie szykujesz się do zawodów, prawdopodobnie nie jest to najlepszy moment na zmianę. Do programu przystąp na początku sezonu, gdy biegasz na krótszych dystansach. A jeśli właśnie zakończyłeś długi i intensywny sezon, twoje ciało musi się zregenerować. Zrób sobie kilka tygodni przerwy bez jakichkolwiek treningów, a dopiero potem rozpocznij poniższy program.

1. Plan treningowy

Twoim celem są 4 30-minutowe sesje w tygodniu. Zacznij od 5–10-minutowych biegów, żeby zobaczyć, jak twoje ciało reaguje na zmiany, i stopniowo je wydłużaj. Mają to być lekkie, spokojne przebieżki przy zachowaniu niskiego tętna, podczas których możesz koncentrować się na technice i kadencji. Jeśli nie jesteś w stanie oddychać wyłącznie przez nos, to znaczy, że trening jest zbyt intensywny. Ponieważ z założenia masz się nie forsować, możesz włożyć swoje nowe buty wyczynowe. Jeśli jesteś w stanie biec komfortowo przez 10 minut, każdego tygodnia dodawaj kolejnych 5 minut, tak żeby dojść do 30-minutowej sesji. Zrealizowanie całego programu powinno ci zająć od 4 do 6 tygodni.

2. Ćwiczenia na świadomość

W czasie, gdy wydłużasz sesje do 30 minut, wykonuj ćwiczenia opisane przy każdym z pięciu faz biegu. Pomogą ci one

zrozumieć, jak powinno się poruszać twoje ciało, oraz rozwinąć prawidłową technikę i pamięć mięśniową. Pracuj nad nimi w wolnym czasie (niekoniecznie codziennie) w ramach rozgrzewki lub podczas biegu. Jeśli dopiero zaczynasz biegać, wprowadzaj ćwiczenia ostrożnie. Tak jak stopniowo wydłużasz dystanse, tak też stopniowo musisz przygotować się do sprintów czy podbiegów.

Oto kilka ostatnich uwag na temat nauki prawidłowej techniki i całościowego treningu. Po pierwsze, słowo ostrzeżenia na temat trenowania na bieżni. Wierz mi, zdaję sobie sprawę, że czasami, aby wykonać zaplanowaną porcję ćwiczeń, nie ma innego wyjścia jak trening na bieżni w domu lub na siłowni, zwłaszcza w kapryśne zimowe miesiące lub deszczowe dni. Rozumiem to, bo sam zimą lubię wykonywać treningi szybkościowe na bieżni. Musisz jednak wiedzieć, że utrzymanie prawidłowej techniki na bieżni, zwłaszcza poprawne przewijanie kolan do przodu, jest bardzo trudne. Musisz dodatkowo skoncentrować się na ruchu kolana w przód i do góry od razu po lądowaniu stopą, ponieważ poruszająca się bieżnia będzie zmuszała cię do cofnięcia podpartej nogi przed odbiciem. Dla pewności powtórzę, że nie zabraniam biegania na bieżni. Chcę tylko cię przestrzec, że jeśli zdecydujesz się z niej skorzystać, musisz pamiętać o wysokiej pracy kolan – jakbyś przeskakiwał bale drewna.

Po drugie, zalecam bieganie po pagórkach i, jeśli nie mieszkasz na ciągnącej się kilometrami równinie, powinieneś się do tego zalecenia zastosować. Jest to doskonałe ćwiczenie na siłę i technikę. Niemniej wielu biegaczy nie wie, jak się zachować, biegnąc pod górę. Zmieniają technikę i postawę, odbijają się z pięty i robią różne inne dziwne rzeczy. Zarówno na podbiegach, jak i zbiegach powinieneś utrzymać prawidłową technikę; nie zmienia się nic poza kątem ruchu.

Łatwiej tego dopilnować, biegnąc pod górę. Pamiętaj tylko, żeby skupić się na przewijaniu kolan do przodu; kolana nie mogą się lenić. Unoś je w górę zbocza, mocno zapierając się podpartą nogą o podłoże. Gdy już wzmocnisz stopy, pilnuj, żeby twoja pięta nie opadała zbyt nisko. Mocno angażuj łydki, ale utrzymuj wysoką kadencję.

Zbiegając z góry, koncentruj się na lądowaniu tak, żeby uniknąć overstridingu. Na początku, żeby ci się to udało, będziesz musiał zwolnić. Biegnij tak wolno, jak musisz, żeby prawidłowo lądować

stopami. Z czasem nabierzesz wprawy i wraz z techniką poprawisz też szybkość biegu. Zwykle pomaga wyobrażanie sobie, że zjeżdżasz w dół na rowerze. To pozwala prawidłowo unosić kolana, zwłaszcza na bardziej stromych odcinkach. Jak ze wszystkim w życiu, im więcej razy przećwiczysz bieg pod górę i zbieganie z góry, tym lepiej będzie ci to wychodzić.

Świadomość i technika

Idzie ci świetnie. Jeszcze jeden krótki kawałek. Pierwszego dnia nie powinieneś się forsować. Płyń tak jak rzeka obok nas. Poczuj, że kontrolujesz technikę: lądowanie stopą, podparcie nogi, przewinięcie kolana do przodu, odbicie, przeniesienie ramienia.

Nigdy nie wyznaczaj sobie końcowego terminu na osiągnięcie sukcesu. Zrobiłeś już pierwszy krok w stronę prawidłowej techniki. Sukcesy i korzyści przyjdą od razu i nigdy nie przestaną się pojawiać – będziesz coraz lepszy. Sukcesu nie możesz włączyć zwykłym pstryczkiem – to raczej gałka, którą stopniowo przekręcasz, rozjaśniając mrok.

Okej, czas zwolnić. Przejdź do marszu. Spójrz w górę, na drzewa po twojej prawej stronie. Tam, wysoko na gałęzi. Bielik amerykański. Majestatyczny, prawda?

I duży. Jest spokojny i skoncentrowany, obserwuje nas, przygląda się wszystkiemu dokoła. Może szuka obiadu.

Świadomość. Ten orzeł nam o niej przypomina. Gdy chodzi o technikę, świadomość jest wszystkim. Poczuj swoje ciało, swój ruch, zasięg kroków, miejsce lądowania stopy, pracę ramion, wyprostowanie podpartej nogi, równowagę, którą próbujesz znaleźć, wspierając się na paluchu. Bądź świadomy wszystkich tych rzeczy. Im bardziej jesteś świadomy swojej techniki biegu, tym lepszym będziesz biegaczem. Dzięki praktyce ta świadomość zacznie być dla ciebie czymś naturalnym. Będziesz świadomy, nie uświadamiając sobie tego. Super, prawda? Bądź jak orzeł: uważny, spokojny, skupiony.

ROZDZIAŁ 5

STRATEGICZNY FUNDAMENT BIEGOWY

Jeśli chcemy dobrze biegać na dłuższych dystansach, potrzebujemy czegoś więcej niż wytrzymałości; potrzebujemy siły i szybkości. Do tego niezbędny jest dobrze opracowany wszechstronny program treningowy.

W dalszej części tego rozdziału znajdziesz wiele informacji na temat mojej koncepcji strategicznego fundamentu biegowego, ale jeśli zapamiętasz i weźmiesz sobie do serca już samą moją filozofię, i tak będziesz wiedział więcej niż większość przeciętnych biegaczy.

Przed południem czwartego dnia naszego wspólnego pobytu wyruszamy poza Jackson, mijając Blacktail Butte. Jak tam twoje łydki? Jeśli nigdy wcześniej nie biegałeś od przodostopia, po wczorajszym treningu na pewno czujesz mięśnie nóg.

Nie przejmuj się, ból świadczy o tym, że znajdujesz się na dobrej drodze do poprawienia techniki biegu.

Spójrz na północny wschód. Czy widzisz coś szczególnego w kształcie pasma górskiego Gros Ventre? Nie? Spójrz na Sheep Mountain, którą miejscowi nazywają Śpiącym Indianinem. Aha, już wiesz, o co mi chodzi. Ostro zakończony szczyt to nos, łagodnie opadające zbocze to czoło, a zaokrąglony odcinek pośrodku to dłonie złożone na piersi. Ekstra, nie? Wjeżdżamy do Parku Narodowego Grand Teton, mijając stado łosi – i jeszcze większe stado zwiedzających, którzy pstrykają zdjęcia wielkimi aparatami (są tak wielkie, że wyglądają jak teleskopy i trudno stwierdzić, czy należą do zwykłych turystów, czy kogoś z National Geographic).

Skręcamy w żwirową drogę prowadzącą do Phelps Lake. Masz szczęście. Jeszcze do niedawna wstęp na teren mieli tylko członkowie i goście rodziny Rockefellerów. Po krachu na nowojorskiej giełdzie w 1929 roku założyciel Standard Oil wykupił to miejsce za symboliczną kwotę. Na przestrzeni lat klan Rockefellerów przekazał większość ziemi w darowiźnie amerykańskiemu rządowi. Teren wokół Phelps Lake był ostatnią działką, którą zachowali dla siebie. Niedaleko stąd znajdowała się ich rodzinna chata i kilka domków letniskowych. Niezła miejscówka na wakacje.

Na rozgrzewkę pobiegniemy wokół Phelps Lake przy wejściu do Kanionu Śmierci. Dość historii – teraz pomówimy o przyszłości. O twojej przyszłości jako biegacza. Pracowałeś już – i nadal będziesz pracował – nad siłą stóp, równowagą mięśniową i prawidłową techniką. Teraz wykorzystamy wszystko to, czego się nauczyłeś, w praktyce. Niezależnie od poziomu zaawansowania potrzebujesz silnego fundamentu treningowego, dzięki któremu będziesz mógł realizować swoje cele oraz – powiedzmy sobie szczerze – biegać bez szkody dla swojego zdrowia. Mówię tu o pewnym systemie, harmonogramie biegów ułożonym pod kątem twojego aktualnego poziomu, który pozwoli ci rozwijać jednocześnie wytrzymałość, siłę i szybkość.

Trenowałem już biegaczy wszystkich poziomów i wszystkich dystansów na całym świecie. Wielu przychodziło do mnie, nie mając wcześniej styczności z uporządkowanym planem treningowym. Gdy przekonali się do mojej propozycji, byli przeszczęśliwi, że mogą podążać według odgórnie ustalonego schematu i nie muszą zdawać się na spekulacje. Dzięki temu mogli się skupić na robieniu postępów. Wciągnęli się w mój system, doceniając jego strukturę i zróżnicowanie sesji.

Również ty możesz czerpać satysfakcję z kolejnych treningów. Podobną radość odczujesz też po ukończeniu (albo wygraniu) wyścigu, niezależnie od tego, czy będzie to bieg na 5000 metrów czy ultramaraton. Będziesz wiedział, że twój sukces był możliwy dzięki systematycznym przygotowaniom.

Podobnie jak siła i technika również solidny fundament treningowy zapewnia nam wiele korzyści. Każdemu i na każdym poziomie zaawansowania. Czołowym zawodnikom, którzy nie mogą poprawić czasu. Weteranom, którzy popadli w rutynę, biegając wciąż na tych samych trasach. Maratończykom, którzy nigdy wcześniej nie pracowali nad szybkością i siłą. Zawodnikom pokonującym 10 000 metrów, którym brakuje energii do ostatniego zrywu na finiszu. I biegaczom rekreacyjnym, którzy odkryli, że bieganie dla przyjemności przestało być dla nich przyjemne.

Chris McDougall jest doskonałym przykładem skuteczności wykorzystania takiego fundamentu treningowego. Po tym, gdy założyłem się z nim, że będzie w stanie ukończyć bieg razem z Indianami Tarahumara, zaczęliśmy pracować nad siłą i techniką, ale dopiero strategiczny fundament treningowy pomógł nam połączyć wszystkie elementy układanki w całość.

Tak jak mówiłem, przy naszym pierwszym spotkaniu Chris był sportowym wrakiem. Każdy krok był ciosem dla jego organizmu. Z powodu błędnej techniki i nieefektywnego spalania tkanki tłuszczowej wolny bieg był dla niego niekomfortowy. Chris przyspieszał więc, bo to wydawało mu się wygodniejsze. Nie był jednak w stanie dłużej utrzymać tego tempa, gdyż brakowało mu siły, szczególnie siły neuromięśniowej.

A ja miałem go w ekspresowym tempie przygotować do 80-kilometrowego biegu po wymagającym stromym podłożu. To znaczyło, że musieliśmy popracować nad siłą i ekonomią biegu przy jednoczesnym zwiększeniu wytrzymałości. Gdybym przedstawił Chrisowi prosty program treningowy polegający na stopniowym wydłużaniu dystansu, nigdy nie ukończyłby wyścigu w Miedzianym Kanionie. Aby pokonać tak długą trasę, potrzebował fundamentu w postaci siły.

Przez osiem tygodni kazałem mu wykonywać krótkie biegi pod górę i sprinty. Stopniowo też wydłużałem pokonywane odcinki. Po dwóch miesiącach był w stanie biegać nawet dziesięć godzin tygodniowo. Jego dłuższe sesje dochodziły prawie do czterech godzin. Okazało się, że jego układ krążenia jest wyjątkowo wydolny. Kluczem było jednak wzmocnienie ciała, żeby podołało morderczemu dystansowi. Konieczna była właściwa strategia. Może się wydawać, że zmuszanie osoby ze skłonnościami do kontuzji do biegania pod górę i sprintów nie było zbyt rozsądne, ale mój plan się powiódł. Zresztą przy naszych ograniczeniach czasowych była to jedyna możliwość.

Po pierwszych tygodniach skoncentrowaliśmy się na interwałach, długich biegach w stałym tempie, podczas których monitorowaliśmy tętno, żeby zmaksymalizować spalanie tkanki tłuszczowej. Chris był coraz pewniejszy siebie i zaczął zdawać sobie sprawę z tego, że jest w stanie zmusić swoje ciało do naprawdę intensywnego wysiłku. W ciągu ośmiu tygodni podkręciliśmy tempo treningów wytrzymałościowych, żeby Chris nauczył się biegać szybciej i dłużej. Chcieliśmy maksymalnie wykorzystać jego pokłady energii, żeby przyzwyczaił się do tempa wyścigowego, a jego mięśnie były w stanie wytrzymać bieg po trudnym podłożu przez 80 kilometrów.

Chris nie tylko dobiegł do mety w Miedzianym Kanionie, ale także osiągnął jeszcze ważniejszy dla siebie cel – zbudował trwały fundament biegowy, który pozwoli mu pokonywać dowolne dystanse i w dowolnym tempie już zawsze, gdy będzie miał ochotę.

Ta opowieść na pewno ci uświadomiła, jakim jestem zapalonym trenerem. Trenowanie innych to moje życie i moja pasja. Lubię mówić swoim podopiecznym o wszystkich górkach i dołkach w treningu, który nigdy nie jest ciągłym pasmem postępów. Dlatego nie widzę powodów, dla których również ty nie miałbyś zrozumieć, kim jest dobrze wytrenowany biegacz. Nie zawsze miałem tak jasną koncepcję biegania. Dopiero gdy podczas ostrej zimy w Kolorado zacząłem szkolić triatlonistów, zrozumiałem, jak ważne jest zapewnienie sportowcom czegoś

więcej niż tradycyjnej bazy wytrzymałościowej. Ponieważ była mroźna, śnieżna pogoda, nie mogłem wymagać od swoich podopiecznych, żeby pokonywali kolejne kilometry, jeżdżąc na rowerze lub biegając po dworze. Budując tę bazę, musiałem się skupić na wyższej jakości treningach szybkościowych/siłowych, które można było odbyć w środku lub krótko na zewnątrz. W efekcie moi triatloniści zaczęli osiągać lepsze wyniki niż po wykonywaniu dłuższych, bardziej wysiłkowych sesji. To doświadczenie pokazało mi, że siła mięśniowa i szybkość determinują fundament wytrzymałościowy i wydajność sportowca, a nie odwrotnie. Od tej pory zawsze staram się pracować nad idealnym połączeniem siły, szybkości i wytrzymałości w jeden fundament treningowy.

Tworzy go niezwykła mieszanka. Myśląc o fundamencie, wyobraź sobie beton, z którego wykonane są filary, a nie same filary. Siła, szybkość i wytrzymałość nie są odrębnymi elementami. One się uzupełniają, współpracują ze sobą i łączą się w całość, podobnie jak woda, piasek i cement.

Napisałem „podobnie", ponieważ nie jest to precyzyjna analogia i już widzę, jak trenerzy, sportowcy, lekarze, fizjolodzy i zapaleni doktoranci rwą sobie włosy z głowy na takie rozumienie siły, wytrzymałości i szybkości. I mieliby rację. Każde z tych pojęć – i to, o czym piszę – ma tak wiele warstw i odcieni, że nie byłbym w stanie w pełni i dokładnie uzasadnić swoich metod bez zagłębiania się w informacje naukowe.

Na szczęście jestem twoim trenerem, a nie wykładowcą. Moim zadaniem jest pomóc ci zrozumieć, jaki program treningowy będzie dla ciebie korzystny, a nie przygotować cię do egzaminu lekarskiego. Jeśli już cię przekonałem, możesz przejść od razu do opisu mojego programu treningowego. Wielu moich sportowców tak robi. Niemniej uważam, że wiedza to potęga, więc może warto dowiedzieć się czegoś więcej.

Jeżeli w trakcie nauki się pogubisz, przypomnij sobie, że aby dobrze biegać na dłuższych dystansach, potrzebujemy czegoś więcej niż wytrzymałości; potrzebujemy siły i szybkości.

FUNDAMENT BIEGOWY – MIESZANKA IDEALNA

Po ponad trzykilometrowym biegu docieramy do Phelps Lake. Oto i ono. Błękitne oczko wyłaniające się spomiędzy sosen.

Rockefellerowie wiedzieli, jak się urządzić. Teraz to miejsce jest również twoje.

Wokół jeziora biegnie płaska ścieżka. Chcę, żebyś zwolnił do niespiesznego tempa, a ja opowiem ci o elementach składowych fundamentu biegowego.

Wytrzymałość

Zdolność do wysiłku przez określony czas bez opadania z sił – to dość dobra definicja wytrzymałości. Opadanie z sił może mieć wiele przyczyn: błędna technika, słabe mięśnie, niewydolny układ krążenia i brak paliwa. To dlatego sprawy nieco się komplikują. Będziemy pracować nad wytrzymałością szybkościową/siłową, dzięki której nie opadniesz z sił przez dłuższy czas.

Zacznijmy od tego, co w ogóle rozumiem pod hasłem trening wytrzymałości. Jego najbardziej oczywistym aspektem jest wzmocnienie układu krążenia. Wielu biegaczy ma początkowo niską wytrzymałość. W pierwszych tygodniach ciężko oddychają, a serce łomocze im jak szalone. Może im się wydawać, że jest to największa przeszkoda w dalszym treningu. I zgadza się, układ krążenia jest ważny, ale prawdę mówiąc, dla większości biegaczy jest też najłatwiejszy do wyćwiczenia. Jeśli regularnie będziesz biegał na określonych dystansach, zobaczysz, że oddycha ci się coraz łatwiej, a twoje tętno stopniowo się uspokaja. Bardzo rzadko wydolność układu krążenia wyznacza granice możliwości naszego organizmu. Czy kiedykolwiek słyszałeś, żeby jakiś ultramaratończyk odpadł z wyścigu z powodu zadyszki?

Drugi element wytrzymałości zależy od efektywnego spalania tkanki tłuszczowej. Nie chodzi mi o utratę wagi – przykro mi, jeśli cię zawiodę. Chodzi o to, że tłuszcz magazynuje spore zasoby energii (więcej niż węglowodany), a większość z nas ma go wystarczająco dużo, żeby przebiec kilka maratonów. Jednak nasz organizm nie potrafi go efektywnie spalać, dlatego za często (albo za wcześnie) posiłkuje się zasobami węglowodanów. Jest to problem, ponieważ pokłady węglowodanów są ograniczone. Jeśli nauczysz się efektywnie spalać tkankę tłuszczową, będziesz w stanie biegać dłużej i zwiększysz swoją wytrzymałość. Efektywność wynika ze zwiększenia ilości mitochondriów (odpowiedzialnych za uwalnianie energii z tłuszczu) w organizmie.

Czy istnieje cudowny preparat pozwalający zwiększyć wydajność mitochondriów i poprawić wytrzymałość? Niestety to nie takie proste. Ale na szczęście też nie nadmiernie trudne.

A tak przy okazji, gdy kazałem ci biec wolnym tempem wokół jeziora, nie chodziło mi o tempo umiarkowane. Zwolnij jeszcze trochę. Wiele osób nie ma pojęcia, jak wygląda wolny bieg – i jak bardzo jest ważny. Dla większości wolne bieganie jest niekomfortowe, więc po prostu tego nie robią. Niekomfortowe – czyli nie przychodzi im naturalnie, nie są w stanie biec w ten sposób dłużej. To efekt złej techniki i słabej ekonomii biegu.

Tymczasem mitochondria uwielbiają wolne tempo – stwarza im idealne warunki do rozmnażania. Jeśli trenujesz w wolniejszym tempie, zaczynasz efektywniej spalać tkankę tłuszczową, a więc biec dłużej, szybciej i przy użyciu wydajniejszego źródła paliwa. To zapewni ci wytrzymałość. Ponadto wolne biegi ukierunkowane na spalanie tkanki tłuszczowej dają ci okazję do pracy nad techniką, która dodatkowo wzmacnia twoją wytrzymałość. To miły bonus.

Siła

Zaczęliśmy już pracować nad siłą i równowagą mięśniową. Wykorzystując fundament strategiczny, dążymy do lepszej, bardziej wydajnej pracy mięśni. Wzmacniamy je tak, żeby wytrzymywały obciążenia podczas biegu. Dzięki temu staniesz się silniejszym biegaczem – będziesz mógł biec dłużej przy większym wysiłku.

Czy wspominałem już o ultramaratończykach – dlaczego niektórym z nich nie udaje się dotrzeć do mety? Jeśli nie z powodu słabej wydolności – to z jakiego? Zwykle przyczyną jest niedostateczna siła i zła ekonomia biegu. Ich mięśnie nie pozwalają im biec dalej – nie mogą oni odpowiednio długo podtrzymać szybkiego tempa i ukończyć wyścigu. Urazy, zmęczenie, brak postępów – nie próbuj szukać winy w niewydolności układu krążenia. Zastanów się lepiej, czy twoje mięśnie są odpowiednio silne i wydajne.

W ramach naszego treningu strategicznego skoncentrujemy się na dwóch rodzajach siły, które są kluczowe dla dalszych postępów. Pierwszy jest oczywisty: siła mięśniowo-szkieletowa. Dzięki pracy nad techniką oraz ćwiczeniom z użyciem slantboardu, dysku balansującego i piłki gimnastycznej znaleźliśmy się na właściwej drodze do sukcesu. Tak jak mówiłem, teraz wszystko zaczyna się układać w całość. Krótkie, szybkie interwały i podbiegi (z krótkim odpoczynkiem pomiędzy kolejnymi próbami), treningi aerobowe i anaerobowe pozwalają nam dalej kroczyć ścieżką w stronę bardziej ekonomicznych i silniejszych mięśni.

Drugi rodzaj siły, którym zajmuje się mój program biegowy, być może jest dla ciebie nowy: to siła neuromięśniowa. Nie mówimy tu o jakości czy wielkości mięśni, ale o zdolności do ich efektywnego kontrolowania. A dokładniej chodzi o takie wytrenowanie układu nerwowego, żeby potrafił umiejętnie angażować i stymulować włókna mięśniowe. Im więcej sygnałów dociera z mózgu do mięśni, tym stają się one wydajniejsze. Innymi słowy, układ nerwowy uczy się szybciej aktywować mięśnie nóg i odpowiednie włókna mięśniowe. W efekcie będziesz miał więcej siły do pokonywania wzniesień na trasie. Będziesz też wbiegał na nie szybciej, mniej się przy tym męcząc.

Szybkość surowa

Na początek chciałbym wytłumaczyć, jak rozumiem termin szybkość surowa. Jest to długość odcinka, jaką jesteś w stanie pokonać biegiem w ciągu 1 minuty. Krótki wysiłek w szybkim tempie.

W pierwszej chwili możesz stwierdzić, że szybkość surowa nie powinna interesiować biegacza długodystansowego. Również biegacz rekreacyjny, zwłaszcza początkujący, rzadko zawraca sobie nią głowę. Chce po prostu ukończyć bieg, nie mdlejąc na linii mety. Rozumiem to.

Niektórzy uważają, że szybkość surowa jest darem wrodzonym i że możemy biegać tak szybko, jak umożliwiła nam to natura. I tak, i nie. To prawda, że przy idealnej technice i kondycji każdy człowiek miałby pewne fizyczne granice szybkości, z jaką byłby w stanie pokonać dystans 200 metrów. Ale z całą pewnością w tej chwili nie dotarłeś jeszcze do tej granicy. Wciąż jeszcze możesz wiele poprawić.

Szybkość surowa decyduje o twojej sprawności i potencjalnej wydajności. Im jesteś szybszy, tym szybciej ukończysz wyścig. Niewielkie postępy w zakresie szybkości dają wielkie efekty, ponieważ się kumulują. Podczas najbliższego treningu będziesz wykonywał wiele krótkich, szybkich interwałów biegowych po płaskim terenie. W ten sposób zwiększysz swoje zdolności anaerobowe. Powiedzmy, że potem skrócisz swój czas na 200 metrów o trzy sekundy. Na dystansie 1,6 kilometra – 1 mili – daje to czas krótszy o 24 sekundy. To wielka różnica.

Poza tym krótki wysiłek w szybkim tempie sprawia dużą przyjemność. Poprawia twój zakres ruchu. W twoim ciele wytwarzają się substancje działające niczym smar na stawy. Szybkie przyjemne biegi przyczyniają się do tego, że czujesz się zdrowszy.

Mieszanka

Na niektórych etapach budowania fundamentu biegowego będziemy koncentrować się tylko na jednym z trzech powyższych elementów: wytrzymałości, sile lub szybkości. Na innych skupimy się na różnych formach wytrzymałości – siłowej (która decyduje o tym, jak długo jesteś w stanie utrzymać siłę mięśni) i szybkościowej (która decyduje o tym, jak długo jesteś w stanie utrzymać określone tempo). Mam nadzieję, że rozumiesz już podstawowe założenia fundamentu. Ludzki organizm to skomplikowana machina; żeby biegać dobrze i długo, musimy nauczyć się wykorzystywać każdą jego cząstkę.

PROGRAM TWORZENIA FUNDAMENTU BIEGOWEGO

Faza przygotowawcza

Przed rozpoczęciem fazy przygotowawczej powinieneś ukończyć fazę przejścia na bieganie wyczynowe i dać swojemu ciału czas na przyzwyczajenie się do prawidłowej techniki biegu. Równolegle powinieneś też kontynuować trening siłowy.

Przed rozpoczęciem kluczowego etapu programu tworzenia fundamentu biegowego musisz osiągnąć podstawowy po-

INDIANIE TARAHUMARA – ZABAWA W BIEGANIE

Mówiliśmy, że specyficzne warunki bytowe pomagają członkom plemienia Tarahumara w opanowaniu umiejętności perfekcyjnego biegania. To, co dla wielu jest tajemnicą – jak trenować, żeby maksymalnie wykorzystać swój potencjał i wydolność – dla nich jest codziennością. Owszem, dysponują wrodzoną siłą i techniką, ale także ich sposób życia pozwala im od najmłodszych lat budować naturalny fundament szybkości, siły i wytrzymałości.

Od chwili, gdy postawią pierwszy krok, nieustannie wędrują w górę i w dół stromych zboczy. Nie mają koni, samochodów, autobusów, rowerów. Jeśli chcą gdzieś się dostać, muszą iść pieszo. I uwielbiają biegać!

Gdyby jednak trzeba było wymienić jedną „tajną broń" tej kultury, byłaby to gra rarajípari. Grają w nią już bardzo małe dzieci (choć na krótszych dystansach niż dorośli). Oto na czym ona polega: gracze dzielą się na dwie drużyny po 8–10 osób i uzgadniają dystans wyścigu. W przypadku dzieci jest to zwykle 5000–10 000 metrów w tę i z powrotem (żeby cała wioska mogła je obserwować). Wygrywa ta drużyna, która jako pierwsza przekopie drewnianą piłkę wielkości piłki bejsbolowej przez całą trasę wyścigu. Niektórzy gracze mają krótki kijek, którym wtaczają piłkę na czubek buta, żeby podrzucić ją wysoko, ale zasadniczo piłkę przesuwa się stopami, biegnąc bardzo szybko po nierównym górzystym terenie. Dzięki krótkim, szybkim biegom za piłką w górę i dół kanionu dzieci plemienia Tarahumara rozwijają ogromną szybkość i siłę – jednocześnie dobrze się bawiąc.

W późniejszym wieku bez problemu przestawiają się na dłuższą wersję tej gry na dystansie 80–160 km. Wtedy potrzebują już niewiele – o ile w ogóle – dodatkowych treningów, żeby startować w zaawansowanych wyścigach dorosłych i wygrywać ultramaratony. ■

---

ziom sprawności. Teraz, gdy przestałeś już czuć zakwasy w łydkach i nauczyłeś się wykorzystywać mięśnie pośladków, musisz popracować nad konsekwencją i wytrzymałością, które pozwolą ci przygotować się na wymogi programu tworzenia fundamentu biegowego. Jeśli należysz do weteranów tego sportu i uważasz, że masz już solidną bazę, niech faza przygotowawcza będzie dla ciebie czasem, w którym możesz skoncentrować się na reaktywacji i technice biegu (oprzyj się pokusie trenowania intensywniej, bo wkrótce będziesz pracował dość ciężko!).

Plan treningowy

Przez 3–6 tygodni przed rozpoczęciem programu tworzenia fundamentu biegowego (lub dłużej, jeśli uważasz, że tego potrzebujesz) kontynuuj trening siłowy i cztery razy w tygodniu rób 30-minutowe, łatwe przebieżki. Sesje powinny mieć niską intensywność. Pracuj nad bieganiem od przodostopia i świadomością techniki. Prawidłowa technika biegu to cel na całe życie – jeśli chcesz, w fazie przygotowawczej możesz kontynuować wykonywanie ćwiczeń opisanych powyżej.

Udało nam się do połowy okrążyć jezioro. Wejdź za mną na tę skałę. Uważaj, podejdziemy blisko krawędzi. Od lustra wody dzieli nas prawie dziesięć metrów. To Jumping Rock, nazwana tak, ponieważ służy pływakom do nurkowania w jeziorze. Niech cię nie zwiedzie ciepła pogoda. Woda jest lodowato zimna, ale przyjemnie będzie zanurzyć w niej obolałe łydki.

Jumping Rock jest idealną metaforą punktu, w którym się teraz znajdujesz. Nadszedł czas, żebyśmy wskoczyli do całkiem nowego programu biegowego, zaprojektowanego specjalnie dla ciebie.

Wiem, że istnieje wiele rodzajów programów treningowych. Dziś przebiec tyle, jutro tyle, w całym tygodniu tyle a tyle, stopniowo wydłużać dystans, a na kilka tygodni przed wyścigiem zmniejszyć intensywność treningów. Czasem w grafiku znajdują się też biegi interwałowe i po pagórkach, czasami treningi krzyżowe. Wiele tego rodzaju planów pozwala skutecznie przygotować się do konkretnych wyścigów. Możesz zainteresować się nimi po ukończeniu mojego programu.

Ale po kolei. Najpierw zastosuj się do pięciomiesięcznego programu opisanego poniżej. Dzięki niemu stworzysz silną, trwałą bazę, która pozwoli ci uprawiać dowolny rodzaj biegów.

Po fazie przygotowawczej, którą opisałem powyżej, rozpoczniesz program tworzenia fundamentu, utrwalając wypracowany poziom sprawności. W tym celu wykonamy dwa testy, które ocenią twoją obecną sprawność. Na podstawie ich wyników będziemy mogli określić strefy treningowe (zakresy tętna i szybkości), w których powinieneś pracować na poszczególnych etapach naszego pięciomiesięcznego programu. Podczas większości biegów będziesz monitorował puls lub szybkość, aby podtrzymać określoną intensywność konieczną do celów danej sesji.

Program ten jest zarówno spersonalizowany, jak i strategiczny. Rozpoczynasz go z określonego pułapu siły, szybkości i wytrzymałości. Zawsze trenujesz zgodnie ze swoim aktualnym poziomem zaawansowania, a monitorując każdy bieg, możesz zrealizować jego konkretne cele: wytrzymałość, siłę, szybkość bądź kombinację dwóch lub trzech tych elementów. Nigdy nie trenujesz niedostatecznie ani nadmiernie intensywnie. Uzyskujesz maksymalne korzyści z wysiłku włożonego w trening.

Głównym aspektem realizowania tych maksymalnych korzyści są tzw. progi. Uważam, że każdy element twojego fundamentu – siła, wytrzymałość, szybkość albo ich dowolna kombinacja – ma określony poziom stałego, stabilnego wysiłku (wyrażonego w kategoriach czasu oraz szybkości/intensywności), jaki jesteś w stanie utrzymać bez opadania z sił albo utraty wydajności. Konsekwentnie pracując na tych poziomach (a więc przestrzegając stref treningowych określonych w planie treningowym), gwarantujesz sobie maksymalne korzyści z wysiłku włożonego w trening. Sprawdza się to w całym zakresie intensywności, od biegów ukierunkowanych na spalanie tkanki tłuszczowej po interwały zwiększające wytrzymałość szybkościową.

Mój pięciomiesięczny program obejmuje dwie fazy. Nazywam je po prostu

fazą 1 i fazą 2. Zaznaczyłem je w programie treningowym.

W fazie 1 naszym celem jest przede wszystkim stworzenie solidnej bazy z kluczowych składników: wytrzymałości aerobowej (wydolność krążeniowa, efektywność spalania tkanki tłuszczowej), siły (mięśniowo-szkieletowej i neuromięśniowej) oraz szybkości. W tej fazie stopniowo zwiększamy liczbę i długość biegów. W fazie 2 koncentrujemy się na bardziej intensywnych treningach, zdecydowanie podnosząc poprzeczkę, jeśli chodzi o umiejętności anaerobowe, zwiększając wytrzymałość szybkościową i siłową. Liczba i długość biegów nie zmieni się, dłuższe sesje zostaną nawet trochę skrócone. W obydwu fazach treningi są stopniowane: trzy tygodnie rosnącej intensywności, po których następuje tydzień regeneracji.

Po zakończeniu programu i stworzeniu niezbędnego fundamentu, będziesz miał wszechstronne umiejętności biegowe. Jeśli jesteś początkującym biegaczem, możesz wykorzystać mój program, żeby przygotować się do interesujących cię wyścigów, od biegu na 5000 metrów po półmaraton. Będziesz doskonale przygotowany. Poradzisz sobie także w maratonie, ale przy odrobinie intensywniejszym treningu, nieco dłuższych biegach i sesjach w tempie maratonu bez większego trudu i z dobrym wynikiem dobiegniesz do mety.

Doświadczony biegacz może wykorzystać ten program po zakończeniu sezonu, żeby wypracować nową bazę, która pozwoli mu realizować dalsze, szczegółowe cele treningowe i wyścigowe. Ultramaratończyk może tym programem rozpocząć sezon, a następnie przejść do dłuższych biegów ukierunkowanych na dystans wymagany w ultramaratonie. Zobaczysz, że uda ci się znacznie poprawić siłę i szybkość.

Sprzęt

Zanim ruszysz w trasę, musisz najpierw udać się do sklepu sportowego i kupić zegarek z GPS-em i pulsometrem. To absolutna konieczność. Nie polecę ci żadnej konkretnej marki, ale wybierz urządzenie dobrej jakości. Pulsometr powinien być precyzyjny i wiarygodny, żebyś mógł na bieżąco śledzić swoje tętno.

Faza testowa

Po zakupieniu zegarka musisz zmierzyć swój aktualny poziom sprawności, przeprowadzając dwa osobne testy, które pozwolą ci określić twoje strefy treningowe. Najpierw rada: wykonując testy, nie rób niczego ponad swoje siły. To nie zawody.

Pobiegnij najlepiej jak potrafisz, pamiętając, że jest to test referencyjny. Jako trener zwykle oczekuję, że po testach mój podopieczny powie coś w stylu: „Poszło mi dobrze, ale chyba stać mnie na więcej". To znaczy, że się postarał, ale na finiszu nie padł jak długi na bieżnię, wyklinając mnie na czym świat stoi.

Testy należy wykonać na płaskiej, równej nawierzchni. Najlepiej, gdybyś mógł skorzystać z bieżni przy lokalnej szkole czy uczelni. Jeśli nie jest to możliwe, dokładnie oznacz wybraną trasę, żebyś mógł ją wykorzystać również podczas następnych testów.

Pomiędzy testami przeznacz 2–3 dni przerwy na regenerację. Możesz wtedy robić lekkie przebieżki, ale takie, żebyś był świeży i w pełni sił podczas testu. Zanim go wykonasz, zrób próbny bieg z nowym zegarkiem, żebyś umiał obsługiwać wszystkie funkcje potrzebne do rejestrowania danych. Powtarzanie testu nigdy nie jest miłe.

A. Test pierwszy – bieg na 1600 metrów (1 milę)

1. Rozgrzewka: 20 minut wolnym tempem, na ostatnie 5 minut przyspieszyć do tempa umiarkowanego. Następnie 4 krótkie przyspieszenia po około

30 sekund (cały czas należy zwiększać tempo) z minutowymi przerwami pomiędzy interwałami (wolny bieg lub marsz, jak wolisz). Po ostatnim przyspieszeniu zrób mniej więcej minutę przerwy przed testem. Pamiętaj, że podczas rozgrzewki nie musisz rejestrować żadnych informacji na temat tętna/szybkości.

2. Test: Bieg na 1600 metrów (1 milę) z pomiarem czasu, w możliwie jak najszybszym jednostajnym tempie. Pamiętaj, żeby włączyć zegarek i zmierzyć tętno oraz szybkość na początku testu, a na końcu zatrzymać zegarek, żeby zarejestrować wyłącznie odcinek testowy.

3. Schłodzenie: 10 minut wolnego, lekkiego biegu lub marszu.

4. Dane: Zarejestruj swoje średnie tempo i tempo maksymalne oraz łączny czas testu.

B. Test drugi – bieg 20-minutowy

1. Rozgrzewka: 15 minut wolnym tempem, na ostatnie 5 minut przyspieszyć do tempa umiarkowanego. Następnie 4 krótkie przyspieszenia po około 30 sekund (cały czas należy zwiększać tempo) z minutowymi przerwami pomiędzy interwałami. Po ostatnim przyspieszeniu zrób mniej więcej minutę przerwy przed testem. Pamiętaj, że podczas rozgrzewki nie musisz rejestrować żadnych informacji na temat tętna/szybkości.

2. Test: 20-minutowy bieg w możliwie jak najszybszym jednostajnym tempie. Pamiętaj, żeby włączyć zegarek i zmierzyć tętno oraz szybkość na początku testu, a na końcu zatrzymać zegarek, żeby zarejestrować wyłącznie odcinek testowy.

3. Schłodzenie: 10 minut wolnego, lekkiego biegu lub marszu.

4. Dane: Zarejestruj swoje średnie tempo i tempo maksymalne, średnią szybkość oraz dystans pokonany podczas testu.

C. Test dla zabawy – bieg 1-minutowy

1. Rozgrzewka: 20 minut wolnym tempem, na ostatnie 5 minut przyspieszyć do tempa umiarkowanego. Następnie 4 krótkie przyspieszenia po około 30 sekund (cały czas należy zwiększać tempo) z minutowymi przerwami pomiędzy interwałami. Po ostatnim przyspieszeniu zrób mniej więcej minutę przerwy przed testem. Pamiętaj, że podczas rozgrzewki nie musisz rejestrować żadnych informacji na temat tętna/szybkości.

2. Test: 1-minutowy bieg w możliwie jak najszybszym jednostajnym tempie. Pamiętaj, żeby włączyć zegarek i zmierzyć tętno oraz szybkość i dystans na początku testu, a na koniec zatrzymać zegarek, żeby zarejestrować wyłącznie odcinek testowy.

3. Schłodzenie: 10 minut wolnego, lekkiego biegu lub marszu.

4. Dane: Zarejestruj swoją średnią szybkość i dystans podczas tego testu.

Strefy treningowe

Po wykonaniu testów będziesz miał dane potrzebne do określenia swoich stref tętna i stref szybkości. Wykorzystasz je w programie treningowym, żeby ustalić, jak szybko albo przy jakim tętnie musisz wykonywać codzienne treningi przez kolejnych pięć miesięcy. To strategiczny aspekt całego programu. Treningi będą się opierać na twoim aktualnym poziomie sprawności, co pozwoli ci maksymalnie poprawić siłę, szybkość i wytrzymałość, a jednocześnie uniknąć przetrenowania lub niedotrenowania. To nie jest program uniwersalny. Wręcz przeciwnie.

W celu określenia stref szybkości (SS) wykonaj test na 1600 metrów (1 milę) i dopasuj swój wynik do wartości podanych w lewej kolumnie tabeli SS (s. 127). Jeśli nie znajdziesz identycznego czasu, wybierz wartość najbardziej zbliżoną do twojej. Następnie powiedz palcem w prawo po tabeli, żeby ustalić swoją strefę szybkości wyrażoną w skali od 1 do 7. Jeśli na przykład w biegu na 1600 metrów (1 milę) uzyskałeś czas 7.57, powinieneś go zaokrąglić do 7.55 zgodnie z wartością widniejącą w lewej kolumnie. Twój przedział czasu dla strefy szybkości 1 wynosiłby 11.12–10.41. To znaczy, że w strefie SS 1 powinieneś trenować w tempie 11.12–10.41 na 1600 metrów (1 milę). Strefa SS 5 wynosiłaby 8.43–8.18 na 1600 metrów (1 milę), dlatego też wykonywałbyś treningi w tym zakresie w tempie wyrażonym w minutach na milę z tego zakresu. W swoim programie będziesz wykorzystywał wszystkie siedem stref SS.

Czas w teście na 1600 metrów (1 milę)	SS 1		SS 2		SS 3		SS 4		SS 5		SS 6		SS 7	
10:00	14:01	13:30	12:31	12:00	12:00	11:30	11:20	11:00	10:45	10:30	10:15	10:00	9:40	9:30
9:55	13:54	13:23	12:25	11:54	11:54	11:24	11:14	10:54	10:40	10:24	10:10	9:55	9:35	9:25
9:50	13:48	13:16	12:19	11:48	11:48	11:18	11:09	10:49	10:35	10:19	10:05	9:50	9:30	9:20
9:45	13:41	13:09	12:13	11:42	11:42	11:12	11:03	10:43	10:30	10:14	10:00	9:45	9:25	9:15
9:40	13:34	13:03	12:07	11:36	11:36	11:07	10:58	10:38	10:24	10:09	9:55	9:40	9:21	9:11
9:35	13:27	12:56	12:01	11:30	11:30	11:01	10:52	10:32	10:19	10:03	9:50	9:35	9:16	9:06
9:30	13:21	12:49	11:55	11:24	11:24	10:55	10:47	10:27	10:14	9:58	9:45	9:30	9:11	9:01
9:25	13:14	12:42	11:49	11:18	11:18	10:49	10:41	10:21	10:09	9:53	9:40	9:25	9:06	8:56
9:20	13:07	12:36	11:43	11:12	11:12	10:44	10:36	10:16	10:03	9:48	9:35	9:20	9:02	8:52
9:15	13:00	12:29	11:37	11:06	11:06	10:38	10:30	10:10	9:58	9:42	9:30	9:15	8:57	8:47
9:10	12:54	12:22	11:31	11:00	11:00	10:32	10:25	10:05	9:53	9:37	9:25	9:10	8:52	8:42
9:05	12:47	12:15	11:25	10:54	10:54	10:26	10:19	9:59	9:48	9:32	9:20	9:05	8:47	8:37
9:00	12:40	12:09	11:19	10:48	10:48	10:21	10:14	9:54	9:42	9:27	9:15	9:00	8:43	8:33
8:55	12:33	·12:02	11:13	10:42	10:42	10:15	10:08	9:48	9:37	9:21	9:10	8:55	8:38	8:28
8:50	12:27	11:55	11:07	10:36	10:36	10:09	10:03	9:43	9:32	9:16	9:05	8:50	8:33	8:23
8:45	12:20	11:48	11:01	10:30	10:30	10:03	9:57	9:37	9:27	9:11	9:00	8:45	8:28	8:18
8:40	12:13	11:42	10:55	10:24	10:24	9:58	9:52	9:32	9:21	9:06	8:55	8:40	8:24	8:14
8:35	12:06	11:35	10:49	10:18	10:18	9:52	9:46	9:26	9:16	9:00	8:50	8:35	8:19	8:09

Czas w teście na 1600 metrów (1 milę)	SS 1		SS 2		SS 3		SS 4		SS 5		SS 6		SS 7	
8:30	12:00	11:28	10:43	10:12	10:12	9:46	9:41	9:21	9:11	8:55	8:45	8:30	8:14	8:04
8:25	11:53	11:21	10:37	10:06	10:06	9:40	9:35	9:15	9:06	8:50	8:40	8:25	8:09	7:59
8:20	11:46	11:15	10:31	10:00	10:00	9:35	9:30	9:10	9:00	8:45	8:35	8:20	8:05	7:55
8:15	11:39	11:08	10:25	9:54	9:54	9:29	9:24	9:04	8:55	8:39	8:30	8:15	8:00	7:50
8:10	11:33	11:01	10:19	9:48	9:48	9:23	9:19	8:59	8:50	8:34	8:25	8:10	7:55	7:45
8:05	11:26	10:54	10:13	9:42	9:42	9:17	9:13	8:53	8:45	8:29	8:20	8:05	7:50	7:40
8:00	11:19	10:48	10:07	9:36	9:36	9:12	9:08	8:48	8:39	8:24	8:15	8:00	7:46	7:36
7:55	11:12	10:41	10:01	9:30	9:30	9:06	9:02	8:42	8:34	8:18	8:10	7:55	7:41	7:31
7:50	11:06	10:34	9:55	9:24	9:24	9:00	8:57	8:37	8:29	8:13	8:05	7:50	7:36	7:26
7:45	10:59	10:27	9:49	9:18	9:18	8:54	8:51	8:31	8:24	8:08	8:00	7:45	7:31	7:21
7:40	10:52	10:21	9:43	9:12	9:12	8:49	8:46	8:26	8:18	8:03	7:55	7:40	7:27	7:17
7:35	10:45	10:14	9:37	9:06	9:06	8:43	8:40	8:20	8:13	7:57	7:50	7:35	7:22	7:12
7:30	10:39	10:07	9:31	9:00	9:00	8:37	8:35	8:15	8:08	7:52	7:45	7:30	7:17	7:07
7:25	10:32	10:00	9:25	8:54	8:54	8:31	8:29	8:09	8:03	7:47	7:40	7:25	7:12	7:02
7:20	10:25	9:54	9:19	8:48	8:48	8:26	8:24	8:04	7:57	7:42	7:35	7:20	7:08	6:58
7:15	10:18	9:47	9:13	8:42	8:42	8:20	8:18	7:58	7:52	7:36	7:30	7:15	7:03	6:53
7:10	10:12	9:40	9:07	8:36	8:36	8:14	8:13	7:53	7:47	7:31	7:25	7:10	6:58	6:48
7:05	10:05	9:33	9:01	8:30	8:30	8:08	8:07	7:47	7:42	7:26	7:20	7:05	6:53	6:43

Czas w teście na 1600 metrów (1 milę)	SS 1		SS 2		SS 3		SS 4		SS 5		SS 6		SS 7	
7:00	9:58	9:27	8:55	8:24	8:24	8:03	8:02	7:42	7:36	7:21	7:15	7:00	6:49	6:39
6:58	9:55	9:24	8:53	8:21	8:21	8:00	7:59	7:39	7:34	7:18	7:13	6:58	6:47	6:37
6:55	9:51	9:20	8:49	8:18	8:18	7:57	7:56	7:36	7:31	7:15	7:10	6:55	6:44	6:34
6:53	9:49	9:17	8:47	8:15	8:15	7:54	7:54	7:34	7:29	7:13	7:08	6:53	6:42	6:32
6:50	9:45	9:13	8:43	8:12	8:12	7:51	7:51	7:31	7:26	7:10	7:05	6:50	6:39	6:29
6:48	9:42	9:10	8:41	8:09	8:09	7:49	7:48	7:28	7:24	7:08	7:03	6:48	6:37	6:27
6:45	9:38	9:06	8:37	8:06	8:06	7:45	7:45	7:25	7:21	7:05	7:00	6:45	6:34	6:24
6:43	9:35	9:04	8:35	8:03	8:03	7:43	7:43	7:23	7:18	7:03	6:58	6:43	6:32	6:22
6:40	9:31	9:00	8:31	8:00	8:00	7:40	7:40	7:20	7:15	7:00	6:55	6:40	6:30	6:20
6:38	9:28	8:57	8:29	7:57	7:57	7:37	7:37	7:17	7:13	6:57	6:53	6:38	6:28	6:18
6:35	9:24	8:53	8:25	7:54	7:54	7:34	7:34	7:14	7:10	6:54	6:50	6:35	6:25	6:15
6:33	9:22	8:50	8:23	7:51	7:51	7:31	7:32	7:12	7:08	6:52	6:48	6:33	6:23	6:13
6:30	9:18	8:46	8:19	7:48	7:48	7:28	7:29	7:09	7:05	6:49	6:45	6:30	6:20	6:10
6:28	9:15	8:43	8:17	7:45	7:45	7:26	7:26	7:06	7:03	6:47	6:43	6:28	6:18	6:08
6:25	9:11	8:39	8:13	7:42	7:42	7:22	7:23	7:03	7:00	6:44	6:40	6:25	6:15	6:05
6:23	9:08	8:37	8:11	7:39	7:39	7:20	7:21	7:01	6:57	6:42	6:38	6:23	6:13	6:03
6:20	9:04	8:33	8:07	7:36	7:36	7:17	7:18	6:58	6:54	6:39	6:35	6:20	6:11	6:01
6:18	9:01	8:30	8:05	7:33	7:33	7:14	7:15	6:55	6:52	6:36	6:33	6:18	6:09	5:59

Czas w teście na 1600 metrów (1 milę)	SS 1		SS 2		SS 3		SS 4		SS 5		SS 6		SS 7	
6:15	8:57	8:26	8:01	7:30	7:30	7:11	7:12	6:52	6:49	6:33	6:30	6:15	6:06	5:56
6:13	8:55	8:23	7:59	7:27	7:27	7:08	7:10	6:50	6:47	6:31	6:28	6:13	6:04	5:54
6:10	8:51	8:19	7:55	7:24	7:24	7:05	7:07	6:47	6:44	6:28	6:25	6:10	6:01	5:51
6:08	8:48	8:16	7:53	7:21	7:21	7:03	7:04	6:44	6:42	6:26	6:23	6:08	5:59	5:49
6:05	8:44	8:12	7:49	7:18	7:18	6:59	7:01	6:41	6:39	6:23	6:20	6:05	5:56	5:46
6:03	8:41	8:10	7:47	7:15	7:15	6:57	6:59	6:39	6:36	6:21	6:18	6:03	5:54	5:44
6:00	8:37	8:06	7:43	7:12	7:12	6:54	6:56	6:36	6:33	6:18	6:15	6:00	5:52	5:42
5:58	8:34	8:03	7:41	7:09	7:09	6:51	6:53	6:33	6:31	6:15	6:13	5:58	5:50	5:40
5:55	8:30	7:59	7:37	7:06	7:06	6:48	6:50	6:30	6:28	6:12	6:10	5:55	5:47	5:37
5:53	8:28	7:56	7:35	7:03	7:03	6:45	6:48	6:28	6:26	6:10	6:08	5:53	5:45	5:35
5:50	8:24	7:52	7:31	7:00	7:00	6:42	6:45	6:25	6:23	6:07	6:05	5:50	5:42	5:32
5:48	8:21	7:49	7:29	6:57	6:57	6:40	6:42	6:22	6:21	6:05	6:03	5:48	5:40	5:30
5:45	8:17	7:45	7:25	6:54	6:54	6:36	6:39	6:19	6:18	6:02	6:00	5:45	5:37	5:27
5:43	8:14	7:43	7:23	6:51	6:51	6:34	6:37	6:17	6:15	6:00	5:58	5:43	5:35	5:25
5:40	8:10	7:39	7:19	6:48	6:48	6:31	6:34	6:14	6:12	5:57	5:55	5:40	5:33	5:23
5:38	8:07	7:36	7:17	6:45	6:45	6:28	6:31	6:11	6:10	5:54	5:53	5:38	5:31	5:21
5:35	8:03	7:32	7:13	6:42	6:42	6:25	6:28	6:08	6:07	5:51	5:50	5:35	5:28	5:18
5:33	8:01	7:29	7:11	6:39	6:39	6:22	6:26	6:06	6:05	5:49	5:48	5:33	5:26	5:16

Czas w teście na 1600 metrów (1 milę)	SS 1		SS 2		SS 3		SS 4		SS 5		SS 6		SS 7	
5:30	7:57	7:25	7:07	6:36	6:36	6:19	6:23	6:03	6:02	5:46	5:45	5:30	5:23	5:13
5:28	7:54	7:22	7:05	6:33	6:33	6:17	6:20	6:00	6:00	5:44	5:43	5:28	5:21	5:11
5:25	7:50	7:18	7:01	6:30	6:30	6:13	6:17	5:57	5:57	5:41	5:40	5:25	5:18	5:08
5:23	7:47	7:16	6:59	6:27	6:27	6:11	6:15	5:55	5:54	5:39	5:38	5:23	5:16	5:06
5:20	7:43	7:12	6:55	6:24	6:24	6:08	6:12	5:52	5:51	5:36	5:35	5:20	5:14	5:04
5:18	7:40	7:09	6:53	6:21	6:21	6:05	6:09	5:49	5:49	5:33	5:33	5:18	5:12	5:02
5:15	7:36	7:05	6:49	6:18	6:18	6:02	6:06	5:46	5:46	5:30	5:30	5:15	5:09	4:59
5:13	7:34	7:02	6:47	6:15	6:15	5:59	6:04	5:44	5:44	5:28	5:28	5:13	5:07	4:57
5:10	7:30	6:58	6:43	6:12	6:12	5:56	6:01	5:41	5:41	5:25	5:25	5:10	5:04	4:54
5:08	7:27	6:55	6:41	6:09	6:09	5:54	5:58	5:38	5:39	5:23	5:23	5:08	5:02	4:52
5:05	7:23	6:51	6:37	6:06	6:06	5:50	5:55	5:35	5:36	5:20	5:20	5:05	4:59	4:49
5:03	7:20	6:49	6:35	6:03	6:03	5:48	5:53	5:33	5:33	5:18	5:18	5:03	4:57	4:47
5:00	7:16	6:45	6:31	6:00	6:00	5:45	5:50	5:30	5:30	5:15	5:15	5:00	4:55	4:45
4:58	7:13	6:42	6:29	5:57	5:57	5:42	5:47	5:27	5:28	5:12	5:13	4:58	4:53	4:43
4:55	7:09	6:38	6:25	5:54	5:54	5:39	5:44	5:24	5:25	5:09	5:10	4:55	4:50	4:40
4:53	7:07	6:35	6:23	5:51	5:51	5:36	5:42	5:22	5:23	5:07	5:08	4:53	4:48	4:38
4:50	7:03	6:31	6:19	5:48	5:48	5:33	5:39	5:19	5:20	5:04	5:05	4:50	4:45	4:35
4:48	7:00	6:28	6:17	5:45	5:45	5:31	5:36	5:16	5:18	5:02	5:03	4:48	4:43	4:33

Czas w teście na 1600 metrów (1 milę)	SS 1		SS 2		SS 3		SS 4		SS 5		SS 6		SS 7	
4:45	6:56	6:24	6:13	5:42	5:42	5:27	5:33	5:13	5:15	4:59	5:00	4:45	4:40	4:30
4:43	6:53	6:22	6:11	5:39	5:39	5:25	5:31	5:11	5:12	4:57	4:58	4:43	4:38	4:28
4:40	6:49	6:18	6:07	5:36	5:36	5:22	5:28	5:08	5:09	4:54	4:55	4:40	4:36	4:26
4:38	6:46	6:15	6:05	5:33	5:33	5:19	5:25	5:05	5:07	4:51	4:53	4:38	4:34	4:24
4:35	6:42	6:11	6:01	5:30	5:30	5:16	5:22	5:02	5:04	4:48	4:50	4:35	4:31	4:21
4:33	6:40	6:08	5:59	5:27	5:27	5:13	5:20	5:00	5:02	4:46	4:48	4:33	4:29	4:19
4:30	6:36	6:04	5:55	5:24	5:24	5:10	5:17	4:57	4:59	4:43	4:45	4:30	4:26	4:16
4:28	6:33	6:01	5:53	5:21	5:21	5:08	5:14	4:54	4:57	4:41	4:43	4:28	4:24	4:14
4:25	6:29	5:57	5:49	5:18	5:18	5:04	5:11	4:51	4:54	4:38	4:40	4:25	4:21	4:11
4:23	6:26	5:55	5:47	5:15	5:15	5:02	5:09	4:49	4:51	4:36	4:38	4:23	4:19	4:09
4:20	6:22	5:51	5:43	5:12	5:12	4:59	5:06	4:46	4:48	4:33	4:35	4:20	4:17	4:07
4:18	6:19	5:48	5:41	5:09	5:09	4:56	5:03	4:43	4:46	4:30	4:33	4:18	4:15	4:05
4:15	6:15	5:44	5:37	5:06	5:06	4:53	5:00	4:40	4:43	4:27	4:30	4:15	4:12	4:02
4:13	6:13	5:41	5:35	5:03	5:03	4:50	4:58	4:38	4:41	4:25	4:28	4:13	4:10	4:00
4:10	6:09	5:37	5:31	5:00	5:00	4:47	4:55	4:35	4:38	4:22	4:25	4:10	4:07	3:57
4:08	6:06	5:34	5:29	4:57	4:57	4:45	4:52	4:32	4:36	4:20	4:23	4:08	4:05	3:55
4:05	6:02	5:30	5:25	4:54	4:54	4:41	4:49	4:29	4:33	4:17	4:20	4:05	4:02	3:52
4:03	5:59	5:28	5:23	4:51	4:51	4:39	4:47	4:27	4:30	4:15	4:18	4:03	4:00	3:50

Czas w teście na 1600 metrów (1 milę)	SS 1		SS 2		SS 3		SS 4		SS 5		SS 6		SS 7	
4:00	5:55	5:24	5:19	4:48	4:48	4:36	4:44	4:24	4:27	4:12	4:15	4:00	3:58	3:48
3:58	5:52	5:21	5:17	4:45	4:45	4:33	4:41	4:21	4:25	4:09	4:13	3:58	3:56	3:46
3:55	5:48	5:17	5:13	4:42	4:42	4:30	4:38	4:18	4:22	4:06	4:10	3:55	3:53	3:43
3:50	5:42	5:10	5:07	4:36	4:36	4:24	4:33	4:13	4:17	4:01	4:05	3:50	3:48	3:38
3:48	5:39	5:07	5:05	4:33	4:33	4:22	4:30	4:10	4:15	3:59	4:03	3:48	3:46	3:36
3:45	5:35	5:03	5:01	4:30	4:30	4:18	4:27	4:07	4:12	3:56	4:00	3:45	3:43	3:33

* Strefy szybkości są wyrażone w minutach na milę.

Aby określić strefy tętna (ST), zmierz swoje średnie tętno (ŚR) podczas 20-minutowego testu i dopasuj swój wynik do wartości podanych w lewej kolumnie tabeli ST (s. 135). Następnie powiedź palcem po tabeli w prawo, żeby zobaczyć swój zakres tętna wyrażony w skali od 1 do 7. Na przykład jeśli podczas 20-minutowego biegu twoje tętno wyniosło 165, twoja strefa tętna 2 miałaby wartość 133–142. To znaczy, że treningi przeznaczone dla ST 2 musiałbyś wykonywać z tętnem 133–142 uderzeń na minutę. Poziom ST 7, najbardziej intensywny pod względem strefy tętna, wymagałby od ciebie trenowania z tętnem 161–165 uderzeń na minutę. W swoim programie będziesz wykorzystywał wszystkie siedem stref tętna.

Średnie tętno testowe	ST 1		ST 2		ST 3		ST 4		ST 5		ST 6		ST 7	
150	108	117	118	127	128	132	133	136	137	141	142	145	146	150
151	109	118	119	128	129	133	134	137	138	142	143	146	147	151
152	110	119	120	129	130	134	135	138	139	143	144	147	148	152
153	111	120	121	130	131	135	136	139	140	144	145	148	149	153
154	112	121	122	131	132	136	137	140	141	145	146	149	150	154
155	113	122	123	132	133	137	138	141	142	146	147	150	151	155
156	114	123	124	133	134	138	139	142	143	147	148	151	152	156
157	115	124	125	134	135	139	140	143	144	148	149	152	153	157
158	116	125	126	135	136	140	141	144	145	149	150	153	154	158
159	117	126	127	136	137	141	142	145	146	150	151	154	155	159
160	118	127	128	137	138	142	143	146	147	151	152	155	156	160
161	119	128	129	138	139	143	144	147	148	152	153	156	157	161
162	120	129	130	139	140	144	145	148	149	153	154	157	158	162
163	121	130	131	140	141	145	146	149	150	154	155	158	159	163
164	122	131	132	141	142	146	147	150	151	155	156	159	160	164
165	123	132	133	142	143	147	148	151	152	156	157	160	161	165
166	124	133	134	143	144	148	149	152	153	157	158	161	162	166
167	125	134	135	144	145	149	150	153	154	158	159	162	163	167

Średnie tętno testowe	ST 1		ST 2		ST 3		ST 4		ST 5		ST 6		ST 7	
168	126	135	136	145	146	150	151	154	155	159	160	163	164	168
169	127	136	137	146	147	151	152	155	156	160	161	164	165	169
170	128	137	138	147	148	152	153	156	157	161	162	165	166	170
171	129	138	139	148	149	153	154	157	158	162	163	166	167	171
172	130	139	140	149	150	154	155	158	159	163	164	167	168	172
173	131	140	141	150	151	155	156	159	160	164	165	168	169	173
174	132	141	142	151	152	156	157	160	161	165	166	169	170	174
175	133	142	143	152	153	157	158	161	162	166	167	170	171	175
176	134	143	144	153	154	158	159	162	163	167	168	171	172	176
177	135	144	145	154	155	159	160	163	164	168	169	172	173	177
178	136	145	146	155	156	160	161	164	165	169	170	173	174	178
179	137	146	147	156	157	161	162	165	166	170	171	174	175	179
180	138	147	148	157	158	162	163	166	167	171	172	175	176	180
181	139	148	149	158	159	163	164	167	168	172	173	176	177	181
182	140	149	150	159	160	164	165	168	169	173	174	177	178	182
183	141	150	151	160	161	165	166	169	170	174	175	178	179	183
184	142	151	152	161	162	166	167	170	171	175	176	179	180	184
185	143	152	153	162	163	167	168	171	172	176	177	180	181	185

Średnie tętno testowe	ST 1		ST 2		ST 3		ST 4		ST 5		ST 6		ST 7	
186	144	153	154	163	164	168	169	172	173	177	178	181	182	186
187	145	154	155	164	165	169	170	173	174	178	179	182	183	187
188	146	155	156	165	166	170	171	174	175	179	180	183	184	188
189	147	156	157	166	167	171	172	175	176	180	181	184	185	189
190	148	157	158	167	168	172	173	176	177	181	182	185	186	190
191	149	158	159	168	169	173	174	177	178	182	183	186	187	191
192	150	159	160	169	170	174	175	178	179	183	184	187	188	192
193	151	160	161	170	171	175	176	179	180	184	185	188	189	193
194	152	161	162	171	172	176	177	180	181	185	186	189	190	194
195	153	162	163	172	173	177	178	181	182	186	187	190	191	195
196	154	163	164	173	174	178	179	182	183	187	188	191	192	196
197	155	164	165	174	175	179	180	183	184	188	189	192	193	197
198	156	165	166	175	176	180	181	184	185	189	190	193	194	198
199	157	166	167	176	177	181	182	185	186	190	191	194	195	199
200	158	167	168	177	178	182	183	186	187	191	192	195	196	200

* Strefy tętna są wyrażone w uderzeniach na minutę.

Jak obliczam te strefy? Obliczenia są oparte na naukach fizjologicznych, a także na moim doświadczeniu, które pozwala mi ocenić, do jak dużego wysiłku mogę nakłonić swoich sportowców. O strefach treningowych mógłbym napisać całą książkę, ale ty nie potrzebujesz informacji naukowych, żeby skorzystać z programu. Mówiąc po prostu: dzięki strefom możliwe jest realizowanie ogólnych założeń i celów programu.

Mimo to chciałbyś pewnie wiedzieć, jak dużego wysiłku wymaga od ciebie każda strefa i jakie dokładnie postępy umożliwia. Poniżej podaję pewne ogólne informacje wraz z przydatnymi wskazówkami. Przedstawiam też kilka terminów, które powinieneś znać, żeby zrozumieć objaśnienia.

- **Wysiłek aerobowy:** Odnosi się do biegów w wolnym i umiarkowanym tempie. Twój organizm wytwarza energię w procesie spalania tlenowego.
- **Wysiłek anaerobowy:** Zwykle krótkie, szybkie, intensywne biegi, takie jak sprinty. Twój organizm pracuje bardzo intensywnie i wytwarza energię w procesie spalania beztlenowego.
- **Pułap tlenowy (VO2max):** maksymalny poziom, na jakim tlen jest pochłaniany przez organizm. Mierzy twoją wydolność aerobową czy też, jeśli wolisz, rozmiar i wydajność twojego układu napędowego.
- **Próg:** Być może słyszałeś już termin „próg mleczanowy", który pokazuje, jak szybko możesz biec, wciąż wykorzystując tlen do wytwarzania energii. Jeśli go przekroczysz, czujesz palący ból (kwas mleczanowy) w mięśniach, ciężej oddychasz i szybko się męczysz.
- **Trening w tempie wyścigowym:** Przy poszczególnych strefach będę się odwoływał do „poziomu tętna z treningu maratońskiego" lub „tempa treningu na 10 000 metrów". Tę samą terminologię można znaleźć w innych programach treningowych. Używam ich do celów referencyjnych, a także po to, żeby ułatwić ci wykorzystanie stref treningowych w ramach przygotowań do konkretnych wyścigów, gdy stworzysz już niezbędny fundament strategiczny. Trzeba tylko pamiętać, że te poziomy tempa są przeznaczone do stosowania podczas treningów i nie stawiają żadnych konkretnych oczekiwań co do twojego tempa podczas wyścigu.

Okej, idźmy dalej. Teraz opowiem ci, co oznaczają strefy wymienione w tabelach.

Strefy tętna

Strefa tętna 1

Biegi wykonywane w tej strefie mają na celu regenerację po bardziej intensywnych, dłuższych sesjach. Regeneracja jest istotną częścią treningu. Gdy twój organizm ma szansę na odnowę, staje się szybszy i silniejszy. Biegacze często nie doceniają znaczenia takich biegów i nie zapewniają sobie odpowiedniej regeneracji. Tę strefę wykorzystujemy również podczas rozgrzewki, schładzania oraz w przerwach na odpoczynek.

W tej strefie biegaj sam, żebyś nie ulegał pokusie podkręcania tempa, starając się dotrzymać kroku znajomym. Trenuj na płaskiej nawierzchni, aby twoje tętno pozostało w wymaganym przedziale.

Strefa tętna 2

W tej strefie będziesz wykonywał wiele sesji w tygodniu. Pozwala zwiększyć twoje umiejętności aerobowe i stworzyć długoterminowy fundament ekonomii i wytrzymałości, przydatny w przyszłych treningach. W szczególności poprawia efektywność spalania tkanki tłuszczowej. Pamiętaj, że to wolny, ale niezwykle ważny od strony strategicznej bieg, choć początkowo trudne może być utrzymanie tempa wolniejszego niż to, do którego przywykłeś. Sprzyja namnażaniu się mitochondriów, które pozwolą ci biec szybciej mimo niskiej intensywności wysiłku.

Przy wolnym tempie czas regeneracji po biegu jest dość krótki, co jest dodatkową zaletą. To znaczy, że takie biegi mogą być wykonywane częściej. Co więcej, ta strefa sprzyja koncentrowaniu się na technice i kadencji.

Biegaj po płaskim lub lekko pofalowanym terenie, który pozwoli ci kontrolować poziom wysiłku i tętna. Dostosuj ich wartości do swojego poziomu sprawności oraz czasu, jaki możesz przeznaczyć na trening danego dnia.

Strefa tętna 3

To kolejny krok po strefie 2. Zaczynamy rozwijać siłę/wytrzymałość mięśniową, jednocześnie kontynuując pracę nad potencjałem aerobowym i umiejętnością spalania tkanki tłuszczowej. Naszym celem jest ekonomiczny dłuższy bieg.

Staraj się biegać po płaskim lub lekko pofalowanym terenie, żeby utrzymać stały poziom wysiłku i tętna. Ta strefa zapewnia jednak większą elastyczność tempa, dzięki czemu możesz biegać razem ze znajomymi lub wbiegać na niewysokie pagórki. Długość sesji dostosuj do swojego poziomu sprawności oraz czasu,

139

jaki możesz przeznaczyć na trening danego dnia.

Strefa tętna 4

Biegi w tej strefie pozwalają trenować wytrzymałość siłową i przybliżają cię do dłuższego umiarkowanego wysiłku aerobowego. Przygotowują też organizm do bardziej intensywnego wysiłku.

Biegaj po płaskim terenie lub niskich pagórkach, od czasu do czasu wykonując sesje na większych wzniesieniach i górskich szlakach. W porównaniu do innych programów treningowych (które nie wykorzystują szybkości jako miary) poziom tętna osiąga wartość z treningu maratońskiego.

Strefa tętna 5

W tej strefie znajdujesz się u szczytu swoich umiejętności aerobowych, tuż pod progiem mleczanowym. Rozwijasz wytrzymałość siłową.

Staraj się być świadomy tego, co robisz, i koncentruj się na utrzymaniu tętna w tym wąskim zakresie. Podczas biegu zachowuj maksymalną stabilność. Najlepiej do tego celu nadaje się bieg po płaskim terenie lub długie stopniowe podbiegi. Poziom tętna osiąga wartość z treningu półmaratońskiego.

Strefa tętna 6

Biegi w tej strefie są mniej więcej na poziomie twojego progu mleczanowego. Prawdopodobnie zauważysz u siebie zmianę sposobu oddychania. Trening na tym poziomie przynosi ogromne korzyści: budujesz wytrzymałość mięśniową i szybkościową, zwiększając umiejętność utrzymania szybszego, stabilnego wysiłku w strefie aerobowej.

Odpowiada to poziomowi tętna z treningu na 10 000 metrów.

Strefa tętna 7

W tej strefie znajdujesz się na poziomie pułapu tlenowego i zmuszasz mięśnie do wykorzystywania większej ilości tlenu (poprawa wydolności) oraz zmniejszasz różnicę między wydolnością aerobową i anaerobową (poprawa wytrzymałości szybkościowej).

Odpowiada to poziomowi tętna z treningu na 5000 metrów.

Strefy szybkości

Strefa szybkości 1

Odpowiada szybkości wyrażonej w tempie liczonym w minutach na milę, a biegi w tym zakresie pomagają ci utrzymać stałe tempo poprawiające ekonomię i wydajność twojego organizmu.

STRATEGICZNY FUNDAMENT BIEGOWY

Strefa szybkości 2

Biegi w tej strefie dają te same korzyści co biegi w strefie tętna 4. Odpowiada to tempu z treningu maratońskiego w minutach na milę.

Strefa szybkości 3

Biegi w tej strefie dają te same korzyści co biegi w strefie tętna 5. Odpowiada to tempu z treningu półmaratońskiego w minutach na milę.

Strefa szybkości 4

Biegi w tej strefie dają te same korzyści co biegi w strefie tętna 6. Odpowiada to tempu z treningu na 10 000 metrów w minutach na milę.

Strefa szybkości 5

Biegi w tej strefie dają te same korzyści co biegi w strefie tętna 7. Odpowiada to tempu z treningu na 5000 metrów w minutach na milę.

Strefa szybkości 6

Biegi w tej strefie podnoszą twoją wydolność aerobową/pułap tlenowy w minutach na milę i oferują te same korzyści co biegi w strefie tętna 7, ale w krótszych interwałach. Ta strefa szybkości lepiej niż strefa tętna 7 nadaje się do pomiaru wysiłku.

Strefa szybkości 7

Biegi w tej strefie są wykorzystywane do interwałów szybkościowych. Pozwalają trenować ekonomię i umiejętności anaerobowe w minutach na milę. Wspomagają rozwój neuromięśniowy.

Faza wykonania

Teraz, gdy znasz już swoje strefy tętna i szybkości oraz rozumiesz ich zastosowanie, możemy przejść do pięciomiesięcznego programu treningowego. Wymaga on dyscypliny i świadomości, ale jeśli uda ci się go ukończyć, będziesz zaskoczony, jak długo, szybko i dynamicznie jesteś w stanie biec.

Oto kilka skrótów i terminów, których będziesz potrzebować podczas realizacji programu.

- R = rozgrzewka
- CG = część główna, centralny punkt sesji
- S = schładzanie
- O = odpoczynek
- 10′ = 10 minut
- 10″ = 10 sekund
- 15′ w ST 2 = 15 minut biegu w strefie tętna 2
- 4–6 × 2′ w SS 4 z 2′ O = 4–6 biegów interwałowych po 2 minuty w SS 4

141

z 2-minutowym odpoczynkiem pomiędzy interwałami

- Gwiazdką oznaczono sugerowane dni nieobowiązkowe.

FAZA 1 – TYDZIEŃ 1

Dzień 1

R: 10′ w ST 1–2.

CG: 20–45′ spokojny bieg w ST 2, praca nad kadencją. Podczas biegu co 5′ umiarkowanie szybkie sprinty po 10–20″. Biegnij tempem, które tobie wydaje się umiarkowanie szybkie, a potem wróć do ST 2.

S: 5′ w ST 1.

*Dzień 2

R: 5–10′ stopniowo do ST 2.

CG: 20–45′ spokojny bieg w ST 2. Co 5′ sprawdzaj kadencję. Licz, ile razy twoja prawa stopa uderza o ziemię w czasie 15″. Stopniowo dąż do 22–23 uderzeń na 15″.

S: 5′ w ST 1.

Dzień 3

R: 15′ w ST 1–3 + 4 × 30″, rozwijając tempo do umiarkowanie szybkiego, na koniec każdego interwału 1′ O.

CG: 4–6 x 2′ w SS 4 z 2′ O.

S: 5′ w ST 1.

*Dzień 4

R: 5–10′ stopniowo do ST 2.

CG: 20–45′ spokojny bieg w ST 2. Co 5′ sprawdzaj kadencję. Licz, ile razy twoja prawa stopa uderza o ziemię w czasie 15″. Stopniowo dąż do 22–23 uderzeń na 15″.

S: 5′ w ST 1.

Dzień 5

R: 5′ stopniowo do ST 2.

CG: 10–40′ spokojny bieg w ST 2, na koniec stabilny bieg w SS 1 przez 10′.

S: 5–10′ w ST 1–2.

Dzień 6

R: 5′ stopniowo do ST 2.

CG: 30–65′ spokojny bieg w ST 2. Co 5′ sprawdzaj kadencję. Dziś bieg powinien być o 10–15′ dłuższy niż twój najdłuższy bieg w ciągu ostatnich 2–3 tygodni.

S: 5′ w ST 1.

Dzień 7: dzień wolny

R:

CG:

S:

FAZA 1 – TYDZIEŃ 2

Dzień 1

R: 5–10′ stopniowo do ST 2.

CG: 10–35′ spokojny bieg w ST 2, na koniec 6 × 10″ sprinty z 1–2′ O w marszu. Staraj się rozwinąć tempo sprintów powyżej SS 7.

S: 5′ w ST 1.

*Dzień 2

R: 5–10′ stopniowo do ST 2.

CG: 20–45′ spokojny bieg w ST 2. Co 5′ sprawdzaj kadencję. Licz, ile razy twoja prawa stopa uderza o ziemię w czasie 15″. Stopniowo dąż do 22–23 uderzeń na 15″.

S: 5′ w ST 1.

Dzień 3

R: 15′ w ST 1–2 + 4 × 30″, rozwijając tempo do umiarkowanie szybkiego, na koniec każdego interwału 1′ O.

CG: 3–4 × 2′ podbiegi w szybkim, stabilnym tempie, ale nie z maksymalnym wysiłkiem. Biegnij tempem, które tobie wydaje się umiarkowanie szybkie z 2–3′ O. Na koniec 3–4 × 2′ w SS 4 po płaskim terenie z 2′ O.

S: 5′ w ST 1.

*Dzień 4

R: 5′ stopniowo do ST 2.

CG: 10–30′ spokojny bieg w ST 2. Co 5′ sprawdzaj kadencję.

S: 5′ w ST 1.

Dzień 5

R: 15′ stopniowo do ST 3 na koniec biegu.

CG: 2–3 × 5′ w ST 3 z 2′ O. Na koniec biegu 5 × 20″ umiarkowanie szybkie sprinty z 1′ O.

S: 5–10′ w ST 1–2.

Dzień 6

R: 5–10′ stopniowo do ST 2.

CG: Długi spokojny bieg w ST 2. Co 5′ sprawdzaj kadencję. Bieg o 10–15′ dłuższy niż najdłuższy bieg w zeszłym tygodniu.

S: 5′ w ST 1.

Dzień 7: dzień wolny

R:

CG:

S:

FAZA 1 – TYDZIEŃ 3

Dzień 1

R: 10′ w ST 1–2.

CG: 20–45′ bieg w ST 2. Podczas biegu co 5′ umiarkowanie szybkie sprinty po 10–20″. Biegnij tempem, które tobie wydaje się umiarkowanie szybkie, a potem wróć do ST 2.

S: 5′ w ST 1.

*Dzień 2

R: 5–10′ stopniowo do ST 2.

CG: 20–45′ spokojny bieg w ST 2. Co 5′ sprawdzaj kadencję. Licz, ile razy twoja prawa stopa uderza o ziemię w czasie 15″. Stopniowo dąż do 22–23 uderzeń na 15″.

S: 5′ w ST 1.

Dzień 3

R: 15′ w ST 1–2 + 4 × 30″, rozwijając tempo do umiarkowanie szybkiego, na koniec każdego interwału 1′ O.

CG: 6–8 x 2′ w SS 4 z 2′ O.

S: 5′ w ST 1.

*Dzień 4

R: 5′ w ST 1.

CG: Krótki bieg regeneracyjny w ST 1–2.

S: 5′ w ST 1.

Dzień 5

R: 15′ w ST 1–2 + 4 × 30″, rozwijając tempo do umiarkowanie szybkiego, na koniec każdego interwału 1′ O.

CG: 3–5 × 1′ w SS 6–7 z 1–2′ O. 3–5 × sprinty po 30″, rozwijając tempo powyżej SS 7 na koniec każdego sprintu z 2′ O.

S: 5′ w ST 1.

Dzień 6

R: 5–10′ stopniowo do ST 2.

CG: Długi, spokojny bieg w ST 2. Bądź cierpliwy i oprzyj się pokusie, żeby biec szybciej. Bieg o 10–15′ dłuższy niż najdłuższy bieg w zeszłym tygodniu.

S: 5′ w ST 1.

Dzień 7: dzień wolny

R:

CG:

S:

FAZA 1 – TYDZIEŃ 4

Dzień 1

R: 10′ w ST 1–2.

CG: 15–30″ spokojny bieg w ST 2. Co 5′ sprawdzaj kadencję. Licz, ile razy twoja prawa stopa uderza o ziemię w czasie 15″. Stopniowo dąż do 22–23 uderzeń na 15″.

S: 5′ w ST 1.

*Dzień 2

R: 5′ w ST 1.

CG: Krótki bieg regeneracyjny w ST 1–2. Jeśli czujesz zmęczenie w nogach, tego dnia zrób sobie wolne – słuchaj swojego ciała.

S: 5′ w ST 1.

Dzień 3

R: 15′ w ST 1–2 + 4 × 30″, rozwijając tempo do umiarkowanie szybkiego, na koniec każdego interwału 1′ O.

CG: 15–30′ spokojny bieg w SS 1.

S: 5′ w ST 1.

Dzień 4: dzień wolny

R:

CG:

S:

Dzień 5

R: 10′ w ST 1–2.

CG: 15–30′ spokojny bieg w ST 2, praca nad kadencją i techniką.

S: 5′ w ST 1.

Dzień 6

R: 5–10′ stopniowo do ST 2.

CG: Długi, spokojny bieg w ST 2. Dzisiaj nie wydłużaj czasu biegu. Powinien być taki sam jak najdłuższy bieg w tygodniu 2.

S: 5′ w ST 1.

Dzień 7: dzień wolny

R:

CG:

S:

FAZA 1 – TYDZIEŃ 5

Dzień 1

R: 15′ w ST 1–3 + 4 × 30″, rozwijając tempo do umiarkowanie szybkiego, na koniec każdego interwału 1′ O.

CG: 3 × 5′ w ST 5 z 2′ O.

S: 5′ w ST 1.

Dzień 2

R: 15′ w ST 1–3 + 4 × 30″, rozwijając tempo do umiarkowanie szybkiego, na koniec każdego interwału 1′ O.

CG: 5–8 × 10″ szybkie sprinty z 1–2′ O. Biegnij tempem, które tobie wydaje się szybkie. Tempo powinno sprawiać ci przyjemność. Jeśli obawiasz się tej sesji, to znaczy, że biegasz za szybko.

S: 5′ w ST 1.

*Dzień 3

R: 5–10′ stopniowo do ST 2.

CG: 15–40′ spokojny bieg w ST 2. Co 5′ sprawdzaj kadencję.

CD: 5′ w ST 1.

Dzień 4

R: 15′ w ST 1–2 + 4 × 30″, rozwijając tempo do umiarkowanie szybkiego, na koniec każdego interwału 1′ O.

CG: 5–8 × 60–90″ podbiegi w szybkim, stabilnym tempie, ale nie z maksymalnym wysiłkiem. Biegnij tempem, które wydaje ci się umiarkowanie szybkie z 2–3′ O.

S: 5′ w ST 1.

*Dzień 5

R: 5–10′ stopniowo do ST 2.

CG: 10–20′ spokojny bieg w ST 3.

S: 5′ w ST 1.

Dzień 6

R: 5–10′ stopniowo do ST 2.

CG: Długi, spokojny bieg w ST 2, praca nad kadencją. Bieg o 15′

dłuższy niż najdłuższy bieg w tygodniu 3.

S: 5′ w ST 1.

Dzień 7: dzień wolny

R:

CG:

S:

FAZA 1 – TYDZIEŃ 6

Dzień 1

R: 5–10′ stopniowo do ST 2.

CG: 20–45′ spokojny bieg w ST 2. Co 5′ sprawdzaj kadencję. Licz, ile razy twoja prawa stopa uderza o ziemię w czasie 15″. Stopniowo dąż do 22–23 uderzeń na 15″.

S: 5′ w ST 1.

Dzień 2

R: 15′ w ST 1–3 + 4 × 30″, rozwijając tempo do umiarkowanie szybkiego, na koniec każdego interwału 1′ O.

CG: 4 x 5′ w ST 5 z 2′ O.

S: 5′ w ST 1.

*Dzień 3

R: 5′ w ST 1.

CG: Krótki bieg regeneracyjny w ST 1–2. Jeśli czujesz zmęczenie w nogach, tego dnia zrób sobie wolne – słuchaj swojego ciała.

S: 5′ w ST 1.

Dzień 4

R: 15′ w ST 1–3 + 4 × 30″, rozwijając tempo do umiarkowanie szybkiego, na koniec każdego interwału 1′ O.

CG: 4–5 × 10″ szybkie sprinty z 1–2′ O. Biegnij tempem, które tobie wydaje się szybkie. 4–6 × 1′ w SS 7 z 2′ O.

S: 5′ w ST 1.

*Dzień 5

R: 5–10′ stopniowo do ST 2.

CG: 10–30′ spokojny bieg w ST 2. Co 5′ sprawdzaj kadencję.

S: 5′ w ST 1.

Dzień 6

R: 5–10′ stopniowo do ST 2.

CG: Długi, spokojny bieg w ST 2, ostatnie 15–30′ w ST 3. Bieg o 15′ dłuższy niż długi bieg w tygodniu 5.

S: 5′ w ST 1.

Dzień 7: dzień wolny

R:

CG:

S:

FAZA 1 – TYDZIEŃ 7

*Dzień 1

R: 5–10′ stopniowo do ST 2.

CG: 20–45′ spokojny bieg w ST 2. Co 5′ sprawdzaj kadencję. Licz, ile razy twoja prawa stopa uderza o ziemię w czasie 15″. Stopniowo dąż do 22–23 uderzeń na 15″.

S: 5′ w ST 1.

Dzień 2

R: 10′ w ST 1–2.

CG: 20–45′ spokojny bieg w ST 2, praca nad kadencją. Podczas biegu co 5′ umiarkowanie szybkie sprinty po 10–20″. Biegnij tempem, które tobie wydaje się umiarkowanie szybkie, a potem wróć do ST 2.

S: 5′ w ST 1.

Dzień 3

R: 15′ w ST 1–3 + 4 × 30″, rozwijając tempo do umiarkowanie szybkiego, na koniec każdego interwału 1′ O.

CG: 4–6 × 3′ w SS 4 z 2′ O.

S: 5′ w ST 1.

*Dzień 4

R: 5–10′ stopniowo do ST 2.

CG: 15–40′ spokojny bieg w ST 2. Co 5′ sprawdzaj kadencję.

S: 5′ w ST 1.

Dzień 5

R: 15′ w ST 1–2 + 4 × 30″, rozwijając tempo do umiarkowanie szybkiego, na koniec każdego interwału 1′ O.

CG: 6–10 × 60–90″ podbiegi w szybkim, stabilnym tempie, ale nie z maksymalnym wysiłkiem. Biegnij tempem, które wydaje ci się umiarkowanie szybkie, z 2–3′ O.

S: 5′ w ST 1.

Dzień 6

R: 5–10′ stopniowo do ST 2.

CG: Długi bieg w ST 2–3. Zmieniaj wysiłek stosownie do swojego samopoczucia. Bieg o 15′ dłuższy niż w tygodniu 6, ale nie dłuższy niż 3 godziny.

S: 5′ w ST 1.

Dzień 7: dzień wolny

R:

CG:

S:

FAZA 1 – TYDZIEŃ 8

*Dzień 1

R: 5–10′ stopniowo do ST 2.

CG: 15–30′ spokojny bieg w ST 2. Co 5′ sprawdzaj kadencję.

S: 5′ w ST 1.

Dzień 2: dzień wolny

R:

CG:

S:

Dzień 3

R: 5–10′ stopniowo do ST 2.

CG: 20–45′ w ST 2–3 stosownie do samopoczucia.

S: 5′ w ST 1.

Dzień 4

R: 5–10′ stopniowo do ST 2.

CG: 20–40′ w SS 1.

S: 5′ w ST 1.

Dzień 5: dzień wolny

R:

CG:

S:

Dzień 6

R: 5–10′ stopniowo do ST 2.

CG: Długi, spokojny bieg w ST 2. Dzi-siaj nie wydłużaj czasu biegu. Niech będzie tak samo długi jak bieg w tygodniu 5.

S: 5′ w ST 1.

Dzień 7: dzień wolny

R:

CG:

S:

FAZA 1 – TYDZIEŃ 9

Dzień 1

R: 15′ w ST 1–3 + 4 × 30″, rozwijając tempo do umiarkowanie szyb-kiego, na koniec każdego inter-wału 1′ O.

CG: 3–4 × 8′ spokojny bieg w ST 5 z 3′ O.

S: 5′ w ST 1.

*Dzień 2

R: 5–10′ stopniowo do ST 2.

CG: 15–40′ spokojny bieg w ST 2.

S: 5′ w ST 1.

Dzień 3

R: 5–10′ stopniowo do ST 2.

CG: ST 2–3. Na koniec 5–6 × 10″ sprin-ty po płaskim terenie lub pagór-kach (naprzemiennie) z 1′ O.

S: 5′ w ST 1.

Dzień 4

R: 15′ w ST 1–3 + 4 × 30″, rozwijając tempo do umiarkowanie szybkiego, na koniec każdego interwału 1′ O.

CG: 4–6 × 4′ w SS 4 z 3′ O.

S: 5′ w ST 1.

*Dzień 5

R: 5–10′ stopniowo do ST 2.

CG: Krótki bieg regeneracyjny w ST 1–2 lub dzień wolny.

S: 5′ w ST 1.

Dzień 6

R: 5–10′ stopniowo do ST 2.

CG: Długi bieg w ST 2–3. Bieg o 10–15′ dłuższy niż w tygodniu 7, ale nie dłuższy niż 3 godziny.

S: 5′ w ST 1.

Dzień 7: dzień wolny

R:

CG:

S:

FAZA 1 – TYDZIEŃ 10

Dzień 1

R: 5–10′ stopniowo do ST 2.

CG: 15–40′ w ST 2–3.

S: 5′ w ST 1.

Dzień 2

R: 15′ w ST 1–3 + 4 × 30″, rozwijając tempo do umiarkowanie szybkiego, na koniec każdego interwału 1′ O.

CG: 4 x 5′ w ST 5–6 z 3′ O.

S: 5′ w ST 1.

*Dzień 3

R: 5–10′ stopniowo do ST 2.

CG: 15–40′ spokojny bieg w ST 2.

S: 5′ w ST 1.

Dzień 4

R: 15′ w ST 1–2 + 4 × 30″, rozwijając tempo do umiarkowanie szybkiego, na koniec każdego interwału 1′ O.

CG: 4–5 × 2′ podbiegi w szybkim, stabilnym tempie. Biegnij zgodnie ze swoim wyczuciem, a nie tętnem. Zbiegi wykorzystuj jako O. 3–5 × 1′ w SS 6–7 z 1–2′ O.

S: 5′ w ST 1.

*Dzień 5

R: 5–10′ stopniowo do ST 2.

CG: Krótki bieg regeneracyjny w ST 1–2 lub dzień wolny.

S: 5′ w ST 1.

Dzień 6

R: 5–10′ stopniowo do ST 2.

CG: Długi, spokojny bieg w ST 2–3, ostatnie 10–20′ w ST 4–5. Czas biegu taki sam jak w tygodniu 9.

S: 5′ w ST 1.

Dzień 7: dzień wolny

R:

CG:

S:

FAZA 1 – TYDZIEŃ 11

Dzień 1

R: 5–10′ stopniowo do ST 2.

CG: 15–40′ spokojny bieg w ST 2.

S: 5′ w ST 1.

*Dzień 2

R: 5–10′ stopniowo do ST 2.

CG: 15–40′ spokojny bieg w ST 2.

S: 5′ w ST 1.

Dzień 3

R: 15' w ST 1–2 + 4 × 30", rozwijając tempo do umiarkowanie szybkiego, na koniec każdego interwału 1' O.

CG: 4–6 × 4' w SS 4 z 3' O.

S: 5' w ST 1.

*Dzień 4

R: 5–10' stopniowo do ST 2.

CG: Krótki bieg regeneracyjny w ST 1–2 lub dzień wolny.

S: 5' w ST 1.

Dzień 5

R: 15–30' w ST 1–3 + 4 × 30", rozwijając tempo do umiarkowanie szybkiego, na koniec każdego interwału 1' O.

CG: 6–8 × 15–20" szybkie sprinty z 2' O.

S: 5' w ST 1.

Dzień 6

R: 5–10' stopniowo do ST 2.

CG: Długi bieg w ST 2–3, co 8–10' umiarkowanie szybkie sprinty po 10". Bieg o 15' dłuższy niż w tygodniu 9, ale nie dłuższy niż 3 godziny.

S: 5' w ST 1.

Dzień 7: dzień wolny

R:

CG:

S:

FAZA 1 – TYDZIEŃ 12

Dzień 1: dzień wolny

R:

CG:

S:

Dzień 2

R: 20–25' w ST 1–3 + 4 × 30", rozwijając tempo do umiarkowanie szybkiego, na koniec każdego interwału 1' O.

TEST: Na bieżni wykonaj test biegu na 1600 metrów (1 milę), który wykonałeś również na początku programu. Przed przejściem do fazy 2 skoryguj swoje strefy treningowe.

S: 5' w ST 1.

*Dzień 3

R: 5–10' stopniowo do ST 2.

CG: Krótki bieg regeneracyjny w ST 1–2 lub dzień wolny.

S: 5' w ST 1.

*Dzień 4

R: 5–10′ stopniowo do ST 2.

CG: 15–30′ spokojny bieg w ST 2.

S: 5′ w ST 1.

Dzień 5

R: 15′ w ST 1–3 + 4 × 30″, rozwijając tempo do umiarkowanie szybkiego, na koniec każdego interwału 1′ O.

TEST: Na bieżni wykonaj test 20-minutowego biegu. Przed przejściem do fazy 2 skoryguj swoje strefy treningowe.

S: 5′ w ST 1.

Dzień 6

R: 5–10′ stopniowo do ST 2.

CG: ST 2–3 stosownie do samopoczucia. Bieg powinien być o 50–60 procent krótszy od najdłuższego biegu w fazie 1.

S: 5′ w ST 1.

Dzień 7: dzień wolny

R:

CG:

S:

FAZA 2 – TYDZIEŃ 1

*Dzień 1

R: 10′ w ST 1–2.

CG: 20–45′ spokojny bieg w ST 2.

S: 5′ w ST 1.

Dzień 2

R: 15′ w ST 1–3 + 4 × 30″, rozwijając tempo do umiarkowanie szybkiego, na koniec każdego interwału 1′ O.

CG: 3–5 × 3′ w SS 6 z 3′ O.

S: 5′ w ST 1.

*Dzień 3

R: 5′ w ST 1.

CG: Krótki bieg regeneracyjny w ST 1–2 lub dzień wolny.

S: 5′ w ST 1.

Dzień 4

R: 10′ w ST 1–2.

CG: 15–40′ spokojny bieg w ST 2. Na koniec 5–8 × 10′ sprinty z 1′ O.

S: 5′ w ST 1.

Dzień 5

R: 15′ w ST 1–3 + 4 × 30″, rozwijając tempo do umiarkowanie szybkiego, na koniec każdego interwału 1′ O.

CG: 20–30′ w ST 5. Staraj się biec stabilnym tempem.

S: 5′ w ST 1.

Dzień 6

R: 15′ w ST 1–2.

CG: Umiarkowanie długi bieg w ST 2–3. Staraj się jak najdłużej utrzymać ST 3. Bieg nie powinien być dłuższy niż 60–70 procent najdłuższego biegu w fazie 1.

S: 5′ w ST 1.

Dzień 7: dzień wolny

R:

CG:

S:

FAZA 2 – TYDZIEŃ 2

Dzień 1

R: 10′ w ST 1–2.

CG: 20–45′ spokojny bieg w ST 2.

S: 5′ w ST 1.

*Dzień 2

R: 10′ w ST 1–2.

CG: 20–45′ spokojny bieg w ST 2.

S: 5′ w ST 1.

Dzień 3

R: 15′ w ST 1–3 + 4 × 30″, rozwijając tempo do umiarkowanie szybkiego, na koniec każdego interwału 1′ O.

CG: 4–5 × 4′ w SS 5 z 4′ O.

S: 5′ w ST 1.

*Dzień 4

R: 5′ w ST 1.

CG: Krótki bieg regeneracyjny w ST 1–2 lub dzień wolny.

S: 5′ w ST 1.

Dzień 5

R: 10′ w ST 1–2.

CG: 15–30′ spokojny bieg w SS 2.

S: 5′ w ST 1.

Dzień 6

R: 30′ w ST 1–3.

CG: 20–40′ bieg po pagórkowatej trasie w strefach ST 3–5 zależnie od terenu. Bieg nie powinien być długi, nie dłuższy niż 60–70 procent najdłuższego biegu w fazie 1. Wydłuż czas biegu w ST 2–3, żeby osiągnąć docelowy czas w danym dniu.

S: 5′ w ST 1.

153

Dzień 7: dzień wolny
R:
CG:
S:

FAZA 2 – TYDZIEŃ 3

Dzień 1
R: 10′ w ST 1–2.
CG: 20–45′ spokojny bieg w ST 2.
S: 5′ w ST 1.

Dzień 2
R: 15′ w ST 1–3 + 4 × 30″, rozwijając tempo do umiarkowanie szybkiego, na koniec każdego interwału 1′ O.
CG: 5–8 x 2′ w SS 7 z 2′ O.
S: 5′ w ST 1.

*Dzień 3
R: 5′ w ST 1.
CG: Krótki bieg regeneracyjny w ST 1–2 lub dzień wolny.
S: 5′ w ST 1.

Dzień 4
R: 15′ w ST 1–3 + 4 × 30″, rozwijając tempo do umiarkowanie szybkiego, na koniec każdego interwału 1′ O.

CG: 2–4 × 6–8′ w ST 6 z 3′ O. W pierwszej minucie do dwóch rozwijaj tętno, potem je podtrzymuj.
S: 5′ w ST 1.

*Dzień 5
R: 10′ w ST 1–2.
CG: 20–40′ spokojny bieg w SS 1.
S: 5′ w ST 1.

Dzień 6
R: 30′ w ST 1–3.
CG: 5 × 1′ szybkie podbiegi z 2–3′ O. Biegnij tempem, które wydaje ci się szybkie. Staraj się je konsekwentnie podtrzymywać. Potem pobiegnij w ST 2–5 pagórkowatą trasą, a na koniec 5 × 1′ szybkie podbiegi z 2–3′ O. Bieg nie powinien być długi, nie dłuższy niż 60–70 procent najdłuższego biegu w fazie 1.
S: 5′ w ST 1.

Dzień 7: dzień wolny
R:
CG:
S:

FAZA 2 – TYDZIEŃ 4

Dzień 1

R: 10′ w ST 1–2.

CG: 20–45′ spokojny bieg w ST 2.

S: 5′ w ST 1.

Dzień 2: dzień wolny

R:

CG:

S:

*Dzień 3

R: 10′ w ST 1–2.

CG: 20–40′ bieg w ST 2–3.

S: 5′ w ST 1.

Dzień 4

R: 10′ w ST 1–2.

CG: 20–40′ spokojny bieg w SS 1.

S: 5′ w ST 1.

Dzień 5: dzień wolny

R:

CG:

S:

Dzień 6

R: 30′ w ST 1–3.

CG: 30–40′ bieg po pagórkowatej trasie w strefach ST 3–5 zależnie od terenu. Bieg nie powinien być długi, nie dłuższy niż 50 procent najdłuższego biegu w fazie 1.

S: 5′ w ST 1.

Dzień 7: dzień wolny

R:

CG:

S:

FAZA 2 – TYDZIEŃ 5

Dzień 1

R: 10′ w ST 1–2.

CG: 20–45′ spokojny bieg w SS 1.

S: 5′ w ST 1.

*Dzień 2

R: 10′ w ST 1–2.

CG: 20–40′ bieg w ST 2–3.

S: 5′ w ST 1.

Dzień 3

R: 15′ w ST 1–3 + 4 × 30″, rozwijając tempo do umiarkowanie szybkiego, na koniec każdego interwału 1′ O.

CG: 4–6 × 3′ w SS 6 z 3′ O.

S: 5′ w ST 1.

*Dzień 4

R: 5′ w ST 1.

CG: Krótki bieg regeneracyjny w ST 1–2 lub dzień wolny.

S: 5′ w ST 1.

Dzień 5

R: 15′ w ST 1–3 + 4 × 30″, rozwijając tempo do umiarkowanie szybkiego, na koniec każdego interwału 1′ O.

CG: 20–40′ w ST 5. Staraj się trzymać stabilne tempo.

S: 5′ w ST 1.

Dzień 6

R: 20–30′ w ST 1–3.

CG: 20–40′ bieg po pagórkowatej trasie w strefach ST 3–5 zależnie od terenu. Bieg nie powinien być długi, nie dłuższy niż 60–70 procent najdłuższego biegu w fazie 1. Wydłuż czas biegu w ST 2–3, żeby osiągnąć docelowy czas w danym dniu.

S: 5′ w ST 1.

Dzień 7: dzień wolny

R:

CG:

S:

FAZA 2 – TYDZIEŃ 6

Dzień 1

R: 10′ w ST 1–2.

CG: 20–40′ bieg w ST 2.

S: 5′ w ST 1.

Dzień 2

R: 15′ w ST 1–3 + 4 × 30″, rozwijając tempo do umiarkowanie szybkiego, na koniec każdego interwału 1′ O.

CG: 5–6 × 4′ w SS 5 z 4′ O.

S: 5′ w ST 1.

*Dzień 3

R: 5′ w ST 1.

CG: Krótki bieg regeneracyjny w ST 1–2 lub dzień wolny.

S: 5′ w ST 1.

Dzień 4

R: 15′ w ST 1–3 + 4 × 30″, rozwijając tempo do umiarkowanie szybkiego, na koniec każdego interwału 1′ O.

CG: 10–20′ spokojny bieg w ST 6.

S: 5′ w ST 1.

*Dzień 5

R: 5′ w ST 1.

CG: Krótki bieg regeneracyjny w ST 1–2 lub dzień wolny.

S: 5′ w ST 1.

Dzień 6

R: 30′ w ST 1–3.

CG: 40–60′ biegu po pagórkowatej trasie. Po pagórkach bieg w ST 4–6. Na zbiegach i po płaskim w ST 1–3. Bieg nie powinien być długi, nie dłuższy niż 60–70 procent najdłuższego biegu w fazie 1.

S: 5′ w ST 1.

Dzień 7: dzień wolny

R:

CG:

S:

FAZA 2 – TYDZIEŃ 7

*Dzień 1

R: 10′ w ST 1–2.

CG: 20–40′ bieg w ST 2.

S: 5′ w ST 1.

Dzień 2

R: 15′ w ST 1–3 + 4 × 30″, rozwijając tempo do umiarkowanie szyb-

kiego, na koniec każdego interwału 1′ O.

CG: 6–10 × 2′ w SS 7 z 2′ O.

S: 5′ w ST 1.

*Dzień 3

R: 5′ w ST 1.

CG: Krótki bieg regeneracyjny w ST 1–2 lub dzień wolny.

S: 5′ w ST 1.

Dzień 4

R: 15′ w ST 1–3 + 4 × 30″, rozwijając tempo do umiarkowanie szybkiego, na koniec każdego interwału 1′ O.

CG: 10–20′ spokojny bieg w ST 6.

S: 5′ w ST 1.

Dzień 5

R: 5′ w ST 1.

CG: Krótki bieg regeneracyjny w ST 1–2.

S: 5′ w ST 1.

Dzień 6

R: 30′ w ST 1–3.

CG: 40–60′ bieg po pagórkowatej trasie. Po pagórkach bieg w ST 4–6. Na zbiegach i po płaskim w ST 1–3. Bieg nie powinien być długi, nie

dłuższy niż 60–70 procent najdłuższego biegu w fazie 1.

S: 5′ w ST 1.

Dzień 7: dzień wolny

R:

CG:

S:

FAZA 2 – TYDZIEŃ 8

Dzień 1

R: 5′ w ST 1.

CG: Krótki bieg regeneracyjny w ST 1
–2.

S: 5′ w ST 1.

Dzień 2: dzień wolny

R:

CG:

S:

Dzień 3

R: 10′ w ST 1–2.

CG: 20–40′ bieg w ST 2.

S: 5′ w ST 1.

Dzień 4

R: 10′ w ST 1–2.

CG: 20–40′ bieg w ST 2.

S: 5′ w ST 1.

Dzień 5: dzień wolny

R:

CG:

S:

Dzień 6

R: 30′ w ST 1–3.

CG: 30–40′ bieg po pagórkowatej trasie
w strefach ST 3–5. Staraj się utrzymywać stabilne tempo w tym tętnie niezależnie od terenu. Bieg nie
powinien być długi, nie dłuższy niż
50–60 procent najdłuższego biegu
w fazie 1.

S: 5′ w ST 1.

Dzień 7: dzień wolny

R:

CG:

S:

FAZA 2 – TYDZIEŃ 9 – NIEOBOWIĄZKOWY TYDZIEŃ TESTOWY

Dzień 1: dzień wolny

R:

CG:

S:

Dzień 2

R: 20–25′ w ST 1–3 + 4 × 30″, rozwijając tempo do umiarkowanie szybkiego, na koniec każdego interwału 1′ O.

TEST: Na bieżni wykonaj test biegu na 1600 metrów (1 milę), który wykonałeś również na początku programu.

S: 5′ w ST 1.

*Dzień 3

R: 5′ w ST 1.

CG: Krótki bieg regeneracyjny w ST 1 –2.

S: 5′ w ST 1.

Dzień 4

R: 10′ w ST 1–2.

CG: 15–20′ bieg w ST 2.

S: 5′ w ST 1.

Dzień 5

R: 15′ w ST 1–3 + 4 × 30″, rozwijając tempo do umiarkowanie szybkiego, na koniec każdego interwału 1′ O.

TEST: Na bieżni wykonaj test 20-minutowego biegu i odpowiednio skoryguj swoje strefy treningowe.

S: 5′ w ST 1.

Dzień 6

R: 5–10′ stopniowo do ST 2.

CG: ST 2–3 stosownie do samopoczucia. Bieg powinien być o 50 procent krótszy od najdłuższego biegu w fazie 1.

S: 5′ w ST 1.

Dzień 7: dzień wolny

R:

CG:

S:

Wskazówki do samodzielnych treningów

Pamiętaj, że program wymaga od ciebie pracy w określonych strefach, a tym samym jest indywidualnie dostosowany do twojego aktualnego poziomu sprawności i umiejętności. Niemniej skonstruowanie programu treningowego uwzględniającego wartości takie jak czas, intensywność, dystans, częstotliwość dla dowolnego biegacza, i początkującego, i doświadczonego, jest jak fizyka kwantowa. Być może w tej chwili nie jesteś gotowy trenować sześć razy w tygodniu. Być może 45 minut biegu pierwszego dnia to dla ciebie za krótko (jeśli jesteś doświadczonym biegaczem), a może za długo (jeśli dopiero zaczynasz). Być może w miarę postępów

159

będziesz chciał zwiększać liczbę treningów w tygodniu.

Wszystkie spostrzeżenia dotyczące swoich umiejętności nie tylko są na miejscu, ale wręcz konieczne. Musisz słuchać swojego ciała i obiektywnie oceniać swoje umiejętności, żeby pokierować swoim rozwojem. W miarę postępów zobaczysz, na co cię stać, i dostosujesz się do dziennej i tygodniowej częstotliwości biegów oraz właściwego dla ciebie poziomu obciążenia, stosownie do twoich umiejętności i czasu, jaki możesz poświęcić na treningi. W trakcie pięciomiesięcznego programu twoje umiejętności się zmienią. Wtedy będziesz mógł wydłużać sesje lub dodawać kolejne.

Oto kilka wskazówek, które pomogą ci kierować swoimi treningami. Ty najlepiej znasz swój organizm i swoje doświadczenie; ty najlepiej wiesz, co musisz zrobić, że osiągnąć swój Niewiarygodny Cel. Pamiętaj o tym, ćwicz świadomość podczas biegu i rób, co uważasz za słuszne.

1. **Rozgrzewka**: Jak najczęściej w ramach rozgrzewki wykonuj ćwiczenia na technikę oraz zestawy ze slantboardem i dyskiem balansującym. To pomoże ci zaangażować mięśnie i podtrzymać regularny trening siłowy stóp przez cały tydzień. W kolejne dni na przemian rób ćwiczenia ze slantboardem i z dyskiem. Możesz je wykonywać przed każdym biegiem, ale nie powinny one zastępować treningu siłowego nóg, jeśli został zaplanowany na dany dzień.

2. **Spokojny bieg**: Pierwszego dnia rozpoczynasz od spokojnego biegu trwającego 20–45 minut (łączny czas treningu razem z rozgrzewką i schładzaniem wynosi 35–60 minut). Jeśli jesteś osobą początkującą, niemającą doświadczenia w bieganiu na długie dystanse, możesz rozpocząć od 15–20 minut spokojnego biegu (łączny czas sesji 30–35 minut). Doświadczony biegacz może rozpocząć od 45–60 minut (łączny czas sesji 60–75 minut). Potem będziesz w stanie biegać coraz dłużej. Zwracaj uwagę na swoje ciało i dostosuj wysiłek do swoich możliwości.

3. **Zarządzanie interwałami**: Na trzeci dzień zaplanowano określoną liczbę interwałów. Osoby początkujące powinny zacząć od najniższej proponowanej liczby, a bardziej doświadczone – od górnego limitu. Słuchaj swojego ciała i wykorzystuj swoją świadomość.

4. **Sześć razy w tygodniu albo mniej (dni z gwiazdką)**: Jeśli jesteś doświadczonym biegaczem, treningi sześć razy w tygodniu zapewne nie są dla ciebie nowo-

ścią. Ale jeśli dopiero zaczynasz biegać, możesz zblednąć na widok zaplanowanych w grafiku sześciu sesji tygodniowo. Prawdą jest, że jeśli naprawdę zaczynasz, prawdopodobnie zabraknie ci siły i wytrzymałości, żeby biegać tak dużo. Nie zaczynaj więc z tego poziomu. Uznaj to za cel, do którego dążysz. Zacznij od 3–4 dni w tygodniu. Z czasem się wzmocnisz i będziesz mógł zwiększyć liczbę treningów w tygodniu. Aby dostosować program treningowy do twoich potrzeb, umieściłem gwiazdki obok sugerowanych nieobowiązkowych dni, które możesz wykluczyć z programu. Gdy będziesz gotowy, możesz stopniowo dodawać je do harmonogramu. Zawsze jednak staraj się trzymać możliwie blisko proponowanej przeze mnie tygodniowej sekwencji oraz rozkładu treningów i poziomu intensywności.

5. **Odpoczynek:** Zapewnij sobie odpoczynek, abyś był w stanie wykonać kolejny bieg interwałowy. Nigdy nie rezygnuj z czasu przewidzianego na regenerację, gdyż jest ona ważna dla całościowego treningu. W razie wątpliwości lepiej jest odpoczywać nieco za dużo niż za mało. Zasadniczo im bardziej intensywny interwał, tym dłuższy

odpoczynek powinieneś sobie zapewnić. Po bardziej intensywnych interwałach pokonaj jeden odcinek w całości marszem lub połącz marsz z lekkim biegiem. Po mniej intensywnych interwałach pobiegnij wolnym, lekkim tempem, pozwalając, żeby twoje tętno spadło do strefy 1–2.

6. **Oddech:** Podczas lekkiego biegu sugeruję oddychanie według schematu wdech–wydech. Gdy zwiększysz intensywność do wysokości progu bólu, zalecam schemat dwa wdechy – jeden wydech. Gdy zbliżysz się do poziomu wysiłku maksymalnego, próbuj robić dwa wdechy i dwa wydechy. Jak zwykle eksperymentuj, żeby zobaczyć, co sprawdza się najlepiej u ciebie.

7. **Opuszczanie dni treningowych:** Zasadniczo polecam swoim podopiecznym, że jeśli muszą opuścić jeden, dwa treningi ze względu na chorobę czy pogodę, powinni je pominąć i kontynuować grafik treningów bez nadrabiania czy zmieniania kolejnych sesji. Jeśli musisz opuścić 3–4 dni w tygodniu lub cały tydzień zostaje zaburzony, przenieś zaplanowane treningi na kolejny tydzień i kontynuuj program.

8. **Bieganie po szlakach:** Biegacze wykonujący dłuższe biegi po szlakach w strefie

tętna 2–3 powinni pamiętać, że utrzymanie stabilnego tętna na pagórkowatym terenie będzie trudne. Podczas wbiegów będziesz pracował zbyt ciężko, a niedostatecznie ciężko na zbiegach. Na szlaku możesz rozszerzyć strefę tętna do 5, żeby utrzymać wysiłek aerobowy, ale na tym poziomie nie będzie to trening idealnie dostosowany do tej strefy tętna. Staraj się w miarę możliwości rezygnować ze wzniesień. Jeśli większość treningów wykonujesz na szlakach, wybiegnij na szosę i pobiegaj trochę po płaskim terenie, żeby zwiększyć szybkość nóg, ekonomię i wytrzymałość aerobową. W czasie fazy 1 pójdź na kompromis, robiąc dłuższe sesje ukierunkowane na spalanie tkanki tłuszczowej na drodze i lekkie przebieżki na szlakach, aby odnieść jak największą korzyść. Pagórkowate trasy zachowaj na treningi, które wymagają pracy w wyższej strefie tętna.

Samodzielne pomiary tętna

Dzięki nowoczesnemu pulsometrowi w zegarku będziesz w stanie samodzielnie śledzić reakcje swojego organizmu na trening. Zwróć uwagę na parametry opisanej poniżej. To należy do obszaru świadomości. Podczas wykonywania programów treningowych twoją uwagę powinny zwrócić następujące obserwacje:

- Jeśli twoje tętno jest niższe niż zwykle i masz poczucie, że wyjątkowo się męczysz, prawdopodobnie ma to związek ze zmęczeniem nóg, które potrzebują nieco odpoczynku i regeneracji. Zwolnij bieg lub zakończ trening tego dnia.
- Jeśli twoje tętno jest niższe niż zwykle, a ty nie jesteś w stanie go podnieść nawet poprzez zwiększenie intensywności treningu, prawdopodobnie brakuje ci paliwa. Zjedz coś, a powinieneś zauważyć poprawę.
- Wysoka temperatura wpływa na tętno i szybkość. Odpowiednio dostosuj trening. Zwolnij, zmniejsz intensywność albo przyjmij, że twoje tętno będzie wyższe niż zwykle pomimo mniejszego wysiłku.
- Również bardzo niska temperatura wpływa na tętno, obniżając je o 5–7 uderzeń w stosunku do średniej. Nie zwiększaj wysiłku, żeby podwyższyć tętno. W zimne dni ma prawo być niższe.
- Co tydzień mierz tętno spoczynkowe. Rób to z samego rana, po przebudzeniu i przed wyjściem z łóżka. Pomiar powinien trwać 2–5 minut. Im niższe tętno, tym lepiej. Zobacz, czy w trak-

cie programu treningowego stwierdzisz poprawę.

ŚWIADOMOŚĆ FUNDAMENTU

No dobrze, udało nam się okrążyć Phelps Lake, a ty wiesz już niemal wszystko o strategicznym fundamencie biegowym. Opisałem najważniejsze elementy swojego programu, więc możesz zacząć działać.

Spójrz jeszcze raz na krystalicznie czystą wodę w jeziorze. A teraz wróćmy na początek szlaku. Czekaj – po twojej lewej! Za drzewami. Czarny niedźwiadek. Śliczny, prawda? Lepiej chodźmy stąd szybko. Jego mama na pewno jest niedaleko. Dobrze, że to nie mały grizzly. To nie byłoby miłe spotkanie... Teraz przejdziemy kawałek marszem. Chcę udzielić ci jeszcze jednej, ostatniej rady.

Gdy będziesz realizował nasz program treningowy, chciałbym, żebyś świadomie zwracał uwagę na to, co się dzieje z twoim ciałem. Patrz, czy twoje mięśnie pracują intensywnie, a twój oddech jest przyspieszony, czy też jesteś zrelaksowany. Zastanów się, jak czujesz się w każdej strefie treningowej. Staraj się świadomie rejestrować reakcje swojego ciała na każdy kolejny etap programu.

Być może należysz do ludzi, którzy podczas biegu lubią odpłynąć myślami, posłuchać muzyki i pomarzyć. Nie ma w tym nic złego – możesz sobie marzyć i relaksować się, ale to nie będzie przeszkadzało ci zwracać uwagi na swoje odczucia. Możesz nawet odkryć, że koncentrowanie się na tym, co dzieje się z twoim ciałem, na obserwacji oddechu, tętna, kadencji, techniki i siły w nogach, jest równie wyzwalające co bujanie w obłokach. Taka świadomość to prawdziwe oblicze sprawności fizycznej. Gdy ją opanujesz, będziesz w stanie samodzielnie kierować swoimi treningami. Będziesz wiedział, kiedy powinieneś się zmusić do wysiłku, a kiedy powinieneś odpuścić, a także jak intensywnie i długo powinieneś danego dnia trenować. Będziesz także umiał diagnozować najróżniejsze dolegliwości, bóle i objawy zmęczenia. Podczas zawodów ta świadomość pozwoli ci odpowiednio dobierać tempo i ocenić, ile energii zostało ci do ostatniego przyspieszenia na finiszu.

Dzięki świadomej postawie podczas treningów poznasz możliwości swojego ciała – i bardziej mu zaufasz. Żaden cel nie będzie już wydawał ci się nieosiągalny. Będziesz wiedział, że jesteś dobry i że możesz być jeszcze lepszy.

163

ROZDZIAŁ 6

DOBRA DIETA, DOBRY BIEG

Dziś zjemy razem lunch w jednej z moich ulubionych knajpek – Lotus Café. To prawdziwy raj dla miłośników żywności organicznej, doskonale oddaje ogólny klimat panujący w Jackson Hole.

Wyglądasz na wypoczętego. Dobrze było zrobić sobie rano wolne, wyspać się i zrelaksować, prawda? Pamiętaj, że równie ważne jest, by z jednakową świadomością traktować swoje ciało poza treningiem, jak i podczas niego. A w szczególności dotyczy to sposobu, w jaki się odżywiamy. Stare powiedzenie, żeby jeść wszystko z umiarem, daje moim zdaniem tylko mierne efekty. Poprawa kondycji jest pewnym wyborem i tylko konsekwentne podejmowanie dobrych wyborów w żywieniu zapewnia szczytową formę.

Indianie Tarahumara dbają o właściwą dietę, a my możemy się od nich wiele nauczyć. Podczas mojego pierwszego dnia z tym plemieniem biegaczy, gdy wyruszyliśmy na blisko 50-kilometrową trasę do miasteczka Urique, zauważyłem, że Indianie nie mają ze sobą żadnych plecaków z prowiantem ani zestawów nawadniających. Po prostu maszerowali przed siebie, smukli i pełni werwy, pokonując kolejne kilometry. W połowie drogi Manuel, nasz przewodnik, dał sygnał do przerwy na odpoczynek. Ja i inni Amerykanie rzuciliśmy się na batoniki energetyczne, piliśmy wodę przez rurki podłączone do naszych plecaków i pochłanialiśmy różne inne przekąski, które zabraliśmy ze sobą na drogę. Indianie nie jedli nic.

W pewnym momencie Manuel obrócił się w naszą stronę i uśmiechnął. Potem spod przepaski na biodrach wyjął torebkę pinole (odżywcza gęsta pasta z mielonej prażonej kukurydzy) i domowe tortille. Wyglądał jak magik, który wyciąga z kapelusza króliki. Siedząc na skalistej grani z widokiem na kanion, zjadł szybką prostą przekąskę, bogatą w węglowodany i idealnie nadającą się do czekającego nas wysiłku. Wszyscy, w tym ja, dyskretnie śledzili każdy jego kęs.

Kukurydza, fasola, orzechy, kabaczek, papryczki chili, dzikie rośliny jadalne, nasiona chia, czasem mięso kozy, kurczaka lub ryba – oto główne składniki diety Indian Tarahumara. Nie potrzebują niczego więcej, żeby podołać swoim morderczym maratonom. Powiedziałbym nawet, że ten sposób odżywiania w znaczący sposób przyczynia się do ich zadziwiającej wytrzymałości.

Czy to znaczy, że powinieneś jeść to samo co oni? Nie do końca. Uważam, że dieta Indian z Miedzianego Kanionu jest dobrym, ale nie jedynym przykładem tego, jak ludzie powinni – moim zdaniem – się odżywiać.

Brzmi rewolucyjne? Nie całkiem. Dobra dieta nie jest skomplikowana. Od stuleci Indianie Tarahumara spożywają proste, mało urozmaicone posiłki, o niskiej zawartości cukru i cholesterolu, za to bogate w błonnik, węglowodany złożone, witaminy i inne składniki odżywcze.

Jeśli chodzi o urozmaicenie jedzenia, chyba wszyscy skorzystalibyśmy na życiu w odciętym od świata kanionie, gdzie moglibyśmy jeść tylko to, co sami sobie wyhodujemy. Tymczasem żyjemy w społeczeństwie zalewanym bogatą ofertą artykułów spożywczych, w większości przetworzonych, przesłodzonych i w zbyt dużych opakowaniach.

Chyba słyszysz, jak uderzam pięścią w stół?

To, jak się odżywiamy, zależy tylko od nas. Wiadomo, co jest dla nas dobre: proste, naturalne, pełnowartościowe jedzenie. Wyzwaniem jest zdecydować się na taki sposób odżywiania, uczynić z niego swój nawyk, wytrwać w decyzji. Do tego potrzebna jest dyscyplina, koncentracja, świadomość.

Nie chcę zrzędzić, ale wielu ludzi deklaruje, że chcą być zdrowi, sprawni, szczupli, wysportowani i pozbawieni tkanki tłuszczowej, ale tak naprawdę nie chcą nic zrobić w tym kierunku. Twoje postępowanie powinno być dopasowane do twoich celów. Nie możesz oczekiwać, że ukończysz trzygodzinny maraton, jeśli w tygodniu przebiegasz w sumie 30 kilometrów. To samo dotyczy zdrowej diety; naprawdę korzystna

165

jest tylko wtedy, gdy konsekwentnie jej przestrzegamy. Staraj się cały czas jeść zdrowo, a gwarantuję, że efekty takiej diety będą wymierne. Będziesz mieć więcej energii, nieotłuszczone mięśnie, napiętą skórę, lepszą wydolność. Będziesz prowadzić zdrowsze, lepszej jakości życie.

Dyscyplina nie jest sztuką dla sztuki. Dyscyplina sprawia, że dobrze czujemy się sami ze sobą, a to mobilizuje nas do dalszych działań. Paradoksalnie w ostatecznym rozrachunku to właśnie przyjemność i wygoda, które tak bardzo boimy się utracić, są głównym powodem naszych frustracji.

Teraz przyjrzyjmy się karcie dań w Lotus Café. Zobacz, czy któraś potrawa wygląda jak coś, co mogliby zjeść Indianie Tarahumara. Za chwilę zrobię ci miniwykład na temat zdrowego żywienia, omawiając zarówno jedzenie na co dzień, jak i podczas treningów czy wyścigów.

Jedna ostatnia uwaga, zanim podejdzie do nas kelnerka, żeby przyjąć zamówienie. Nie dostaniesz ode mnie listy jasnych, kategorycznych zasad. Nie na tym polega moja rola, a zresztą nie uważam, żeby tego rodzaju zakazy i nakazy były skuteczne. Właściwa dieta jest w znacznej mierze kwestią nastawienia, świadomej decyzji, którą musisz podjąć. Możesz zdecydować,

jak chcesz się odżywiać i na jak duże poświęcenie jesteś gotów, żeby ulepszyć swój codzienny jadłospis, tak jak robisz to w wypadku treningów. Im lepiej się odżywiasz, tym lepiej się czujesz i tym lepiej biegasz. Dieta ma efekt kumulacyjny, podobnie jak dobra technika i kondycja.

Opracowałem moim zdaniem znakomite wskazówki, które dadzą ci pewną swobodę dokonania zmian w swoim życiu. Na tym polega moja rola twojego trenera.

CODZIENNA DIETA

Nie jestem lekarzem i nie mam dyplomu z żywienia człowieka. Moja wiedza o tym, jak i co powinniśmy jeść, żeby osiągać lepsze wyniki sportowe i poprawić swoją jakość życia, pochodzi z różnych kursów, współpracy z uczelniami, własnych obserwacji i przeżyć, a także doświadczeń sportowców, których miałem okazję trenować. Z tych źródeł nauczyłem się, że każdy może czuć się i biegać lepiej, jeśli stosuje tę samą prostą dietę. Oczywiście są osoby cierpiące na choroby, które wymagają przestrzegania specjalnych zaleceń dietetycznych, ale tak jak w wypadku treningów uważam, że większość z nas jest do siebie podobna i potrzebuje nieskomplikowanych odżywczych posiłków. Myślę, że moje wskazówki w przeważającej mierze opierają się po prostu na zdrowym rozsądku.

Zobacz, co zamówiłem dziś w Lotus Café. Spędziliśmy już razem kilka dni, więc pewnie nie jesteś zaskoczony, widząc kolejną sałatkę. To moja ulubiona: gotowany na parze brązowy kokosowy ryż basmati, brokuły sautée, czerwona papryka, cukinia, czerwona cebula, szpinak i marchewka, z dodatkiem świeżego mango i mięsa bawołu. Nie liczę kalorii i nie analizuję swoich posiłków pod kątem procentowej zawartości węglowodanów, tłuszczów czy białek. Polegam na ogólnym wrażeniu.

A ta potrawa budzi u mnie takie wrażenie. Po pierwsze, dużo ekologicznych warzyw i owoców. Tego rodzaju węglowodanów nigdy za dużo. Węglowodany i tłuszcze są naszym podstawowym źródłem energii, uwalnianej albo od razu, albo z opóźnieniem. Wspierają funkcjonowanie mięśni, nerek, mózgu i układu nerwowego, a w połączeniu z błonnikiem przyspieszają pracę układu pokarmowego. Nie przesłyszałeś się – chodzi o węglowodany. Zapomnij o wszystkich dietach, które je eliminują. Dbaj tylko o to, żeby dostarczać je swojemu organizmowi w formie warzyw i owoców, a nie żywności przetworzonej. To muszą być węglo-

wodany zawarte w naturalnym pełnowartościowym jedzeniu. Potrzebujemy witamin i wszystkich minerałów zawartych w produktach roślinnych.

Co to znaczy? Jeśli masz ochotę na burrito, najlepiej zjedz samo nadzienie. Jasny makaron to przetworzona pszenica, nie jest więc zbyt zdrowy, podobnie jak biały chleb. Zamiast niego wybieraj makarony i chleby pełnoziarniste, a najlepiej w ogóle zrezygnuj z pieczywa. Pamiętaj, nie chodzi o wyeliminowanie z diety wszystkich węglowodanów, a jedynie tych niewłaściwych.

Po drugie, białko. Staram się, żeby każdy mój posiłek zawierał białko pochodzenia roślinnego lub chude mięso bądź ryby. Zwykle jednak jest to porcja mniej więcej wielkości mojej dłoni. Chude mięso bawołu w sałatce odpowiada tym kryteriom.

Białko bierze udział w tworzeniu i regeneracji tkanek. Jest budulcem mięśni, a jeśli przestrzegasz mojego programu treningowego, możesz być pewien, że rozbudujesz mięśnie właściwe. W miarę możliwości wybieram wyłącznie ekologiczne mięso zwierząt z wolnej hodowli lub świeżo złowione ryby. Staram się jeść to, co naturalne, tak jak Indianie Tarahumara (choć nie przekonują mnie ich techniki rybackie, do których należy wrzucanie

167

do wody materiałów wybuchowych w celu ogłuszenia i szybkiego wyłowienia dużych ilości ryb).

Wreszcie, tłuszcze. Jak zauważyłeś, zrezygnowałem dziś z awokado, choć je uwielbiam, tak jak orzechy. Ale mięso bawołu zawiera już trochę tłuszczu, a warzywa zostały prawdopodobnie obsmażone na oleju, a nawet jeśli nie, to do sałatki dodano kokos i pyszny dressing na bazie oleju z pestek winogron. Bynajmniej nie jest to więc danie beztłuszczowe – i dobrze. Tłuszcze niesłusznie mają złą renomę. Wspomagają przyswajanie witamin, chronią ważne narządy, a także zapewniają energię i uczucie sytości, stanowią więc ważny składnik odżywczy. Najlepsze są te ze źródeł naturalnych – orzechy, awokado. Powinniśmy jednak spożywać je w umiarze. Zwracaj uwagę na zawartość tłuszczu w posiłku, zanim dodasz jego dodatkową porcję. Moja sałatka zawiera go dostatecznie dużo, nie muszę więc wzbogacać jej o awokado ani orzechy.

Jeśli nie lubisz odmierzania na oko i wolisz opierać się na liczbach, podam ci przydatny przelicznik. Badania wykazały, że zawartość poszczególnych składników w diecie Tarahumara jest następująca: 80 procent węglowodanów, 10 procent białka i 10 procent tłuszczu. Nie przywią-

zuj się jednak zbytnio do tych wskaźników i nie marnuj czasu na liczenie kalorii. Nie ulegaj też najnowszych trendom, takim jak dieta wegańska, wegetariańska czy paleo. Wiem, że to kwestia indywidualnego wyboru, ale dla mnie tego rodzaju etykiety niepotrzebnie ograniczają naszą otwartość na poznawanie nowych smaków, eksperymentowanie i próbowanie różnych potraw. Ja jednego dnia jestem wegetarianinem, innego dnia jem mięso i jaja.

Zamiast zajmować się węglowodanami, tłuszczami, białkiem, kaloriami i trendami w żywieniu, wolę podkreślić znaczenie jakości spożywanych produktów. Wszyscy wiemy, że nasze ciała potrzebują paliwa. Posługując się znaną analogią do samochodu, możemy powiedzieć, że rodzaj paliwa nalewanego do baku, jakim jest nasz organizm, w znaczący sposób wpływa na nasze wyczyny sportowe. W naszym ciele nieustannie toczy się proces odbudowy komórek, więc to, co jemy, wpływa na wszystkie jego części. Zastanów się nad tym przez chwilę. Możesz zatankować niskiej jakości, tanią benzynę. Bak to wytrzyma. Samochód ruszy z miejsca, ale będzie opieszały i niemal na pewno szybciej zacznie się psuć. Jeśli jednak nalejesz do baku benzynę wysokooktanową, silnik zaszumi dynamicznie, a ty odjedziesz z impetem. Ziuuu!

CO ERIC JE NA CO DZIEŃ

Aby nieco przybliżyć ci ideę zdrowego odżywiania się, opiszę teraz, jak wygląda moja codzienna dieta. Możesz skorzystać z moich pomysłów, ale pamiętaj, że nie jestem wielkim zwolennikiem rygorystycznie sformułowanych jadłospisów. Wolę mieć w domu zapas świeżych produktów, trochę poszatkowanych warzyw, garść przypraw i po prostu improwizować. W naszej rodzinie to ja zajmuję się gotowaniem i proste rozwiązania pozwalają mi bez trudu przyrządzać naturalne i zdrowe posiłki. Jedzenie postrzegam głównie jako paliwo dla organizmu i z tej perspektywy podejmuję codzienne wybory żywieniowe.

Śniadanie: Pierwsze, co robię z rana, to wypijam podwójne espresso. Kawa pozwala mi się obudzić i jest częścią mojego porannego rytuału – siadam na tarasie i patrzę na góry, rozmyślając, wyobrażając sobie swój Niewiarygodny Cel i planując swój trening. Zwykle pierwszy posiłek zjadam dopiero po kilku godzinach od wstania z łóżka. Traktuję to jako swego rodzaju post, który zwiększa moją koncentrację. Gdy już zasiadam do śniadania, na ogół składa się ono z kilku jajek sadzonych na tortilli z mąki kukurydzianej z awokado. Do tego banan lub melon. Czasami zamiast jajek sadzonych robię omlet z różnymi dodatkami (szpinak, jarmuż, pomidory) lub smoothie z mrożonych owoców, orzechów nerkowca i nasion chia.

Lunch: Resztki. Uwielbiam dojadać resztki z poprzedniego dnia, zwłaszcza na lunch. To znacznie upraszcza mi życie i przyspiesza przygotowanie posiłku. Zwykle jest to stek z łososia lub bawołu, który został mi z kolacji. W misce mieszam awokado i oliwki, dodaję trochę świeżego szpinaku i już mam gotową sałatkę. Albo zawijam wybrane składniki w tortillę posmarowaną humusem i robię coś na kształt taco. Na deser zjadam trochę owoców.

Paliwo przed biegiem: Jeśli biegam rano, do naładowania akumulatorów wykorzystuję śniadanie. Jeśli czeka mnie dłuższy bieg, oprócz omletu jem bataty i owoce lub porcję owsianki, w zależności od długości i trudności sesji. Przed krótszym biegiem wystarcza mi smoothie. Jeśli zaplanowałem trening wczesnym popołudniem, staram się wyruszyć na szlak mniej więcej godzinę po lunchu, który komponuję tak, aby dostarczyć organizmowi odpowiednią dawkę paliwa. Jeśli trenuję później, 30–40 minut przed biegiem zjadam niewielką przekąskę, zwykle kromkę pełnoziarnistego pieczywa z masłem migdałowym i nasionami chia albo przepyszny smoothie z ich dodatkiem.

Kolacja: Jak już wiesz, niezależnie od tego, czy jem w domu, czy na mieście, stawiam przede wszystkim na sałatki. Najbardziej lubię szpinak i jarmuż. Są one pełne składników odżywczych. Moja ulubiona sałatka, którą przygotowuję samodzielnie, składa się z podsmażanego tuńczyka ze szpinakiem i górą surowych warzyw: czerwoną papryką, ogórkami i pomidorami. Szczypta soli, awokado, trochę oliwy z oliwek i już mam gotowy pełnowartościowy posiłek. Lubię także łososia z batatami i szparagami.

Przekąski: Nie jem zbyt wielu przekąsek poza tymi, które są mi potrzebne do treningów. Jeśli jestem głodny, przygotowuję cały posiłek albo przynajmniej smoothie.

Woda i herbaty ziołowe: Nie pijam napojów gazowanych i rzadko można mnie zobaczyć z jakimś napojem sportowym. Poza porannym espresso cały dzień piję tylko wodę. Wieczorem parzę kubek ziołowej herbaty, żeby zrelaksować się przed snem. ■

Musisz zdecydować, czy jesteś gotowy podjąć ten wysiłek i dostarczać swojemu organizmowi wyłącznie najlepszej jakości paliwo. Początkowo możesz mieć poczucie, że to wielkie poświęcenie i żmudny obowiązek. Ale im lepiej będziesz się odżywiał, tym lepiej będziesz się czuł, zarówno fizycznie, jak i psychicznie, i tym większą będziesz odczuwał potrzebę spożywania dobrej jakości posiłków. Dokonując dobrego wyboru, rozpoczniesz cykl, który ułatwi ci podtrzymanie zdrowej diety. Dość szybko ją polubisz.

ZMORA SKLEPOWYCH PÓŁEK

Na początku wprowadzenie w życie planu zdrowego żywienia nie będzie proste.

Zaraz zastanowimy się dlaczego, ale najpierw skończ jeść. Teraz chodź ze mną. Zrobimy sobie krótką wycieczkę na drugi koniec Jackson, do dużego supermarketu spożywczego. Jego nazwa nie ma znaczenia. Większość sklepów tego typu jest taka sama, więc w twojej rodzinnej miejscowości nie mogą być inne.

Wchodzimy przez rozsuwane drzwi. Kto by się wysilał i otwierał je samodzielnie? Zależy nam przede wszystkim na wygodzie. Sklepy spożywcze właśnie to robią: sprawiają, że złe decyzje stają się bardzo wygodne. Przejdźmy się alejkami. Zauważ, że pełnowartościowe jedzenie – świeże warzywa, owoce, mięsa i ryby – są zlokalizowane na obrzeżach. W porównaniu do powierzchni, jaką zajmują wszystkie inne produkty, są to stanowiska niemal miniaturowe. W sercu sklepu, alejka za alejką, regał za regałem, znajdziesz półki wypełnione przetworzoną, konserwowaną i sztucznie wyprodukowaną „żywnością".

Chodźmy do działu z płatkami śniadaniowymi. Weź do ręki któreś z kolorowych opakowań. Spójrz na etykiety. Teraz przejdźmy dalej, do sekcji noszącej nazwę „zdrowa żywność". Na wszystkich opakowaniach znajdziesz duże ilości składnika, który uważam za największy, najbardziej rozpowszechniony i najbardziej podstępny środek uzależniający naszych czasów: cukier. W mojej opinii – którą podziela wiele osób – cukier stał się przyczyną uzależnienia, które niewiele różni się od nałogu alkoholowego czy nikotynowego. Wiąże się z podobnym uczuciem łaknienia i ma równie zgubne skutki. Wysoka zawartość fruktozy, syropu kukurydzianego i sacharozy (z buraków lub trzciny cukrowej) w jedzeniu i napojach stanowi tylko część problemu.

Większość produktów w tym sklepie, od płatków śniadaniowych poprzez pieczywo, makarony, sosy, przekąski aż po dania gotowe, zawiera duże ilości cukru. Możesz się zdziwić, że w aż tak wielu miejscach czyha na nas ten demon. Chcesz kupić jogurt? Sprawdź etykietę i przygotuj się na szok. Błyskawiczna

owsianka? Tak, tu też. Nawet pakowane bajgle nie są od niego wolne.

Przesycone cukrem produkty są szkodliwe z trzech powodów. Po pierwsze, duże ilości cukru są trudne do przetworzenia dla naszego organizmu. Niektórzy twierdzą, że wysokie dawki fruktozy są wręcz toksyczne. Po drugie, żywność tego typu dostarcza pustych, pozbawionych składników odżywczych kalorii. Zapychasz się cukrem i nie masz już miejsca ani ochoty na jedzenie będące źródłem witamin, minerałów i przeciwutleniaczy, które jest dużo zdrowsze. Po trzecie, produkty te uzależniają i prowadzą do przejedzenia. Im więcej jesz cukru, tym większą masz na niego ochotę.

Jeśli spożywasz dużo żywności przetworzonej, możesz nawet nie zdawać sobie sprawy ze swojego uzależnienia od cukru, ale jeśli nie możesz się obejść bez słodyczy, na pewno wiesz, co jest grane. Ja wiedziałem. Cukier jest przemycany w tak wielu produktach, że nie wystarczy zrezygnować z ciastek i batoników. Pora na pierwszy krok w kierunku zmiany twoich przyzwyczajeń żywieniowych.

Chodź. Weźmiemy koszyk i zrobimy zakupy, a ja w tym czasie wytłumaczę ci kilka prostych zasad. Nie dziw się, jeśli sprzedawca albo pracownik sklepu pomacha do nas z oddali. Przychodzę tu dwa, trzy razy w tygodniu. To pozwala mi planować posiłki, uzupełniać zapasy świeżego jedzenia i produktów przetworzonych o niskiej lub zerowej zawartości cukru.

20-DNIOWY ODWYK CUKROWY

Jako sportowiec i trener zawsze szukam nowych źródeł przewagi, próbuję nowych rzeczy, patrzę, co pomaga mi poprawić wyniki i przejść na kolejny, wyższy poziom. Przeprowadzka do Jackson Hole wyrwała mnie z rutyny. Postanowiłem sięgnąć po skrajne środki i zobaczyć, jakie mogą być faktyczne korzyści stosowania zdrowej diety. Jako trener lubię wchodzić w rolę królika doświadczalnego i testować na sobie nowe metody. W ramach eksperymentu postanowiłem więc całkowicie wykluczyć cukier ze swojej diety, poza cukrem zawartym w owocach. Była to eliminacja niemal absolutna. Pamiętaj, że wcześniej i tak odżywiałem się stosunkowo zdrowo. Nie jadłem wyłącznie słodyczy. Ale nigdy wcześniej nie zwracałem uwagi na cukier ukryty, przemycany w różnych, pozornie bezpiecznych artykułach spożywczych. Teraz postanowiłem

go wytropić i wyeliminować ze swojego jadłospisu.

Napady łaknienia pojawiały się i mijały; czasami chęć pochłonięcia granoli z jogurtem była trudna do opanowania. Ale starałem się być świadomy tych zachcianek i je przeczekiwać. Prędzej czy później przestajemy je mieć. Trzeba tylko dać sobie czas. Po kilku tygodniach ustały na dobre. (Niektórzy mówili mi, że u nich nastąpiło to już po kilku dniach od rozpoczęcia odwyku). Zgubiłem wtedy ponad dwa kilogramy. Zawsze byłem szczupły, ale schudłem jeszcze bardziej. Nie czułem się jednak wygłodzony. Wręcz przeciwnie, po posiłkach czułem się bardziej syty. Miałem więcej energii. Po trzech tygodniach cukrowego odwyku byłem w stanie wbiec na szczyt Snow King w czasie o 5 minut krótszym przy takim samym wysiłku. Słowem, byłem zachwycony. Moja ogólna sprawność zdecydowanie się poprawiła. W krótkim czasie moje ciało przeszło transformację, która normalnie wymagałaby wielu miesięcy treningów.

Przekonałem cię? Jeśli chcesz osiągnąć taki efekt, stawiam ci wyzwanie: 20-dniowy odwyk cukrowy. Dobrym momentem, żeby go przeprowadzić, jest faza przejściowa/reaktywacyjna programu treningowego. Będziesz miał wówczas najniższy poziom energii, ale przy odpowiedniej motywacji na pewno ci się uda. Twój cel jest prosty: żadnego cukru oprócz występującego naturalnie w owocach. Sprawdzaj etykiety na wszystkich spożywanych artykułach. Pod węglowodanami podawana jest zwykle zawartość cukrów. Musi wynosić zero. Pozostałe składniki diety powinny pozostać bez zmian.

Dlaczego skłaniam cię do tak radykalnych kroków? Stracisz na wadze, ale to nie jest mój główny cel, choć dla niektórych osób kilka kilogramów mniej będzie pewnie korzyścią samą w sobie. Przede wszystkim chcę, żebyś uświadomił sobie, jak się odżywiasz i jak wpływa to na twoją sprawność fizyczną i umysłową. To fundament, na którym będziemy dalej budować twoją sprawność.

Podobnie jak przy kładzeniu wszystkich fundamentów czeka nas ciężka praca. Odwyk nie będzie łatwy. Być może, jak wiele osób, uważasz, że wcale nie jesz dużo cukru. Podejmij moje wyzwanie, a przekonasz się, jak jest naprawdę. Nawet jeśli starasz się zdrowo odżywiać, unikanie tego małego intruza wcale nie jest proste. Może się więc okazać, że tak naprawdę w ciągu dnia spożywasz spore jego ilości. W pierwszym tygodniu będzie ci go prawdopodobnie brakować. Możesz

mieć też trudności ze skomponowaniem bezcukrowych posiłków. Będziesz jednocześnie poirytowany, ospały i marudny. Miła wizja, co nie?

Oto kilka wskazówek, jak sobie z tym poradzić: pij dużo wody i zawsze miej pod ręką zdrowe przekąski, takie jak seler, marchewka, orzechy czy suszone owoce. Jedz dużo sałatek. Wybierz się do baru koktajlowego lub przyrządzaj koktajle w domu (ale tylko ze świeżych warzyw i owoców – nie przetworzonych! Nie dodawaj słodzonego jogurtu). Często się waż, obserwuj, jak to, co jesz, wpływa na twoją wagę i samopoczucie. Zachęć do odwyku rodzinę i przyjaciół (a najlepiej wszystkich dookoła!), dzięki temu nie stracisz motywacji i będziesz podążał dobrą drogą. Jedz proste, powtarzalne posiłki; pomogą ci uporządkować i utrzymać dietę.

Po tygodniu będzie łatwiej. Miną napady łaknienia. Po dwóch tygodniach zaczniesz się czuć i wyglądać zdrowiej. Zauważysz u siebie więcej energii i poprawę koncentracji. Ciesz się tym rezultatem.

Staraj się rejestrować wszystkie dobre i negatywne odczucia, gorsze lub lepsze samopoczucie, słowem, wszystkie reakcje twojego ciała i umysłu na odwyk cukrowy. Świadomość ma kolosalne znaczenie.

173

Bądź świadomy tego, co jesz i jak dłuższy brak cukru w jadłospisie wpływa na twój organizm. To klucz do sukcesu i ukończenia odwyku – i główny powód, dla którego powinieneś podjąć to wyzwanie.

ŻADNEGO UMIARU: DIETA 95/5

Wyprawa do supermarketu pozwoli ci zrozumieć, jakie artykuły powinieneś mieć w domu, żeby przyrządzać zdrowe posiłki. Sam przestrzegam wszystkich zaleceń, których udzielam swoim podopiecznym. I nie uznaję półśrodków. Ale pozwól, że doprecyzuję: mówiąc o umiarze w odniesieniu do diety, nie mam na myśli kontrolowania wielkości porcji. Jeśli odżywiasz się zdrowo, zwracasz uwagę na jakość posiłków, to wielkość porcji raczej nie jest problemem. Chodzi mi raczej o ogólne wybory żywieniowe.

Zajrzyj do mojego koszyka na zakupy. Zaobserwuj, po jakie artykuły sięgam, spacerując sklepowymi alejkami. To znaczy tymi na obrzeżach sklepu, gdzie znajdują się świeże produkty. W centralnej części sklepu nie zabawimy zbyt długo. Czyha tam zbyt wiele pokus, zbyt wiele ukrytych źródeł cukru.

Gdy będziemy przechadzać się po dziale warzyw i owoców – napełniając koszyk świeżym szpinakiem, jarmużem, jabłkami, bananami, kapustą, melonami, brokułami, batatami, awokado, czerwoną papryką, kabaczkami i dojrzałymi owocami sezonowymi – wybiegnijmy myślami naprzód do tego, co wydarzy się po zakończeniu twojego 20-dniowego odwyku.

Chcę, żebyś usiadł i zastanowił się nad tym, jak się czujesz. Dokonałeś czegoś dość ekstremalnego. Zakładam jednak, że czujesz się rewelacyjnie. Schudłeś. Na dźwięk budzika zrywasz się z łóżka, a wieczorami jesteś mniej zmęczony. Twoja cera wygląda świeżo. Pomijając wszystkie aspekty fizyczne, zakładam, że jesteś przede wszystkim ogromnie dumny z siebie. Zrobiłeś coś trudnego. Udało ci się zrealizować plan do końca i uwolnić się od cukru. Zacząłeś formułować nową filozofię żywieniową i wytrwałeś w niej. Konsekwencja i dyscyplina sprawiają, że jesteś zadowolony z siebie i ze swoich decyzji.

Zastanów się więc, jak czułbyś się, gdybyś zredukował ilość cukru w jadłospisie zaledwie odrobinę. Na przykład postanowił wyeliminować go tylko ze śniadania albo tylko z kolacji. Czy my-

174

ślisz, że czułbyś się lepiej? Może trochę, ale zmiana nie byłaby aż tak wyraźna. Nie byłbyś tak silnie przekonany, że kroczysz we właściwym kierunku. Dlatego twierdzę, że umiar daje mierne wyniki. Jeśli nie spróbujemy dosięgnąć gwiazd, prawdopodobnie nawet nie odbijemy się od ziemi.

Zresztą prawda jest taka, że niezależnie od tego, jak bardzo starasz się wykluczyć cukier z diety, raczej nie uda ci się go wyeliminować więcej niż 95 procent. Nie zniechęcaj się. Uważam, że dieta składająca się w 95 procentach z naturalnych, prostych posiłków i w 5 procentach z dowolnych zachcianek jest i tak fantastyczna. Jeśli przez 95 procent czasu będziesz się odżywiał zdrowo, to będzie właśnie tak, jakbyś dosięgnął gwiazd. Nie jestem mnichem, który chce ci zabronić wszelkich ziemskich uciech. Sam lubię zimne piwo Newcastle i ciasteczka z czekoladą. Ale one stanowią tylko 5 procent mojego jadłospisu. Nie znaczy to, że staram się jeść je z umiarem. To znaczy, że niemal zupełnie z nich rezygnuję. Takie podejście wystarczy, żeby zobaczyć namacalną, przekonującą różnicę w swoim samopoczuciu.

Powtarzam: chcę, żebyś czuł się jak najlepiej. Dieta 95/5 ci to zagwarantuje.

20-DNIOWY ODWYK OD ŻYWNOŚCI PRZETWORZONEJ

Nasze zakupy prawie dobiegły końca. Mam wszystko, czego potrzebuję na kilka następnych dni. Paczka pięćdziesięciu kukurydzianych tortilli bez nadzienia. Świeży tuńczyk ahi i dziki łosoś. Na stoisku mięsnym trochę poszaleliśmy, prawda? Uwielbiam miejscową dziczyznę. Chude mięso łosia świetnie wychodzi na grillu. Zrobiliśmy zapasy jajek, mrożonych poziomek i jagód (pamiętaj, bez dodatku cukru!) oraz sprzedawanych na wagę migdałów i orzechów nerkowca. Na chwilę zajrzeliśmy do jednej ze środkowych alejek, dokładając do koszyka oliwki, fasolę i pomidory w puszce.

Prawie zapomniałem! Musimy jeszcze zajrzeć do działu z przyprawami. To niezbędny dodatek do każdej potrawy. Trochę tymianku, bazylii, rozmarynu, chili. Aha, przy okazji podaj mi butelkę salsy; można nią doskonale doprawić każde danie, a niektóre marki oferują wersję bezcukrową.

Stojąc w kolejce do kasy, a potem ładując zakupy do samochodu, możemy porozmawiać o drugim czekającym cię wyzwaniu. Mam nadzieję, że ta wyprawa na zakupy cię do niego zainspiruje.

175

Ponieważ udało ci się odzwyczaić od cukru, chciałbym, żebyś skoncentrował się na jedzeniu jak najprostszych i najbardziej naturalnych posiłków. Utrzymuj dietę 95/5 w odniesieniu do cukru i wprowadź równie drastyczne zasady w zakresie jakości spożywanych posiłków: żadnego śmieciowego jedzenia, przetworzonej żywności, chleba, makaronu, sera, jogurtów, alkoholu, płatków śniadaniowych ani granoli. Czy zauważyłeś, żebym wkładał coś takiego do koszyka? A, i będziesz musiał się obejść bez krowiego mleka. Owoce, warzywa, cynaderki i czarna fasola są równie dobrymi źródłami wapnia.

Jedz tylko proste, pełnowartościowe produkty. Gdy będziesz robił zakupy po powrocie do domu, przypomnij sobie naszą wycieczkę do supermarketu. Jeśli nie będziesz pewien, czy możesz zjeść dany produkt, wyobraź sobie, że mieszkasz w gospodarstwie rolnym kilkaset lat temu. W dowolnym miejscu na ziemi. Jedz tylko to, co w tamtych czasach rolnik i jego rodzina byliby w stanie samodzielnie wyhodować, upolować w lesie albo złowić w jeziorze. Wystarczy. Unikaj przetworzonej żywności, wytworu współczesnego społeczeństwa. Wybieraj jedzenie, które pamięta, skąd pochodzi, bez listy składników albo z listą na tyle prostą, że jesteś w stanie wymówić wszystkie widniejące na niej pozycje. Jedz prawdziwe jedzenie.

Chciałbym też, żebyś podczas drugiego odwyku podniósł sobie poprzeczkę w zakresie swojej świadomości. Staraj się świadomie analizować wpływ, jaki wywiera na ciebie zdrowa dieta. W szczególności:

1. Zauważ różnicę pomiędzy uczuciem głodu a ochotą na zjedzenie czegoś.
2. Zauważ, jak niewiele musisz zjeść, żeby poczuć się sytym, gdy twój posiłek składa się z prawdziwego pełnowartościowego jedzenia.
3. Zauważ, jak zrównoważony i stabilny jest twój poziom energii, gdy zjesz posiłek dobrze zbilansowany pod kątem zawartości węglowodanów, tłuszczów i białek.
4. Zauważ, jak czuje się twoje ciało, skóra i mięśnie, gdy rano do śniadania dodasz owoce.
5. Zauważ, jak zmienia się twoja waga. Niektórzy odradzają korzystanie z wagi podczas zmiany diety. Bzdura. Zobacz, jak odpowiednio skomponowane posiłki i nowe zasady żywienia wpływają na twoją wagę każdego dnia.
6. Zauważ, jak dobre samopoczucie związane z nową dietą sprawia, że chcesz się tak czuć cały czas.

7. Wreszcie, zauważ, co się dzieje, gdy ten jeden jedyny raz skusisz się na pizzę lub lody. Zastanów się, czy chwilowa przyjemność – i późniejsze złe samopoczucie – są bardziej wartościowe od dobrego samopoczucia, które może ci towarzyszyć stale, jeśli całkowicie zrezygnujesz z tego typu przekąsek.

Obiecuję, że po ukończeniu obydwu 20-dniowych odwyków będziesz rozumiał – być może lepiej niż w jakimkolwiek innym momencie swojego życia – że to, co jemy, wpływa na to, kim jesteśmy, tak fizycznie, jak i mentalnie. Teraz jesteś gotów zdefiniować, co znaczy dla ciebie zdrowe odżywianie na co dzień.

ODŻYWIANIE: TWOJA DEKLARACJA MISJI

Po wykładzie na temat tego, co wolno, a czego nie wolno jeść, zasłużyłeś na porządny domowy posiłek. Pojedziemy do mnie. Siądziemy na tarasie, popatrzymy na czyste popołudniowe niebo, wrzucimy na głośniki The Alarm i spiszemy twoje cele żywieniowe. Potem, po spacerze do strumienia, ugotuję coś dla ciebie.

Jako twój trener chcę, żebyś zrealizował pełnię swojego potencjału. Chcę, żebyś osiągnął swój Niewiarygodny Cel jako biegacz i jako człowiek. Dlatego też zachęcam cię, żebyś w kwestii diety starał się dążyć do ideału. Zawsze wybieraj to, co najzdrowsze, niezależnie od tego, jak dużo będzie cię to kosztować wysiłku i jak wiele pokus czeka cię po drodze. Jeśli ci się to uda, obiecuję, że poczujesz się wspaniale. Zakochasz się w swoim nowym wcieleniu. Będziesz miał motywację, żeby dalej dobrze się odżywiać i prowadzić zdrowy tryb życia.

Moja dieta była świadomym wyborem, z którego jestem ogromnie zadowolony. Niemal zawsze wybieram proste, naturalne potrawy. Jeśli już decyduję się na kilka ciastek, jest to moja świadoma decyzja. Pozwalam sobie na odstępstwo i sprawia mi ono przyjemność, ale potem przez kilka tygodni rezygnuję ze słodyczy. Wybieram dietę 95/5, ponieważ odpowiada mi to, jak dzięki niej się czuję. Pod pewnym względem jest to swego rodzaju gra – zobaczyć, jak wartościowo i jak długo będę w stanie żyć, dostarczając sobie wyłącznie najlepszej jakości jedzenie. Dodatkowo pozwala mi to stworzyć mocny fundament biegowy.

Ale ty musisz żyć swoim życiem. Musisz dokonywać własnych wyborów żywieniowych. Pamiętaj jednak o swoich celach.

Miej w głowie jasny plan i staraj się świadomie pilnować zdrowej diety. Sformułuj treść swojej misji, która będzie cię prowadzić i inspirować. Spróbujemy zrobić to teraz, ale radzę, żebyś po ukończeniu obydwu odwyków jeszcze raz ją zweryfikował, przemyślał i przeformułował.

Twoje ambicje żywieniowe powinny dorównywać twoim ambicjom sportowym. Im lepiej chcesz biegać, tym lepiej powinieneś się odżywiać. Jeśli chcesz osiągnąć szczyt swoich możliwości, musisz zdecydować się na wartościową dietę, wolną od śmieciowego jedzenia. To dieta 95/5; zapisz to w swojej misji.

Możliwe jednak, że chciałbyś określić jakiś czas w roku, w którym mniej rygorystycznie będziesz przestrzegał zasad żywieniowych. Może potrafisz wskazać miesiące w kalendarzu, kiedy chciałbyś być w szczytowej formie i jak najlepiej się odżywiać. To może być okres 3–5 miesięcy. W swojej misji uwzględnij fazę przejściową przed rozpoczęciem tego okresu, następnie 3–5 miesięcy stosowania diety 95/5, a potem stopniowe rozluźnienie, stosownie do treningów ukierunkowanych na ważne dla ciebie zawody.

A może chciałbyś zaplanować stopniowe przejście na dietę 95/5, abyś mógł się do niej przygotować i zebrać siły?

Treść misji zależy od ciebie. Dostosuj ją do swoich celów. Podejmij najlepszą dla siebie decyzję, wytrwaj w niej, a zobaczysz, że nie będziesz już wyobrażał sobie innego życia.

STRATEGIA ODŻYWIANIA

Spędziliśmy razem cały dzień. Omówiliśmy ogólne zagadnienia związane z żywieniem – wytłumaczyłem ci, co i dlaczego powinniśmy jeść. Spożyliśmy razem dwa posiłki, napisaliśmy twoją deklarację misji. Ugotowałem ci nawet kolację. A jednak założę się, że nie jesteś do końca usatysfakcjonowany. Cały czas niemal w ogóle nie wspomnieliśmy, co należy jeść przed bieganiem, a co w trakcie treningów czy zawodów.

Spokojnie, napij się zielonej herbaty. Usiądźmy na tarasie i zrelaksujmy się nieco przy dźwiękach Jeffa Buckleya. Spójrz na niebo. Czy kiedykolwiek widziałeś aż tyle gwiazd?

Dzięki wyregulowaniu codziennej diety zbudujesz solidną bazę do treningów i wyścigów. Tworząc ten fundament i zmieniając swoje nawyki jedzeniowe, zyskujesz znacznie więcej, niż gdybym dał ci jeden tajemny przepis na idealną przekąskę treningową. Twój sposób odżywiania się jest nie mniej ważny niż praca nad siłą, techniką i planem treningowym. Jeśli chcesz ukończyć ultramaraton, nie możesz ograniczać biegów do kilku kilometrów dziennie. Analogicznie w tygodniach i miesiącach poprzedzających zawody nie możesz robić odstępstw od zdrowego jadłospisu.

Trenując wielu biegaczy i sportowców, nauczyłem się, że tak naprawdę nie ma jednej dobrej recepty na posiłek przed wysiłkiem fizycznym. To, co doskonale sprawdza się u jednej osoby, u innej zawodzi, i odwrotnie. Coś, co pomoże ci przed jednym wyścigiem, może nie zadziałać przed kolejnym. Za każdym razem w grę wchodzi bardzo wiele różnych czynników. Czasami po prostu jesteś w formie, a czasami nie. W kolarstwie mówi się o dniach „złych nóg" i „dobrych nóg". Z każdej sytuacji należy wyciągać wnioski, patrzeć, co jest skuteczne i w jakich warunkach.

Co do trzech rzeczy nie ma jednak żadnych wątpliwości. Po pierwsze, kluczem jest zbudowanie właściwego fundamentu. O tym już mówiliśmy. Po drugie, dostarczając naszemu ciału paliwa przed biegiem lub wyścigiem, pozwalamy mu się poruszać naprzód. Po trzecie, większa sprawność ogólna pozwala nam lepiej wykorzystywać to paliwo, a więc uzyskać większe korzyści z tego, co jemy.

Paliwo przed biegiem

Rodzaj paliwa przed biegiem zależy od tego, jak długa i intensywna ma być sesja oraz kiedy jadłeś ostatni posiłek. Tak naprawdę więc chodzi znów o wykształcenie pewnej świadomości. Dawkę energii należy dopasować do rodzaju aktywności fizycznej. Dzięki zdrowemu rozsądkowi i planowaniu zapewnisz sobie optymalną formę do treningu.

Poniżej przedstawiam pewne ogólne zalecenia dla kilku najpowszechniejszych rodzajów treningów biegowych:

1. Krótka, lekka przebieżka (strefa tętna 1–3): W moim wypadku ten rodzaj biegu wypada zwykle podczas tygodnia pracy i nie potrzebuję przed nim żadnych dodatkowych przekąsek oprócz zwykłych posiłków spożywanych tego dnia.

2. Krótki, szybki bieg lub trening interwałowy (strefa tętna 4–7, strefa szybkości 3–7): 30–45 minut przed biegiem zjedz coś lekkiego, np. smoothie z owocami i nasionami chia bądź kilka garści orzechów nerkowca i owoców.

3. Długi bieg (strefa tętna 1–3): To biegi wykonywane w małym lub średnim tempie, które wymagają dłuższego podtrzymania wysiłku. Większość z nas wykonuje je w weekendy. Pamiętaj, żeby dzień wcześniej koniecznie zjeść solidną kolację. Następnie około godziny–dwóch przed biegiem przygotuj sycący posiłek stosownie do planowanego dystansu. (Przed wyruszeniem w trasę jem zwykle rano jajka i/lub owsiankę z dodatkiem owoców i orzechów).

Tak jak mówiłem, są to bardzo ogólne wytyczne, których nie trzeba się trzymać kategorycznie. Musisz przede wszystkim zastanowić się, ile czasu upłynęło od twojego ostatniego treningu oraz jakiego rodzaju paliwa będziesz potrzebował podczas czekającego cię biegu. Załóżmy, że o 14.00 masz przerwę w pracy i prosto z biura udajesz się na godzinną przebieżkę. Cały ranek twój telefon dosłownie się urywał i nie jadłeś nic od śniadania. Może ci się wydawać, że przed biegiem powinieneś coś zjeść.

Jednak prawdziwa wiedza – i zabawa – przychodzi wraz ze świadomością, testowaniem, co tak naprawdę powinieneś zjeść lub wypić, żeby osiągnąć maksymalną wydajność zarówno przed treningiem, jak i w jego trakcie. Działaj świadomie, eksperymentuj i zobacz, co sprawdza się u ciebie najlepiej. Sprawdź, które przekąski są najskuteczniejsze i kiedy, analizując swoje samopoczucie, ilość snu czy przeżywane stresy. Na podstawie tych danych będziesz mógł skomponować dla siebie posiłek o większej lub mniejszej zawartości węglowodanów i białek. Zjesz go pół godziny albo dwie godziny przed wyruszeniem w trasę. Testuj najróżniejsze strategie, aż znajdziesz najlepszą dla siebie.

Nie zawsze twój wybór będzie dobry, ale pomyłki też są częścią procesu. Mamy uczyć się na swoich błędach, gdyż często dają nam więcej niż sukcesy. Równolegle do eksperymentowania z dietą staraj się rejestrować swój poziom energii na poszczególnych etapach biegu. Zakładając, że inne czynniki są stałe (ukształtowanie terenu, temperatura itp.), zastanów się, w jakich momentach treningu czujesz się najlepiej, a w jakich najgorzej. Sprawdzaj swoją wagę przed każdym biegiem i po jego zakończeniu. Zobacz, jak obciążające są poszczególne treningi dla twojego ciała. Czy przybierasz, czy tracisz na wadze? A może twoja waga pozostaje bez zmian? Kontrola wagi to narzędzie budowania świadomości, które pozwala ci zrozumieć, jak codzienna dieta i treningi wpływają na twój organizm.

Z czasem, dzięki wypracowanej świadomości, będziesz umiał określić swoją ogólną kondycję danego dnia. Będziesz też rozumiał dokładny wpływ diety na swoją formę w lepsze i gorsze dni.

Paliwo w trakcie biegu – kilka wskazówek

Gdy biegasz na dłuższych dystansach, powinieneś wiedzieć, jak uzupełniać zasoby energii w trasie. Znowu trzeba pamiętać, że każdy z nas jest inny. Musisz poeksperymentować i zrozumieć, co sprawdza się najlepiej podczas twoich treningów i wyścigów, i być przygotowanym na bieżące korygowanie swoich ustaleń. Możliwości jest wiele: żele, żelki, napoje sportowe, batoniki, mieszanki studenckie, suszone owoce i miód. Wiem, wiem. Większość z nich ma wysoką zawartość cukru i nie jest produktem naturalnym, ale czasem wygrywa wygoda – zwłaszcza podczas wyścigu. Zresztą zawarte w tego typu przekąskach cukry proste są i tak błyskawicznie spalane.

Nie ma żadnych odgórnych zasad co tego, kiedy powinieneś się posilić ani jak duża powinna być to porcja. Wszystko zależy od dystansu, długości biegu, ukształ-

towania terenu, intensywności i temperatury. Jeśli idzie o odżywianie i nawadnianie, wiele osób zbyt mocno przywiązuje się do sztywnych wytycznych, co może czasem przynosić więcej szkody niż pożytku.

Oto kilka prostych podpowiedzi. Wykorzystaj je jako bazę do własnych eksperymentów. Zwykle planuję swoje przekąski, uwzględniając długość biegu, a nie dystans.

30 minut–75 minut

O ile cały czas przestrzegam diety 95/5 i przed treningiem jadam solidny posiłek, o tyle podczas samego biegu nie jem już nic. Jeśli nie ma silnego upału, wodę piję wyłącznie wtedy, gdy czuję pragnienie, a nie w konkretnych odstępach czasu.

75 minut–2 godziny

Ten przedział czasowy jest chyba najtrudniejszy do rozgryzienia. Przy lekkich biegach na tym dystansie możesz nie potrzebować dodatkowego zastrzyku energii i polegać wyłącznie na posiłku zjedzonym przed treningiem. Ja jednak na wszelki wypadek zabieram coś ze sobą, zwykle owsiany batonik energetyczny. Jeśli potrzebuję przekąski podczas biegu, to przeważnie z powodu całościowego obciążenia treningami w danym tygodniu, a nie wymogów konkretnej sesji. Pracuj nad swoją świadomością i zastanów się, jak wymagające były dla ciebie ostatnie dni, co pomoże ci ustalić, czy będziesz potrzebował dodatkowej porcji energii na danym dystansie pomimo niskiej intensywności biegu. Na drogę biorę też wodę i napoje, żeby ugasić pragnienie.

Jeśli trenuję w szybkim tempie lub biorę udział w wyścigu w tym przedziale czasowym i po 75–90 minutach czuję, że powoli opadam z sił i przydałaby mi się zastrzyk energii, sięgam po żele energetyczne. Robię to z wygody, gdyż podczas intensywnego biegu trudno jest spożywać „prawdziwe" jedzenie. Te przekąski są uwzględnione w moim 5-procentowym przedziale niezdrowej żywności. Najważniejsze to wiedzieć, że nie potrzebujesz jeść dużo – już mała przekąska doda ci sił niezbędnych do ukończenia biegu. Jeśli posilam się żelami, staram się regularnie pić wodę.

2 godziny – 5 godzin

Na szlakach, a także wtedy, gdy intensywność biegu waha się od łatwej do średniej, sięgam po prawdziwe jedzenie i wodę. Wybieram naturalne batoniki owsiane, daktyle, suszone owoce i orzechy. Po 1,5–2 godzinach biegu zaczynam uzupełniać zapasy energii, przegryzając kolejne przekąski co 45–60 minut.

Jeśli bieg jest długi, ale stosunkowo lekki i ukierunkowany na spalanie tkanki tłuszczowej, zjadam duży posiłek na około godziny przed startem, a potem staram się jak najdłużej wytrzymać bez jedzenia. Po przekąskę sięgam dopiero wtedy, gdy stwierdzam, że potrzebuję dodatkowej porcji energii. To czas, w którym uczysz się, czego tak naprawdę potrzebuje twój organizm i jak reaguje na różnego rodzaju dostarczane mu paliwo.

Przy umiarkowanej temperaturze staram się wypijać około 700 ml wody co 75–90 minut, a także nawadniam się odpowiednio po biegu. Z nawadnianiem nie wolno jednak przesadzać. Trzeba pić regularnie i jak najlepiej gospodarować ilością płynów, jaką jesteś w stanie zabrać ze sobą. Korzystam z ręcznych bidonów, a w razie potrzeby również z systemów nawadniających.

Podczas wyścigu, gdy wymagany jest szybki stały wysiłek, polegam na żelach i miodzie. Po przekąski sięgam częściej, gdy wiem, że pokonując długi dystans w większym tempie, szybciej spalę węglowodany. Z napojów wybieram przeważnie wodę, rzadko, dla urozmaicenia, napoje sportowe, ponieważ jedząc żele energetyczne i tak dostarczam swojemu organizmowi nadprogramową porcję cukru. Zauważyłem, że popijanie żeli napojami energetycznymi kończy się rozstrojem żołądka, więc piję głównie wodę. Zobacz, co najlepiej sprawdza się u ciebie, a jeśli korzystasz z żeli energetycznych, do picia zabierz wyłącznie wodę.

5 godzin i więcej

Podczas bardzo długich biegów najważniejsze jest, żeby jeść i pić, gdy czujesz się wciąż dobrze, bo przy złym samopoczuciu jedzenie i picie jest ostatnią rzeczą, na jaką masz ochotę. Myśl perspektywicznie i zawczasu podejmuj odpowiednie działania.

Jeśli chodzi o rodzaj przekąsek oraz napojów i częstotliwość ich spożywania, to postępuję tak samo jak podczas biegu trwającego 2–5 godzin, choć staram się je kontrolować jeszcze bardziej świadomie. Jeśli bieg jest mniej intensywny, stawiam na batoniki energetyczne i „prawdziwe" jedzenie. Przy wyższym tempie sięgam po żele. Sygnałem do jedzenia jest dla mnie spadek tętna i koncentracji. Co godzinę oceniam swój aktualny poziom wysiłku na podstawie charakterystyki trasy i tętna. Niektóre odcinki są bardziej wymagające niż inne, dlatego też trzeba dostosować

rodzaj przekąsek poprzedzających i kończących trudne etapy.

To bardzo ważne, gdyż pomaga zapobiec m.in. problemom żołądkowym. Jeśli znajdujesz się na łatwiejszym fragmencie trasy i wiesz, że za chwilę czeka cię podbieg albo trudniejszy odcinek, zacznij uzupełniać zapasy energii już teraz, gdy twój żołądek lepiej zniesie obciążenie. Przy intensywniejszym biegu trawienie będzie utrudnione, więc na jakiś czas powstrzymaj się od jedzenia. Po przekąskę sięgnij dopiero po zakończeniu trudnego etapu. Starając się świadomie kontrolować rozkład przekąsek, bez trzymania się odgórnie narzuconych schematów, unikniesz rozstroju żołądka.

Gdy trenujesz i bierzesz udział w ultramaratonach, słuchaj swojego organizmu i nie bój się eksperymentować. Na tak długich dystansach jedyną zasadą jest robienie tego, co najlepsze dla ciebie i czego udało ci się nauczyć w praktyce. Niektórzy zawodnicy zabierają w trasę bekon, gdyż odkryli, że porcja tłuszczu w połowie biegu znacząco podnosi ich wydajność. Trenując, próbuj różnych strategii. W niektóre dni, podczas dłuższych biegów, jedz często i małe porcje. Kiedy indziej pozwalaj sobie na rzadsze, ale większe przekąski. Dzięki metodzie prób i błędów będziesz mógł dowiedzieć się dużo o swoim organizmie, jego potrzebach i preferencjach na określonych etapach biegu oraz o różnych porach dnia i nocy. Kluczem jest świadomość: jak czuje się twój żołądek, jak dużo piłeś w ciągu ostatniej godziny, jak intensywnie biegłeś w tym czasie, co cię czeka na kolejnym odcinku, czy przed tobą są jakieś większe wzniesienia? Tego rodzaju pytania pozwolą ci poprawnie odczytać reakcje twojego ciała, które – podobnie jak wskaźnik poziomu paliwa w samochodzie – podpowiadają ci, kiedy powinieneś zatankować. Dzięki temu będziesz mógł ustalić, w którym momencie i jaką dawkę energii powinieneś dostarczyć sobie podczas czekającego cię biegu.

DIETA A TWÓJ NIEWIARYGODNY CEL

Na dziś to już wszystko. Wróć do hotelu i popracuj jeszcze chwilę nad swoją deklaracją misji. Chciałbym, żebyś, zanim położysz się spać, jeszcze raz przemyślał naszą dzisiejszą rozmowę. Masz wiele do przetrawienia: węglowodany, cukier, 20-dniowe odwyki oraz skomponowanie idealnej diety.

Ale to nie wszystko. Podczas naszych treningów i pogawędek co jakiś czas powracaliśmy do kwestii świadomości. Nie wiem, czy zauważyłeś, ale dziś mówiłem na ten temat jeszcze więcej niż zwykle. Świadomość tego, co jesz i jaki ma to wpływ na twoje samopoczucie, jest bardzo ważna, ale nie tak ważna jak świadomość celów, które stawiasz sobie jako biegacz. Tylko jasne sformułowanie własnych dążeń i ambicji pozwoli ci wytrwać w postanowieniach dotyczących zdrowej diety, która jest niezbędna do ich zrealizowania.

Jeśli chcesz osiągnąć swój Niewiarygodny Cel, musisz wiedzieć, jakim chcesz być biegaczem. Musisz być przekonany, że ci się uda. I musisz mieć w sobie gotowość do wysiłku. Zmieniając swoje nawyki żywieniowe, nauczysz się kochać to, co nazywam „kopaniem w ziemi". Początkowo samo przeprowadzenie obydwu 20-dniowych odwyków będzie dla ciebie dużym wyzwaniem. Jeśli jednak rozwiniesz niezbędną świadomość i będziesz dalej podążał wyznaczonym torem, poczujesz, że odpowiada ci to, jak się czujesz, nie tylko fizycznie, ale także psychicznie, dzięki nowo przyjętej filozofii życia i istnienia. Twoja samodyscyplina stanie się dla ciebie źródłem satysfakcji, a wytrwałość w podjętych postanowieniach napełni cię wiarą we własne siły i determinacją do dalszego działania.

Pod pewnym względem jedzenie przypomina kopanie w ziemi w poszukiwaniu złota. Kopiesz, kopiesz i kopiesz, nie ustając w wysiłkach, aż pewnego dnia znajdujesz kawałek złota. Czujesz się szczęśliwy, ale szybko zdajesz sobie sprawę, że polubiłeś również samo kopanie. Świadomość pozwala nam właśnie to zrozumieć, w efekcie umożliwiając nam osiąganie dużo większych celów.

ROZDZIAŁ 7

JAK TO WSZYSTKO POŁĄCZYĆ

Dziś mamy wiele do zrobienia. Czeka nas dłuższa wycieczka, dlatego zaczynamy od solidnego śniadania. Spotykamy się wcześnie – słońce dopiero wychyla się zza gór. W Bunnery unosi się zapach jajek i świeżo parzonej kawy. Miejscowi nie bez przyczyny uwielbiają tę knajpkę.

Siadaj. Nie zabawimy tu długo, ale wiem, że chciałbyś mnie zapytać, jak należy połączyć wszystkie elementy: siłę, technikę, fundament biegowy i dietę. Zanim więc wyruszymy w stronę Big Kahuna, poruszymy ten ważny temat: świadomość a dążenie do Niewiarygodnego Celu.

PODSTAWOWE PYTANIA

Chcesz wiedzieć, kiedy zacząć? Odpowiedź brzmi: od razu, gdy tylko wrócisz do domu i zaopatrzysz się w potrzebny sprzęt. Innymi słowy – tak szybko, jak to możliwe, rozpocznij trening siłowy. Zajmij się wzmacnianiem stóp, nóg i góry ciała. W tym czasie powinieneś także rozpocząć program przejścia na bieganie wyczynowe. Kup buty typu zero-drop i stopniowo zwiększaj długość pokonywanych w nich dystansów. Jak mówiłem wcześniej, siła wspomaga technikę, technika wspomaga siłę. To również idealny moment na wprowadzanie pierwszych zmian w diecie. Zacznij pierwszy 20-dniowy odwyk. Podsumowując, pierwszych 3–6 tygodni treningu stanowi tak naprawdę etap przejściowy, w którym twoje ciało powinno dostosować się do ćwiczeń wzmacniających, prawidłowej techniki, nowych butów i zdrowego jadłospisu. W idealnym świecie taki byłby właśnie idealny początek całego programu.

W tym okresie nie przejmuj się takimi rzeczami jak łączenie treningu siłowego z poprawą techniki biegania. Na razie zapomnij o szczegółowym grafiku treningów na każdy dzień tygodnia. Biegać będziesz jedynie w ograniczonym zakresie. Więcej czasu poświęcisz na ćwiczenia siłowe. Optymalna wersja to trening siłowy 5–6 razy w tygodniu na przemian na dolne i górne partie ciała. Biegaj w te dni, gdy pracujesz nad dolnymi częściami ciała, najlepiej przed treningiem siłowym. Chodzi przede wszystkim o zaobserwowanie reakcji ciała na wprowadzane zmiany. Zwróć uwagę, w których mięśniach masz zakwasy, a w których nie.

Niektóre osoby po ukończeniu programu przejścia na bieganie wyczynowe pytają mnie, czy naprawdę potrzebują jeszcze fazy przygotowawczej, zanim rozpoczną właściwy program treningowy. Odpowiedź krótka brzmi: tak. Odpowiedź dłuższa: faza przygotowawcza, jak sama nazwa wskazuje, ma przygotować nogi i układ krążenia do wysiłku, żeby zapewnić im stabilność i wytrzymałość niezbędną w programie tworzenia fundamentu biegowego. W fazie przygotowawczej kontynuuj trening siłowy i zmiany w diecie, podejmując drugi 20-dniowy odwyk, a także wykonując ćwiczenia na technikę i budowanie świadomości. Wykorzystaj ten czas, żeby zapewnić sobie jak najlepszą pozycję wyjściową, by przejść do programu tworzenia fundamentu biegowego.

Kiedy już rozpoczniesz właściwy, pięciomiesięczny program tworzenia fundamentu biegowego, możesz zastanawiać się, czy potrzebujesz jeszcze treningu siłowego. Bardzo wiele osób mnie o to pyta. Pamiętaj jednak, że – jak mówiłem – musisz dążyć do stałych postępów. To znaczy, że powinieneś kontynuować trening siłowy. Dobra wiadomość jest taka, że twoje ciało na pewno zdążyło się już przyzwyczaić do związanych z nim obciążeń, a dalsze ćwiczenia pozwolą ci dodatkowo zwiększyć sprawność i wydolność. Stosuj się do zaproponowanej w rozdziale 3. sekwencji ćwiczeń na dolne i górne partie ciała, która uwzględnia również czas na regenerację. Nie zapominaj o dalszej pracy nad techniką i świadomością. W tym okresie powinieneś też rozpocząć formułowanie i realizowanie twojej deklaracji misji.

TRENOWANIE SAMEGO SIEBIE

Zanim skończysz śniadanie, chcę opowiedzieć ci o jeszcze jednym kluczowym elemencie mojego programu treningowego: o trenowaniu samego siebie.

Już niedługo, za dwa dni, wrócisz do domu i będziesz zdany wyłącznie na siebie. Dzięki specyficznej strukturze i indywidualnemu charakterowi mojego programu będziesz jednak wiedział, co dalej robić. Postaraj się jak najdokładniej przestrzegać moich zaleceń. Niemniej żaden trener ani żaden podręcznik nie jest w stanie przewidzieć każdej sytuacji i odpowiedzieć na każde twoje pytanie. Nic nie szkodzi. To dobrze. Nawet moi osobiści klienci, z którymi rozmawiam codziennie albo raz w tygodniu, muszą samodzielnie dostosowywać program do swoich potrzeb, sprawdzając, co będzie odpowiednie do ich możliwości czasowych i kondycji.

Podejmij się trenowania samego siebie. Życie jest nieprzewidywalne. Może się zdarzyć, że zachorujesz. Czasem praca nie pozwoli ci pójść na zaplanowany trening. Czasem przeszkodzą ci w tym obowiązki rodzinne. A czasem po prostu nie będziesz miał siły wybiec w trasę. W niektóre dni będziesz miał poczucie, że

chcesz dać z siebie więcej; w inne nie będziesz miał na to ochoty. To wszystko normalne. Jesteśmy tylko ludźmi. Nasz świat nie jest idealny, a nawet gdyby był, i tak każdy z nas realizowałby swoje cele na swój sposób. Musisz więc wziąć na siebie część odpowiedzialności i kontroli nad własnym treningiem. Musisz trenować sam siebie. Ostatnie dni pokazały ci, na czym to mniej więcej polega. Na przykład przy okazji ćwiczeń siłowych radziłem, żebyś dostosowywał liczbę serii/powtórzeń do swojego aktualnego poziomu i możliwości czasowych. Podobnie przy programie tworzenia fundamentu biegowego już przy opracowywaniu harmonogramu treningów musisz zdecydować, ile razy w tygodniu chcesz biegać albo ile planujesz powtórek interwałów. Również decyzje w sprawie diety i treści twojej deklaracji misji zależą głównie od ciebie.

Trenowanie samego z siebie z definicji wymaga dokonywania samodzielnych zmian. Nie ma odgórnych zasad, które mówiłyby ci, co masz zrobić. Mimo to przedstawię kilka ogólnych kryteriów i przydatnych wskazówek, które ci to ułatwią.

1. **Treningi (sekwencje):** Pamiętaj, że wszystkie treningi i ćwiczenia, zarówno te podstawowe, jak i bardziej zaawanso-

wane, mają określony cel. Trzymaj się sekwencji ćwiczeń ustalonej w twoim tygodniowym harmonogramie i nie zmieniaj zaplanowanej intensywności treningów. Sekwencja i rozkład biegów są bardzo ważne, gdyż uwzględniają wpływ treningu oraz zapotrzebowanie na regenerację w perspektywie dziennej, tygodniowej i miesięcznej. Wszystko ma swój zamysł. Wszystko składa się w całość. Zasadniczo, jeśli musisz opuścić jeden czy dwa treningi w tygodniu, nie przejmuj się i po prostu kontynuuj program zgodnie z grafikiem, nie próbując nadrobić straconych biegów. Jeśli opuścisz więcej niż dwa treningi w tygodniu, lepiej będzie, jeśli powtórzysz cały tydzień od nowa i przesuniesz cały grafik o tydzień do przodu. Nie zamieniaj treningów miejscami i nie zmieniaj sekwencji ćwiczeń.

2. **Słuchaj i bądź mądry:** Nikt nie zna twojego ciała lepiej od ciebie. Czasem musisz odpuścić bieg albo zrobić sobie dzień wolny, ponieważ źle się czujesz albo podczas ostatniego treningu doskwierało ci podejrzane napięcie w ścięgnach podkolanowych. Słuchaj swojego ciała i staraj się mieć ogląd całościowej sytuacji. Gdy moi sportowcy są chorzy albo nie czują się dobrze,

zalecam im tego dnia zrezygnować z treningu albo przynajmniej zmniejszyć jego intensywność. Pamiętaj jednak, że istnieje różnica pomiędzy złym samopoczuciem, chorobą a brakiem ochoty na bieganie czy trening. Zrozum, na czym ona polega. I bądź cierpliwy. Na początku programu łatwo jest dać się ponieść emocjom i chcieć ćwiczyć więcej, niż zaplanowaliśmy. Powstrzymaj się jednak przed tym i równomiernie rozłóż swój zapał na kolejne tygodnie i miesiące. To tak jak podczas wyścigu – nie chcesz wystartować za szybko, żeby nie spalić się na finiszu. Miej zaufanie do tego procesu.

3. **Konsekwencja:** Gdy chodzi o postępy i poprawę sprawności, konsekwencja jest absolutnie kluczowa. Niech motywuje cię do trenowania zawsze wtedy, gdy masz ku temu okazję, nawet jeśli nie masz ochoty wyściubiać nosa na dwór. Po pierwsze, po wszystkim będziesz czuł się dużo lepiej, a po drugie, każdy trening pozwala ci zniwelować wszystkie sesje, jakie będziesz musiał pominąć w przyszłości z powodu różnych obowiązków, urazów czy chorób. Zawsze więc zrób tyle, na ile masz czas, nawet jeśli jest to mniej, niż początkowo planowałeś. Lekka

30-minutowa przebieżka jest lepsza niż niezrobienie niczego tylko dlatego, że nie masz czasu na pełną godzinę. Powtórzę raz jeszcze: cokolwiek jest lepsze niż nic. Wielu sportowców uważa, że jeśli brakuje im czasu na kompletny trening, dzień i tak już jest stracony i nie ma sensu wykonywać nawet jego części. To nieprawda! 20 czy 30 minut ćwiczeń to i tak wielki ukłon w stronę konsekwencji.

4. **Dzienniki treningowe:** Codziennie zapisuj, co udało ci się zrobić. Wielokrotnie jako trener miałem okazję przekonać się – tak przy pracy z początkującymi biegaczami, jak i czołowymi sportowcami – że ci, którzy skrupulatnie prowadzą dziennik treningowy osiągają większe sukcesy. Jest jakaś siła w poczuciu odpowiedzialności przed samym sobą i satysfakcji, jaką daje nam zapisywanie swoich kolejnych działań. Z tego powodu wszystkim moim podopiecznym zalecam prowadzenia dziennika. Jeśli wolisz pracować z komputerem, możesz skorzystać z gotowych formularzy internetowych. Jeśli nie, zrób to według starej szkoły. Kup notes, opisuj swoje codzienne treningi wraz z komentarzami na temat rodzaju, długości i miejsca biegu, swoich odczuć, tego wszystkiego, czego udało ci się nauczyć i co świadomie zarejestrowałeś.

5. **Trudności:** W trakcie realizowania programu natrafisz na różne trudności i wyzwania. Nie traktuj tego jak porażki. Poprawa jest możliwa tylko wtedy, gdy wymagamy od naszych mięśni i ciała coraz więcej. Wierz mi, znam to uczucie frustracji, myślenie: „To takie trudne… To chyba nie powinno być aż takie trudne… Nie dam rady…”. Gdy zauważysz u siebie takie uczucia i myśli, zatrzymaj się i uświadom sobie, jak się czujesz. Potem spójrz na swój problem jak na okazję do poprawy kondycji fizycznej i psychicznej.

6. **Dieta:** Często powtarzam swoim podopiecznym, że tylko jedna dobra decyzja dzieli ich od pełnego sukcesu. Jeśli odkryjesz, że podjąłeś kilka złych decyzji, które nie są zgodne z twoją deklaracją misji, po prostu skup się na dokonaniu właściwych wyborów przy kolejnym posiłku.

TWOJA OSOBOWOŚĆ BIEGOWA

Jako trener odkryłem, że bardzo ważne jest zrozumienie osobowości osób, z którymi pracuję – osobowości biegowej. Po dobnie jak obserwuję i rejestruję różne aspekty fizyczne naszych treningów (długość kroku, praca ramion, elastyczność czy równowaga mięśniowa), tak samo wprowadzam do swoich notatek uwagi na temat cech psychologicznych sportowca. Te elementy są zmienne i na pewno nie decydują o wszystkim, ale pozwalają mi opracować najbardziej odpowiednią metodę pracy z danym człowiekiem.

Jakim typem biegacza jesteś? Poniżej przedstawiam cztery najpowszechniejsze typy i wskazówki odnośnie do najbardziej odpowiedniego rodzaju treningu dla każdego z nich. Zobacz, do którego typu pasujesz.

1. Perfekcjonista

- **Cechy charakteru:** Ukierunkowany na szczegóły. Treningi i wyścigi planuje co do kilometra i co do minuty. Uwielbia listy i grafiki. Starannie prowadzi notatki. Często silnie polega na trenerze.
- **Czynniki motywujące do treningów:** Wymierna poprawa i opanowanie nowych umiejętności. Chce wiedzieć, czy robi postępy. Stara się uzyskać jak największą wiedzę i jest gotowy zrobić wszystko, żeby się poprawić. Chce odhaczyć wszystkie punkty na liście zadań do wykonania. Studiuje poradniki i jest podekscytowany nowymi wyzwaniami,

gromadząc informacje i starając się jak najwięcej się nauczyć.
- **Czynniki wywołujące stres:** Pogoda, choroba albo uraz. Każde zakłócenie treningu, każda zmiana planów. W sytuacjach stresowych powinien słuchać swojego organizmu i pogodzić się z nieplanowanymi przerwami w treningu. Czasami jest sfrustrowany wyzwaniami, do których nie jest przyzwyczajony i które dają mu poczucie porażki. Chce wiedzieć dokładnie, jak sprawy się potoczą i jakie będą rezultaty treningu czy wyścigu.
- **Podejście do trenowania samego siebie:** Musi się nauczyć, że słuchanie własnego ciała jest równie ważne co realizowanie planu. Musi od czasu do czasu odpuszczać, wprowadzać zmiany w planie i pozwalać sobie na odpoczynek, żeby zagwarantować sobie dalsze postępy. Powinien zaakceptować fakt, że mogą się zdarzyć nieoczekiwane nowe wyzwania dla ciała i duszy.

2. Zawadiaka

- **Cechy charakteru:** Kocha wyzwania. Uwielbia sprawdzać się podczas wyścigów i treningów. Jest gotowy podejmować nowe zadania, nawet jeśli nie miał czasu na staranne przygotowania.

- **Czynniki motywujące do treningów:** Wyniki, kolejny krok naprzód. Uwielbia społeczne aspekty wyzwań. Stawia sobie ambitne cele i lubi je realizować.
- **Czynniki wywołujące stres:** Opóźnienia, choroba, zbytnie stopniowanie kolejnych wyzwań. „Jeśli nie stajesz się lepszy, stajesz się gorszy".
- **Podejście do trenowania samego siebie:** Potrzebuje częstych wyzwań, które jednak powinny opierać się na solidnej pracy nad fundamentem gwarantującym stałą poprawę umiejętności. Powinien uważać na przetrenowanie. Powinien docenić korzyści płynące z uporządkowania treningów i nie robić niczego za wcześnie ani zbyt intensywnie.

3. Społecznik

- **Cechy charakteru:** Uwielbia interakcje z partnerami treningowymi i grupą. Jego wydajność zmienia się stosownie do wyników towarzyszy.
- **Czynniki motywujące do treningów:** Relacje, towarzystwo. Poczucie przynależności do grupy.
- **Czynniki wywołujące stres:** Atmosfera rywalizacji. Nacisk na wyniki.
- **Podejście do trenowania samego siebie:** Musi zdefiniować swoje osobiste cele wykraczające poza interakcje społeczne. Korzysta na treningach z partnerem, który może podnosić mu poprzeczkę. Musi jednak zadbać również o odpowiednią liczbę biegów samodzielnych. Powinien zachęcić partnera do wspólnego udziału w treningach grupowych. Musi komunikować swoje potrzeby grupie i kreatywnie łączyć treningi indywidualne z grupowymi.

4. Wolny strzelec

- **Cechy charakteru:** Wielbiciel przygód. Kreatywny, kocha różnorodność i nowe wyzwania. Lubi biegać nie tylko dla rywalizacji i poprawy sprawności. Może wykazywać różne cechy pozostałych typów.
- **Czynniki motywujące do treningów:** Fizyczne i emocjonalne wrażenia łączące się z bieganiem. Nowe doświadczenia. Zaangażowanie. Cały proces tworzenia nowych wyzwań oraz związane z tym treningi i przygotowania. Proces jest dla niego równie ważny co wyniki i sukcesy. Potrzebuje różnorodności.
- **Czynniki wywołujące stres:** Rutyna. Stresujące okoliczności życiowe lub zakłócenia, które nie pozwalają mu regularnie biegać.
- **Podejście do trenowania samego siebie:** Musi zadbać o urozmaicenie trenin-

gów poprzez opracowanie różnych tras, wybór kilku partnerów treningowych, treningi w formie zabawy. Może wykorzystywać różnego rodzaju imprezy i wyścigi jako sposób na podtrzymanie motywacji do zachowania struktury treningów oraz koncentracji na celu.

Analiza swojej osobowości pod tym kątem może być ciekawa, choć nieraz niełatwa do przełknięcia. Niemniej tego rodzaju świadomość i umiejętność rozpoznania własnych cech charakteru pomoże ci w realizacji programu. Wiesz już, jak wszystkie omówione dotąd elementy łączą się w całość i jak możesz sam pokierować swoim treningiem. Teraz uregulujemy rachunek i wyruszymy na szlak, gdzie będziemy mogli nieco dokładniej omówić kwestie świadomości (która jest ostatnim elementem mojej koncepcji trenowania samego siebie) i rozpoczniemy podróż w kierunku odkrycia twojego Niewiarygodnego Celu.

ROZDZIAŁ 8

SPRAWNOŚĆ = ŚWIADOMOŚĆ

Po wyjściu z Bunnery wsiadamy do mojego auta i ruszamy na zachód od Jackson. Mijamy Snake River i kierujemy się w stronę przełęczy Teton Pass. Jedziemy stromą krętą szosą. Po drodze mija nas kilku kolarzy mknących w dół niczym świetlne refleksy.

W zimie otaczające nas zbocza stają się rajem dla wielbicieli narciarstwa przełajowego. Wielu mieszkańców Jackson przyjeżdża tu wczesnym świtem. Zostawiają samochody na Teton Pass. W butach narciarskich i z kijkami na plecach wspinają się stromą ścieżką na wysokość ponad 520 metrów, aby zjechać w dół pomiędzy drzewami po świeżym śnieżnym puchu. Potem autostopem wracają do swoich samochodów i ruszają do pracy. Niezły początek dnia, co?

Jedziemy dość daleko, ale obiecuję, że nie będziesz żałował. Czeka nas długi podbieg do grzbietu obok Taylor Mountain na wysokość około 3000 metrów. To będzie fenomenalny trening dla twoich nóg i płuc. Będziemy mieć wystarczająco dużo czasu na rozmowę o roli treningu mentalnego w realizacji twojego Niewiarygodnego Celu. Staraj się skupić na tym, co mówię. Część z tego nie będzie łatwa i będzie wymagać od ciebie wytężenia umysłu, więc słuchaj uważnie i zaufaj mi, że prowadzę cię właściwą drogą – dosłownie i w przenośni.

Ruszamy. Startujemy z punktu wyznaczającego szlak Coal Creek. Po drodze uważaj na niedźwiedzie i patrz pod nogi. Ścieżka pełna jest wystających korzeni i kamieni. Bądź ostrożny.

Jako sportowiec i trener zawsze uważałem, że trening umysłu jest równie ważny co trening ciała. Już jako dziecko intuicyjnie wiedziałem, że o wynikach w sporcie – i w życiu – decyduje odpowiednie połączenie sfery fizycznej i duchowej. Dzięki skoncentrowaniu się na tej jedności udało mi się zrealizować większość swoich marzeń – i większość marzeń moich podopiecznych. Tobie też się to uda.

Dla trenera doświadczenie i czas są najważniejszymi nauczycielami. Spędziłem tysiące godzin na szkoleniu najróżniejszych ludzi i nauczyłem się prawidłowo oceniać pozytywne i negatywne aspekty ich ruchu. Teraz robię to instynktownie. To samo dotyczy sposobu myślenia moich sportowców. Trenuję zarówno osoby o słabej, jak i o mocnej psychice. Takie, które nie widzą przed sobą żadnych przeszkód, jak i takie, które widzą je na każdym zakręcie. Codziennie mogę obserwować, jak wpływa to na ich kolejne treningi, a w rezultacie także na ich ogólne wyniki sportowe.

Ciało jest prowadzone przez umysł. To jasne. Niejednokrotnie już spotykałem sportowców o niższym wrodzonym potencjale fizycznym, którzy dzięki silnej psychice – świadomości własnych procesów myślowych, jasno określonym celom

i nietraktowaniu trudności jako porażek – zostawiają daleko w tyle osoby o dużym talencie sportowym, które uginają się pod ciężarem obaw, wątpliwości i mało precyzyjnych dążeń. Nasze ciało reaguje na emocje i na to, co mu przekazujemy, a jednak bardzo często nie jesteśmy w ogóle świadomi swojego nastawienia, nie mówiąc już o celowym kontrolowaniu go czy kształtowaniu.

Z czasem nauczyłem się dostrzegać słabsze strony mentalności swoich podopiecznych równie łatwo co ich słabości fizyczne. To nie fizyka kwantowa ani telepatia, lecz po prostu świadomość. Jeśli uważnie posłuchasz wypowiedzi danej osoby – na temat trudnych treningów, ostatnich zawodów, biegów czy konkurentów – możesz zajrzeć do jej wewnętrznego świata. Wszystko, co mówimy i myślimy, staje się naszym nawykiem, który zakorzenia się w nas tak samo szybko jak błędy techniki. Z czasem te nawyki myślowe – dobre i złe – utrwalają się i w oczach sportowca stają się prawdą. Prosiłem cię już, żebyś przyglądał się innym biegaczom podczas biegu. Teraz proszę, żebyś posłuchał tego, co mówią. Obserwując, możesz odkryć ich problemy i atuty podczas biegu. Słuchając, zauważysz, jak sposób myślenia pomaga lub

195

przeszkadza im w treningu. Możesz dużo się dowiedzieć.

Większość z nas utraciła poczucie nieograniczonych możliwości, które mamy jako dzieci. Zbyt wiele już wiemy – albo wydaje nam się, że wiemy – więc powstrzymujemy się przed podejmowaniem prób realizacji naszych celów.

Czas z tym skończyć.

Jak powiedział kiedyś Aldous Huxley: „Doświadczeniem nie jest to, co ci się przydarza, ale to, co robisz z tym, co ci się przydarza". Do tych mądrych słów chciałbym dodać coś od siebie: „Nieważne, co myślimy, ważne, co robimy z tym, co myślimy".

Piękne jest to, że możemy wytrenować swój umysł tak, jak trenujemy nogi, płuca czy serce. Opracowałem system, który pozwoli ci nie tylko zapanować nad swoimi obawami, ale wręcz wykorzystywać je z pożytkiem dla siebie. Istnieją metody, takie jak wizualizacja, mantra czy rytuał, które pomogą ci określić i zrealizować swój Niewiarygodny Cel. Wielu moich podopiecznych zyskało dzięki nim determinację do dokonania najróżniejszych rzeczy, od zakwalifikowania się do Maratonu Bostońskiego po wygranie mistrzostw świata. Pobicie osobistego rekordu, udział w ultramaratonie, ukończenie

ważnego wyścigu – na bieżni lub w życiu… Wszystkie te cele są w zasięgu twojej ręki.

Najpierw jednak musisz poznać moją koncepcję treningu mentalnego.

SŁABOŚĆ I SIŁA NASZYCH MYŚLI

Biegniesz dziś bardzo dobrze. Prawidłowo wybijasz się z przodostopia. Po mistrzowsku też poradziłeś sobie z pierwszymi serpentynami. Poczuj, jak silne są teraz twoje stopy, jak stabilne jest całe ciało. Przed nami długi prosty odcinek ścieżką między sosnami. Jest chłodno. Zbliża się jesień. Już niedługo dęby wokół nas pokryją się czerwienią, a osiki żółcią. Rozpocznie się sezon narciarski i szlaki przykryje śnieg, zbyt głęboki, aby biegać. Jeśli lubisz jeździć na nartach, zobaczysz, że poprawa sprawności, którą udało ci się wypracować dzięki treningowi biegowemu, przyda ci się również w innych dyscyplinach.

Na razie jednak zajmiemy się bieganiem, bo mam ci coś ważnego do powiedzenia: jeśli tylko chcesz, możesz zostać biegaczem swoich marzeń. Takim, jakim tylko chcesz być. Nawet uczestnikiem ultramaratonów na 240 kilometrów. Hola, nie zeskakuj ze ścieżki! Spokojnie. Nie zwariowałem. Chcę ci tylko coś udowodnić. Założę się, że oprócz zastanawiania się, czy nie postradałem zmysłów, zadałeś sobie to samo pytanie, które stawia sobie większość osób stających przed kolejnym wyzwaniem (zaraz po: „Czyżby Eric cierpiał na chorobę wysokościową?!"):

Czy naprawdę byłbym w stanie to zrobić?

Gdybym wystartował w 240-kilometrowym ultramaratonie, na którym kilometrze upadłbym na ziemię, oszalał albo dostał zawału?

Trochę żartuję, ale to, co chcę powiedzieć, jest bardzo ważne. Lubimy znać wynik naszych działań, jeszcze zanim zrobimy pierwszy krok w ich stronę. Mamy wewnętrzną potrzebę pytania: co by było gdyby? Tymczasem u progu nowej przygody nie można przewidzieć, co się wydarzy. Nikt z nas nie ma magicznej kuli, która zresztą – mogę się założyć – i tak na niewiele by się zdała. Nie ma żadnej gwarancji wyników. Ale dlaczego nie spróbować dla samej tylko przygody?

O ile nie jesteś już ultramaratończykiem, podejrzewam, że w odpowiedzi na moje stwierdzenie, iż byłbyś w stanie przebiec 240 kilometrów, od razu stwier-

dziłeś: „Nigdy w życiu". Zobaczyłeś wynik. Przewidziałeś, że po dystansie 10, 20, 30 czy iluś tam kilometrów opadłbyś z sił. Oczywiście zależnie od twojego poziomu sprawności i doświadczenia, mógłbyś zareagować tak samo, gdybym powiedział, że przebiegniesz 10 000 metrów czy półmaraton.

Tego rodzaju myślenie, ta potrzeba przewidywania rezultatów, często decyduje o tym, jakie wyzwania sobie stawiamy. Ponieważ nie możemy przewidzieć przyszłości, bardzo często stwierdzamy, że to czy inne marzenie jest dla nas nieosiągalne. Pod pewnymi względami jest to mechanizm obronny, który ma zapobiec naszej porażce. Aby jej uniknąć, albo stawiamy sobie zbyt niskie cele, albo rezygnujemy z wyprawy po duży cel. Albo i jedno, i drugie.

Dlaczego? Ponieważ boimy się porażki i boimy się niewiadomej. Strach to potężne źródło motywacji. Pojawia się w najróżniejszych kształtach i rozmiarach, od wewnętrznych lęków po zewnętrzne zagrożenia. Większość naszych obaw wynika z doświadczenia. Możesz powiedzieć: „Chciałbym biegać w maratonach, ale odkryłem, że po pięciu kilometrach biegu zaczynają mnie boleć biodra". Jeśli tak reagujesz, podejrzewam, że dopuszczasz

197

NIEWIARYGODNY CEL

tylko możliwość porażki. Nie jesteś pewien, czy dałbyś sobie radę, i boisz się bólu, więc po prostu zakładasz, że nie przebiegniesz maratonu. Ale takie założenie jest jedynie odzwierciedleniem twojej potrzeby poznania wyników. Ponieważ nie znasz przyszłości, próbujesz ją przewidzieć na podstawie swojego dotychczasowego doświadczenia. Potrzeba przewidzenia rezultatów kontroluje twoje myślenie, powstrzymując cię nawet przed próbą udziału w maratonie. Z czasem przestajesz już nawet zastanawiać się, jaki byłby wynik. Zaczynasz po prostu wierzyć, że dany cel jest dla ciebie nieosiągalny. Lęk przeradza się w przekonanie. To samonapędzający się proces, który zaczyna się i kończy w naszych głowach.

Widzę, że się uśmiechasz. To wszystko świadczy o tym, że nasze myślenie i nasz strach przed porażką i niewiadomym, nie jest rzeczywisty. Jest jedynie wytworem naszych umysłów, skutkiem ubocznym naszych dotychczasowych doświadczeń albo „urojonych" lęków. Często wydaje nam się, że to, co myślimy, jest bezsprzeczną prawdą. Wcale nie. To my tworzymy nasze myśli. Są one prawdziwe tylko wtedy, gdy im na to pozwolimy. Zacznij patrzeć na nie jak na kolejną część swojego ciała, taką samą jak noga czy rę-

ka. Potrafisz już świadomie kontrolować swój ruch podczas biegu. Chciałbym, żebyś w równie świadomy sposób spojrzał na swoje myśli, jak na coś odrębnego od ciebie.

Zrozumienie tego daje wielką moc: skoro myśli nie są rzeczywistością, a jedynie wytworem naszego umysłu, możemy sprawić, żeby były pozytywne. Mamy wybór. W naszej głowie możemy sami sformułować takie zakończenie, jakie chcemy: przekroczenie mety, pobicie rekordu. Myślenie zafiksowane na czarnym scenariuszu staje się przeszkodą. Myślenie podążające za pozytywnym scenariuszem staje się niezwykle przydatnym narzędziem. Skoro negatywne myśli opierają się na negatywnych doświadczeniach, musimy spojrzeć w przeszłość i poszukać w niej dobrych doświadczeń, które pozwolą nam stworzyć myśli dobre.

Zanim zaczniesz powątpiewać w swoją zdolność wyeliminowania złych myśli, zatrzymaj się. Bo o nie o to cię proszę. Nie ma cudownej pigułki, metody wytrenowania umysłu tak, aby wypełnił się wyłącznie wesołymi, pozytywnymi scenariuszami sukcesu. Lęk zawsze będzie nam towarzyszył, ponieważ zawsze będziemy stawać przed nowymi niewiadomymi. Nie chodzi o to, żeby zniknął całkowicie. Musimy go sobie uświadomić, zrozumieć, że nie jest prawdziwy, a następnie zapanować nad nim i przejść do realizacji swojego Niewiarygodnego Celu.

Wiele osób uważa, że czołowi sportowcy są wolni od negatywnych myśli, że są nadludźmi przewyższającymi nas, zwykłych śmiertelników. Otóż znałem wielu takich nadludzi i wiem, że mają takie same obawy i wątpliwości jak każdy z nas. Inaczej jednak radzą sobie z nimi, nierzadko przekuwając je w swoją siłę.

Zamiast starać się unicestwić wszystkie swoje obawy i wątpliwości, zrób coś innego. Uświadom je sobie, nazwij po imieniu – myślami – i bez względu na to, czego dotyczą, podążaj naprzód. Jeśli tobie też się to uda, a jednocześnie stworzysz własne pozytywne scenariusze, dasz sobie szansę, by żyć tak, jak chcesz.

BYĆ W CIĄGU

Hurra! Cóż za inspirujące przemyślenia! Mam nadzieję, że tak właśnie sądzisz – nawet jeśli nie do końca cię przekonałem. Pewnie nie. Jeszcze nie. Musisz przekonać się na własnej skórze. Musisz zobaczyć, jak to wszystko sprawdza się u ciebie. Inaczej są to tylko słowa. Bez

praktyki i zaangażowania szybko je zapomnisz, tak samo jak moje lekcje na temat techniki biegu. Czym innym jest wysłuchać, jak należy biegać, a czym innym stosować się do tych zaleceń dzień po dniu, utrwalając prawidłową technikę, poprawiając szybkość i wytrzymałość. Podobnie powinieneś podejść do swojej psychiki. Czy już teraz możesz przyjąć, że jeśli oddzielimy myśli od działań, wszystko jest możliwe? Brak możliwości pojawia się dopiero wtedy, gdy uwierzymy, że nie jesteśmy w stanie kontrolować naszych myśli.

Zwolnij trochę. Nie wiem, czy zauważyłeś, ale w trakcie naszej rozmowy o pokonywaniu lęków i tworzeniu pozytywnych scenariuszy naprawdę podkręciłeś tempo biegu. Pozytywne nastawienie daje wielką moc, zwłaszcza gdy zaczynamy zauważać, że nasze ciało słucha naszych myśli.

Po raz pierwszy doświadczyłem tego jako dziecko. Wieczór przed jakimś meczem ligowym byłem ogromnie podekscytowany. W głowie miałem dwie myśli. Po pierwsze, bałem się, że nie trafię kijem w piłkę. Po drugie, ogromnie chciałem zaliczyć home run. Zamiast skupić się na pierwszej rzeczy, myślałem przede wszystkim o drugiej. Wyobrażałem sobie, jak staję na pozycji, widzę nadlatującą piłkę – i bam! Silnym uderzeniem kija posyłam ją nad głową lewego zapolowego za ścianę. Tak, tak, tak! Leżąc w łóżku, opowiedziałem mamie, co dokładnie wydarzy się następnego dnia. I wiesz co? Wszystko się sprawdziło. Wybiłem piłkę tak celnie jak jeszcze nigdy przedtem.

Jak to się stało? Czym jest ta dziwna łączność między ciałem a umysłem? Jak udało mi się pokonać strach i znaleźć się w punkcie, w którym wszystko stało się możliwe? Czy to był tylko fart? Zbyt niski rzut miotacza, silniejszy powiew wiatru?

W wieku trzynastu lat nie miałem jeszcze odpowiedzi na te pytania, zresztą nawet ich sobie nie zadawałem. Ale już wtedy przeczuwałem, że to moje myśli pomogły mi zdeterminować przyszły wynik meczu.

No dobrze, trochę się rozgadałem. Widziałem u moich podopiecznych, jak potężny wpływ na skuteczność w dążeniu do celu ma psychika. Chciałbym czym prędzej pomóc ci wejść na właściwą drogę.

Zwolnij jeszcze trochę. Zmęczysz się, jeśli będziesz próbował zbyt szybko biec pod górę. Pozwól, żeby to ścieżka dobiegła do ciebie. W myślach wciąż przeskakuj przez bale drewna. Chciałbym jeszcze trochę przybliżyć ci swoją filozofię. Wkrótce powiążemy ją z praktycznymi metodami i ćwiczeniami, które możesz zacząć wykonywać już teraz, podczas tego biegu.

Mam nadzieję, że rozumiałeś, jak nasze myśli, choć nieprawdziwe, są sprzężone z naszymi działaniami. Obydwie te sfery zazębiają się, napędzając się wzajemnie zarówno w negatywny, jak i pozytywny sposób – zależnie od scenariuszy w naszej głowie. Możesz przełamać to błędne koło i zacząć je kontrolować. Kluczem jest świadomość.

Pierwszego dnia, gdy pracowaliśmy nad fundamentami techniki, widziałem, że w pewnej chwili znalazłeś się w ciągu. Biegłeś wolnym tempem wokół bieżni, skupiony na lądowaniu na przodostopiu, równomiernym oddechu, przewijaniu kolan do przodu, wybijaniu się z prostych nóg i przenoszeniu ramion. Z twojej twarzy mogłem wnioskować, że nie myślisz o niczym innym. Byłeś cały zanurzony w teraźniejszości, wolny od wszelkich wątpliwości co do własnej siły czy sprawności. W tamtej chwili na pewno odniosłeś wrażenie, że czas zwolnił. Odległość, zmęczenie nie miały żadnego znaczenia. Świadomość sprawiła, że byłeś w ciągu, i to było piękne.

Zamiast skupiać się na tym, co dzieje się z twoim ciałem, możesz wykształcić w sobie podobną świadomość tego, co dzieje się w twojej głowie. To pozwoli ci uwolnić się od obaw i da ci determinację do kształtowania przyszłości zgodnie z marzeniami.

Że co? Że jak?

Może nie zdajesz sobie z tego sprawy, ale twój umysł nieustannie przetwarza myśli i interpretuje świat wokół ciebie głównie na podstawie dotychczasowych doświadczeń. Można powiedzieć, że bez przerwy ze sobą rozmawiasz, nawet o tym nie wiedząc. Często ta rozmowa ma negatywny wydźwięk. Starasz się ocenić wynik swoich działań i ryzyko porażki. Tak jak mówiłem, takie nastawienie często skłania nas do zarzucenia albo obniżenia swoich ambicji. Ten proces toczy się na okrągło, w większości podświadomie, ponieważ schematy myślowe są w nas bardzo głęboko zakorzenione.

Gdy tylko zaczynasz zdawać sobie sprawę z tych myśli i wsłuchujesz się w nie – ustają. Znów jesteś w ciągu i nie próbujesz przewidzieć przyszłości ani definiować jej na podstawie przeszłości. Zamiast produkować więcej myśli, możesz zobaczyć, czym naprawdę są: wymyślonymi historiami. Nie są prawdziwe. Świadomość tego pozwala ci podejmować działania, w których kierujesz się wymarzony-mi celami, a nie ograniczasz się lękami. Nie reagujesz już na myśli; wolny od nich, spełniasz swoje marzenia.

Pozwól, że pokażę ci, jak wpłynęło to na osiągnięcia jednego z moich sportowców. Potem dzięki różnym ćwiczeniom zobaczysz, jaki wpływ wywiera to na ciebie.

Pamiętasz ćwiczenie o nazwie skorpion z naszego programu siłowego? Kilka lat temu pewien biegacz z Pensylwanii przyjechał do mnie na trening. Był dość wysportowany, sprawny, mniej więcej na przeciętnym poziomie maratończyków, jakich można zwykle zobaczyć na linii startu. Doskwierały mu bóle kolan, poza tym chciał zwiększyć swoje możliwości, a nawet wziąć udział w ultramaratonie. Było dość jasne, że miał pewne problemy ze stabilnością, zakresem ruchu i używaniem mięśnia pośladkowego średniego, ale wszystko to mogliśmy poprawić.

Popracowaliśmy nad pierwszymi zestawami ćwiczeń ze slantboardem. Szło mu dobrze. Potem przeszliśmy do dynamicznych ćwiczeń ruchowych z piłką gimnastyczną. Gdy podczas wykonywania skorpiona mój podopieczny po raz pierwszy próbował skręcić biodra i przyciągnąć kolano do przeciwnej ręki – bum! – spadł na podłogę. Spróbował ponownie i utrzymał się na piłce, ale jego technika pozostawiała wiele do życzenia. Był ambitny, więc próbował ciągle i ciągle od nowa, ale za nic nie był w stanie wykonać ćwiczenia poprawnie. Widziałem, że jest sfrustrowany, zresztą przyznał się do tego. Przeszliśmy do kolejnych ćwiczeń.

Dwa dni później znów przerabialiśmy cały program i doszliśmy do skorpiona. Mój podopieczny chciał go pominąć, spróbować później, może za parę miesięcy, gdy będzie sprawniejszy. Poprosiłem, żeby usiadł. Spojrzał na mnie zdziwiony. Przytrzymałem jego wzrok. Zamknął oczy. Potem poprosiłem, żeby skupił się na tym, co się dzieje w jego głowie na myśl o skorpionie.

– Nie oceniaj tych myśli – powiedziałem. – To tylko myśli. Jeśli są negatywne, to wcale nie znaczy, że z tobą jest coś nie tak. Zdarzają się każdemu z nas. Ale trzeba je sobie uświadomić.

Wyrzucił z siebie:

– Myślę, że nie potrzebuję tego ćwiczenia. Mam zbyt napięte mięśnie czworogłowe. Ćwiczenie nie zrobi ze mnie lepszego biegacza. Będę się starał, ale nigdy go nie opanuję.

Potem poprosiłem, żeby się zastanowił, skąd wzięły się u niego te myśli. Z czego wynikają? Był szczery. Przyznał, że jest bardzo ambitny, że nie chce się wygłupić,

nie mogąc zrobić czegoś, co najwyraźniej bez trudu udaje się innym.

I wtedy – w jednej chwili – uświadomił sobie swoje myśli. Zablokował je w swoim umyśle, nie pozwalając, żeby go pokonały. Jego frustracja wynikała z obawy przed porażką. Czy podobny mechanizm widzisz u siebie?

– I co z tego, jeśli teraz nie uda ci się zrobić skorpiona? – powiedziałem. – A spróbujesz mimo to? Popracujesz nad tym, żeby do niego dojść? Możesz trzymać się negatywnych myśli albo stworzyć nowe, które mówią: „Nie jestem w tym kiepski. To jest trudne ćwiczenie". Zacznij od zrobienia choć jednego poprawnego skorpiona, a zobaczysz, jak wspaniale się poczujesz, gdy za kilka miesięcy wykonasz dziesięć powtórek.

Teraz miał wybór dzięki świadomości, nie był już ograniczony obawą przed wygłupieniem się przede mną. To pomogło mu zacząć. Od tamtej chwili minęło sporo czasu, a dziś ten sportowiec jest mistrzem skorpiona. To ćwiczenie tak naprawdę nie było dla niego ogromnie ważne. Inne przyniosłyby mu te same korzyści co skorpion. Mogłem poprosić, by zrobił je zamiast tego. Ale chciałem, żeby posłuchał myśli w swojej głowie, zdał sobie sprawę z tego, że nie są one prawdziwe, zrozumiał, jak wpływają na jego działania, oraz znalazł sposób, żeby znaleźć się w ciągu, w teraźniejszości i podejmować świadome wybory.

Pamiętasz Wielkiego Gazoo z *Flintstonów*? To był mały, unoszący się w powietrzu, zielony ufoludek w dużym kasku, który ciągle coś szeptał Fredowi do ucha. Może to zabrzmieć absurdalnie, ale można powiedzieć, że każdy z nas ma swojego Gazoo, który przez całe życie, dzień w dzień, prowadzi z nami taki dialog, niedostrzegalny dla innych. Jeśli pozwolimy Gazoo podejmować decyzje za nas, będziemy żyć w nieświadomości i pozwalać, żeby strach kierował naszym życiem. Wytrop swojego Gazoo, odetnij się od jego podszeptów i mimo lęków wybierz drogę naprzód, by realizować swoje cele.

Zacznij od słuchania swoich myśli i staraj się zauważyć, jak bardzo kontrolują twoje działania. Przetestuj moją filozofię teraz i przez następnych kilka dni.

Co dzieje się w tej sekundzie na szlaku Coal Creak? Dobiegliśmy na górską łąkę. Wokół nas unoszą się setki motyli. Za nami więcej niż połowa drogi do grzbietu. Tak, do tego, który wznosi się przed nami niemal pionowo w górę. Właśnie tam zmierzamy.

Oddychasz ciężko pomimo wolnego tempa. Myślisz o tym, jak bardzo jesteś zmęczony i czy dasz radę pokonać kolejnych 450 metrów pod górę? A właśnie to cię dziś czeka: 6,5 kilometra biegu pod górę i kolejnych 1000 metrów wspinaczki. Martwisz się, że nie dasz rady dotrzymać mi kroku, że będziesz potrzebował częstszych przystanków? A może myślisz, że w ogóle nie dasz rady?

Przeanalizuj swoje myśli, ponieważ odzwierciedlają twoje obawy co do dalszego rozwoju sytuacji. Nie możesz być pewien, czy aby nie będziesz musiał pokonać ostatniego etapu marszem. Ale ta obawa wynika z twojej potrzeby poznania rezultatów. Przełam ten cykl myślowy, świadomie koncentrując się na tym, co dzieje się tu i teraz. Kontroluj tempo, oddychanie, technikę, pracę stóp. Oceniaj sam siebie. Skup się na tym, co możesz zrobić, a nie na tym, co się wydarzy, gdy ruszymy krętą ścieżką pod górę. Wybór, jaki stoi przed tobą teraz, w tej właśnie chwili, dotyczy tego, jak przebiegniesz kolejnych 15 metrów. Rozkoszuj się drogą – nie myśl o mecie.

Bądź Chrisem Sharmą. Słyszałeś już o nim? To jeden z najlepszych alpinistów na świecie. Na jednej z tras w Hiszpanii podjął sto nieudanych prób, zanim udało

203

mu się dotrzeć na szczyt. Sto prób, jedna trasa, żadnych lin. Za każdym razem, gdy coś mu się nie udało, leciał 10–12 metrów w dół wprost do głębokiej wody. Chris zachwycił się procesem sprawdzania tego, jak daleko uda mu się dotrzeć następnym razem. Zakochał się w tym, co alpiniści nazywają projektem – bieżącym wysiłkiem. Pomyśl o Chrisie, gdy w twojej głowie pojawi się obawa przed nieukończeniem wyścigu czy treningu. Pomyśl o nim, a następnie ponownie skoncentruj się na swoich stopach lądujących na ziemi krok za krokiem.

Staraj się utrzymać podobną świadomość również później, gdy rozpoczniesz 20-dniowy odwyk cukrowy. Nie oceniaj swoich myśli w kategoriach dobre lub złe, a jedynie zwracaj uwagę na ich treść. Jeśli wolisz, zapisuj je na kartce papieru. Zacznij zauważać, w jaki sposób emocje, przekonania i uczucia odzwierciedlają się w naszych myślach, gdy staramy się podejmować rozsądne decyzje żywieniowe. W okresie odwyku jest to szczególnie nasilone, ponieważ cały proces jest świadomie kontrolowany, uporządkowany i, bądźmy szczerzy, niełatwy.

Czy myślisz: „to nie jest tego warte" albo „nigdy dotąd nie miałem problemów z powodu tego, co jem"? A może: „to szaleństwo, nie wytrzymam tego trzy tygodnie, jestem zbyt zajęty, nie mogę wybrzydzać w restauracjach. Czy nie zasłużyłem na coś słodkiego? Komu by to szkodziło?"?

Czy jesteś w stanie dostrzec swoje myśli i zrozumieć, że są tylko myślami, a nie prawdą? Czy widzisz, jak znikają i tracą moc oddziaływania w chwili, gdy je sobie uświadomisz? To znaczy, że jesteś w stanie dokonać wyboru. Dać z siebie wszystko to wybór.

Zacznij grać ze sobą w tę grę, zobacz, jak szybko jesteś w stanie wyłapywać u siebie tego rodzaju myśli w ciągu dnia. Nie martw się, to, że słyszysz w głowie wszystkie te głosy, wcale nie znaczy, że zwariowałeś. Każdy z nas prowadzi ze sobą wewnętrzny dialog. Ale nie każdy z nas jest tego świadomy i potrafi przełamać ten cykl. Ważne, żeby nie próbować całkowicie pozbyć się złych myśli ani nawet ich zmieniać. Będziesz je miał; wszyscy je mają. Ale możesz nauczyć się ich szukać, słuchać samego siebie, rozumieć, że są tylko myślami i że nie mają wpływu na twoje działania ani na to, kim naprawdę jesteś – chyba że na to pozwolisz.

Pójdź jeszcze dalej. Poprowadź z nimi dialog. „Zastanawiam się, dlaczego myślę w ten sposób. Dlaczego uważam, że potrzebuję pizzy? Dlaczego nie chce mi się dziś biegać? Dlaczego mam poczucie, że powinienem dziś biegać, mimo że jest to mój dzień wolny?". Obserwuj swoje myśli i działaj pomimo ich podszeptów. Nie pozwól, aby zmieniały twoje plany albo wpływały na to, co jest ci potrzebne do osiągnięcia celu teraz i w przyszłości.

Im częściej będziesz tak robił, tym łatwiej będzie ci pozostać w ciągu. Powtórzę jeszcze raz – niech wyłapywanie własnych myśli i lęków stanie się dla ciebie zabawą. „Aha, znowu to samo" – mówisz sobie. Nie szkodzi, jeśli negatywne scenariusze będą powracać. To nieuniknione. Ważne, żeby rozpoznać, czym naprawdę są. Wprawisz się. Świadomość własnych myśli i umiejętność pokonywania ich w żaden sposób nie różni się od rzeźbienia mięśni. Będziesz coraz silniejszy.

Teraz, gdy pokonujesz ostatnie 15 metrów naszej morderczej trasy, wyglądasz na pełnego sił. Jesteś w ciągu.

Ile razy słyszałeś – i czułeś – że jesteś uskrzydlony albo na biegowym haju? Czy pamiętasz to uczucie, które pojawiło się w trakcie wyścigu lub intensywnego biegu: przekonanie, że wszystko jest możliwe? Wszystkie elementy układanki były na swoim miejscu. Widziałeś wszystkich i wszystko; to, co zrobiłeś i co wciąż powinieneś zrobić. Byłeś nie do zatrzymania; nie oceniałeś tego ani nie upajałeś się tym stanem. Czułeś po prostu spokój, harmonię, zadowolenie z tego, co zrobiłeś. Czułeś, że nie popełnisz błędu. Siatka kosza była jakimś cudem szersza. Rywale byli wolniejsi. Byłeś w stanie przewidzieć ich ruchy i zobaczyć, dokąd poleci piłka, jeszcze na długo przed rzutem. Byłeś silny, szybki, skoncentrowany, pełen energii. Swobodnie oddychałeś, a twoje mięśnie pod koniec biegu pracowały równie dynamicznie co tuż po starcie. Cały świat, wszystko, co znajdowało się poza boiskiem, bieżnią czy boiskiem, zniknęło. Byłeś w środku tego, co się działo, ale też ponad tym.

To było piękne, prawda? Wzniosłe. Wszyscy lubimy być uskrzydleni. Ale tajemnicą jest sposób osiągnięcia tego idealnego stanu. W grę wchodzi wiele elementów, a odkrycie ich jest nieprzewidywalne i często frustrująco złudne. Zbliżasz się do szczytu formy. Gdzieś na wczesnym etapie odnosisz sukces, który podbudowuje twoją wiarę w siebie. Motywują cię tłumy kibiców albo przychylne słowo przyjaciela. Te wszystkie rzeczy, a także wiele innych, mogą pomóc ci dostrzec swoją szczególną szansę.

Ale ja uważam, że jeden element jest stały i obowiązkowy: bycie w ciągu. Wiele osób używa tych terminów zamiennie, ale dla mnie uskrzydlenie nie jest tym samym co bycie w ciągu. Bycie w ciągu umożliwia i warunkuje uczucie uskrzydlenia. Bycie w ciągu oznacza pełne wyczulenie na chwilę obecną: na twoje stopy uderzające o podłoże, twój oddech, twoją postawę, twoje ciało w ruchu – i na nic innego. Przeszłość, przyszłość nie mają żadnego znaczenia. Gdy skupimy się na tym, co robimy i myślimy, wszystkie zewnętrzne procesy myślowe ustają. Czas zwalnia, ponieważ mamy wyostrzoną świadomość chwili. Czujesz się lekki i zrelaksowany. Gdy osiągniesz ten stan, poczujesz się uskrzydlony, a wszystkie twoje umiejętności fizyczne i psychiczne połączą się w perfekcyjną całość tak, że będziesz w stanie zrobić absolutnie wszystko.

Piękno bycia w ciągu polega na tym, że w miarę nabierania wprawy stan ten możesz osiągnąć w dowolnej chwili. Możesz być skupiony na teraźniejszości podczas każdego biegu i każdego treningu.

STWORZYĆ SWÓJ NIEWIARYGODNY CEL

Usiądź na tym głazie. Rozkoszuj się widokiem tak jak jastrząb krążący pod nami. Dobrze słyszałeś: pod nami. Jesteśmy wyżej, niż wzbijają się jastrzębie – na wysokości 3000 metrów n.p.m. Gdziekolwiek spojrzeć, widać góry i długie rzędy sosen. Wdychaj powietrze tak czyste jak niebo nad naszymi głowami. Podbieg poszedł ci doskonale. Udało ci się pozostać w ciągu.

Po twoich oczach widzę, że odczuwasz *freebie*. Oddychaj głęboko, weź łyk wody. *Freebie*? Tak w Jackson Hole nazywamy uczucie oszołomienia spowodowane wysokością. To tańsze niż wizyta w barze.

Podziwiając widoki, porozmawiamy o tym, jak świadomość pozwala nam zrozumieć nasze pragnienia. Będzie to dość ciężki temat, więc nie spiesz się, przeżuwaj go powoli. Oto moja kolejna teza: skoro nasze wcześniejsze doświadczenia wpływają na nasz sposób myślenia w teraźniejszości, który z kolei determinuje nasze działania w przyszłości, to znaczy, że – uwaga – nasze myślenie w teraźniejszości kreuje przyszłość.

Tyle filozofia, a teraz skupmy się na tym, jak stworzyć przyszłość, o jakiej marzysz. Formułowanie twojego Niewiarygodnego Celu będzie dobrą zabawą; znajdujemy się w takim miejscu, że i tak mamy głowy w chmurach. To pierwszy krok w kierunku stworzenia tego, czego pragniemy. Nazywam to snuciem marzeń, ale z jednym zastrzeżeniem: musimy uwolnić się od wszelkich negatywnych konotacji związanych z tym wyrażeniem. Nie mówimy o bezmyślnym gapieniu się w okno. Nie jesteś już w szkole – nie dostaniesz bury za bujanie w obłokach. Mówię o innego rodzaju marzeniach. O podróży w głąb swojego umysłu, podczas której swobodnie podążasz ścieżkami wyobraźni. Nie trzymaj się sztywno żadnych map ani kierunków – jeszcze nie.

Możesz zacząć marzyć tu, teraz, na górskim grzbiecie, ale chciałbym, żebyś robił to za każdym razem, gdy masz chwilę wolnego od codziennych obowiązków. Lubię marzyć podczas długich biegów, słuchając muzyki albo gdy siedzę w domu przy filiżance porannej kawy czy kubku wieczornej herbaty. Musisz po prostu znaleźć miejsce, w którym nic nie będzie cię rozpraszać. Możesz zamknąć oczy albo je otworzyć, wybrać miejsce publiczne lub odosobnione, skrzyżować nogi albo usiąść prosto – grunt, żebyś poczuł się komfortowo.

Oderwij się od wszystkich bieżących spraw i zacznij myśleć o celu, jaki chcesz osiągnąć poprzez bieganie. Może to być wszystko, czego tylko zapragniesz. Popuść wodze fantazji. Chciałbyś przebiec Wielki Kanion, ukończyć swój pierwszy wyścig na 10 000 metrów albo 160 kilometrów,

zakwalifikować się do Maratonu Bostońskiego lub turnieju wyłaniającego reprezentację olimpijską, a może pobić jakiś zawrotny rekord szybkości?

Postaraj się zrelaksować, rozluźnić tak, że pytania o osiągalność tego celu przestaną mieć znaczenie. Nie będą w stanie powstrzymać cię przed snuciem dalszych marzeń. Oczywiście na pewno wkradną się w nie negatywne myśli, ale po prostu je zarejestruj i nie przestawaj marzyć. Zakreśl sobie ambitny cel. Największy, najbardziej szalony, najwspanialszy, jaki tylko przyjdzie ci do głowy. Masz być nim tak podekscytowany, że aż dostaniesz gęsiej skórki. Dosłownie. Im większą poczujesz ekscytację, tym lepiej. Tworząc swój Niewiarygodny Cel, uśmiechaj się, bo na razie nie interesuje nas, czy go zrealizujemy. Stwórz najbardziej szaloną fantazję.

Pozwól, aby twoje myśli biegły swobodnie, zabierając cię w dowolną stronę. Baw się. Nie oceniaj. Postaraj się jednak, żeby był to cel mierzalny, a nie jedynie pewne emocje czy stany. Możesz pomyśleć: „Chcę być zdrowy". Super, ale idź o krok dalej. Co konkretnie sprawi, że będziesz czuł się zdrowszy niż kiedykolwiek wcześniej? Zastanów się, co cię kręci, co cię napędza.

W ciągu następnych dni, tygodni, miesięcy – tak długo, ile będzie trzeba – nie przestawaj marzyć. Postaraj się to polubić i czerpać z tego przyjemność. Żadnych reguł. Możesz marzyć o wspaniałym życiu albo o wielkim wyścigu – o czymkolwiek chcesz. Pozwól swoim myślom błądzić. Nie popychaj ich w kierunku właściwego celu. Zaufaj swojej intuicji. Gdy twój Niewiarygodny Cel – który określisz dzięki temu doświadczeniu – pojawi ci się przed oczami, od razu będziesz to wiedział. Jeśli jest to cel długoterminowy – świetnie. Jeśli krótkoterminowy – też super. A może jeden bazuje na drugim? Doskonale. Możesz realizować kilka Niewiarygodnych Celów naraz. Tak jak mówiłem – żadnych zasad. Polub to, ponieważ tworzenie celów może być niezłą zabawą. To gra w życie i na całe życie – jak ogromny cel jesteś w stanie sobie postawić?

Wiele lat temu w ten właśnie sposób odnalazłem swój Niewiarygodny Cel. Moim marzeniem było mieć choć po jednym biegaczu w każdym gospodarstwie domowym w Ameryce i poza nią. Chcę przekazać radość i korzyści zdrowotne płynące z biegania wszystkim ludziom na świecie. To duży cel, ktoś rzekłby – niemożliwy. Świetnie. To moje marzenie, które właśnie realizuję.

Gdy już znajdziesz swój Niewiarygodny Cel, postaraj się poczuć, jak duże podekscytowanie wzbudza w tobie myślenie o nim. Niesamowite, prawda? A jeśli czujesz pewien lęk, nim też możesz się ekscytować. Wiesz dlaczego?

Ponieważ lęk jest miarą wszystkiego. Świadczy o tym, że twój Niewiarygodny Cel jest dla ciebie ważny. Pokazuje, że obrałeś sobie największy, najbardziej śmiały cel z możliwych. Cel, który ma wartość. Być może słyszałeś już jedno z moich ulubionych powiedzonek: „Jeśli coś wydaje się niemożliwe, to znaczy, że być może warto to zrobić". Lęk jest dobrym sygnałem, o ile nie pozwolimy, żeby przejął kontrolę nad naszym działaniem; może być potężną siłą w naszym życiu. Jeśli trochę się obawiasz, lękasz, stresujesz swoimi planami – albo nawet obecną chwilą – prawdopodobnie idealnie wyobraziłeś sobie swoje życie i swój Niewiarygodny Cel. Jeśli się zastanowić, strach przed wielkimi, niemożliwymi rzeczami jest konieczny. Nie jestem zainteresowany brakiem strachu czy nieustraszonością. Nie, dziękuję. Ja mówię – więcej strachu. Dajcie mi go więcej. Zaakceptuj go. Pokochaj.

Czy każdy Niewiarygodny Cel jest osiągalny? To naturalnie nasuwające się kolejne pytanie, które nieustannie słyszę.

Uważam, że odpowiedź brzmi: tak, jeżeli jesteś ze sobą szczery i intuicyjnie podążasz za swoimi marzeniami. Na przykład ja nie leżę nocami w łóżku, wyobrażając sobie, że siedzę w Białym Domu i rządzę całym światem. Nie wyobrażam sobie, że wygrywam olimpiadę w pchnięciu kulą. Te dwa marzenia, podobnie jak wiele innych, które mogą snuć inne osoby, nigdy nie pojawiają się w mojej wyobraźni. Ale mieć po jednym biegaczu w każdej rodzinie? Tak, dla mnie jest to coś, o czym warto marzyć.

Gdy już stworzysz swój Niewiarygodny Cel, jesteś gotowy poznać metody jego realizacji.

TRENING MENTALNY

Ruszamy razem w dół. Schodząc, rozstawiaj nogi nieco na boki. Ścieżka jest stroma, pełna kawałków błota i obluzowanych kamieni, nietrudno więc o potknięcie. Gdy zejdziemy trochę niżej, znów zaczniemy biec. Pamiętaj, zbiegając, wyobrażaj sobie, że jedziesz na rowerze. Dojście na górę zajęło nam godzinę; droga w dół będzie o połowę krótsza. Mniej się zmęczysz, więc będziesz mógł podziwiać widoki. Gdy jesienią osiki pokrywają się żółtymi liśćmi, zbocza góry wyglądają

jak pomalowane na złoto. Zimą wschodni stok po twojej prawej stronie przeobraża się w fantastyczną trasę narciarską.

Uważam, że bycie sportowcem jest swego rodzaju wyborem i że wszyscy możemy być sportowcami niezależnie od wrodzonych predyspozycji. To rodzaj mentalności, stylu życia, decyzji. Chciałbym, żebyś podczas drogi w dół zaczął testować techniki treningu mentalnego, o których za chwilę ci opowiem. Mantry, rytuały i wizualizacje tworzą wspólnie fundament sprawności fizycznej, który umożliwia ci realizowanie bieżących celów. Jest tak samo ważny jak technika i siła. Proszę tylko, żebyś wypróbował te metody i przez kilka miesięcy popracował na tym poziomie świadomości. Zobaczysz, jak bardzo zmieni się twoja wydajność i twoje nastawienie.

Pierwszym krokiem jest opracowanie własnej mantry.

1. Mantra

W sportach wyczynowych mantra to często powtarzane słowo lub zbiór słów, które pomagają poprawić koncentrację i wydajność. Większość zawodowych sportowców – jeżeli nie wszyscy – wykorzystuje ją świadomie lub podświadomie. Polecam wykorzystywanie mantry, która pozwala znów znaleźć się w ciągu. Mantra jest narzędziem pozwalającym skoncentrować się i pozbyć wszelkich negatywnych myśli, które próbują zniweczyć twoje starania.

Wybierz mantrę złożoną z trzech słów opisujących cechy, które powinieneś posiadać, żeby osiągnąć swój cel. Zamiast wybierać przypadkowe cechy, postaraj się określić je na podstawie analizy przeszkód, jakie stoją na twojej drodze do Niewiarygodnego Celu. Spójrz w głąb siebie i zastanów się, jakie obawy i negatywne myśli mogą pojawić się u ciebie, gdy zaczniesz podążać w stronę swojego celu.

Przykłady:

- Mam zbyt napięty grafik. Nie mam czasu na treningi.
- Nie mam do tego talentu.
- Jestem za stary, za młody, w zbyt kiepskiej formie.
- Ludzie pukają się w czoło, że tyle ćwiczę. Chyba mają rację.
- To kryzys wieku średniego. Lepiej kupić sobie czerwony kabriolet.
- Znowu odezwą się stare kontuzje.
- Nie starczy mi pieniędzy.
- Najlepsze lata mam już za sobą.

Lista powinna być jak najdłuższa i jak najbardziej szczegółowa. Staraj się zagłę-

bić w swój umysł, odkryć swoje najskrytsze lęki. Zapisz je na kartce papieru. Gdy skończysz, zastanów się, jakie trzy cechy charakteru są ci potrzebne, żeby pokonywać te lęki, gdy tylko się pojawią (a zdarzy się to nie raz). Zwykle w chwilach zwątpienia – na ostatnim odcinku wyścigu, w połowie długiego treningu, zimowym porankiem, gdy nie chce ci się wstać z łóżka – motywują cię przede wszystkim słowa oznaczające pewne stany emocjonalne albo działania. Mantra powinna pomóc ci odnaleźć koncentrację, gdy trudno ci pozostać w ciągu, a twoje lęki i wątpliwości zaczynają brać nad tobą górę.

Mantra powinna też wywoływać reakcję – fizyczną i psychiczną. Powinieneś niemal fizycznie odczuć jej działanie. Twoje słowa mogą opisywać cechy, które podziwiasz u innych sportowców lub których zawsze brakowało ci do osiągnięcia sukcesu. Wreszcie, jak można się spodziewać, słowa te powinny mieć pozytywny wydźwięk.

Oto przykłady słów, których używali trenowani przeze mnie sportowcy:

- wytrwały
- pewny siebie
- niezłomny
- niezależny
- silny

- wydajny
- zaradny
- dalej!
- cierpliwy
- hart ducha
- silna wolna

Wykorzystując te słowa, możesz stworzyć na przykład taką mantrę: silny, niezależny, wytrwały. Możesz ją też sformułować w formie stwierdzenia, ale pamiętaj, że mimo wszystko powinna składać się z trzech słów. Twoja mantra może brzmieć: „Jestem silny, niezależny i zawsze wytrwały". Poświęć czas na stworzenie swojej mantry, testując wybrane wersje i określając, jakie emocje są ci najbardziej potrzebne.

Gdy już będziesz miał ostateczną wersję, zapisz ją dużymi literami na kartce. To przygotuje cię do połączenia jej z drugim etapem treningu mentalnego: rytuałem.

2. Rytuał

Na pewno stosowałeś w życiu różne rytuały, przygotowując się do egzaminów, rozmów o pracę albo zawodów sportowych. Wielokrotnie też byłeś świadkiem różnych rytuałów, czasem nawet nie uświadamiając sobie tego. Czy widziałeś sportowców, którzy na zawody wkładają zawsze te same spodenki albo skarpetki? To ich rytuał. Miotacz, który cztery razy przeskakuje linię faulu, zanim zajmie pozycję. Rytuał. W czasach mojej kariery futbolowej, gdy czułem się mentalnie gotowy do gry, wkładałem kask i nie zdejmowałem go aż do ostatniego gwizdka. Rytuał. Czekając na wykop, podskakiwałem pięć razy na każdej nodze, zanim przejąłem piłkę. Rytuał.

Podobnie jak mantry rytuały mają pomóc nam się skupić, wejść w stan absolutnej koncentracji, wejść w ciąg. W połączeniu z mantrą ich skuteczność wzrasta. Aby stworzyć własny rytuał, pomyśl o czymś łatwym do wykonania, nierzucającym się w oczy, co możesz zrobić w dowolnej chwili i w dowolnym miejscu bez rozpraszania siebie i innych, a także bez nadmiernego wysiłku. Rytuał musi być możliwy do wykonania także podczas biegu i w zatłoczonym miejscu, zawsze gdy konieczne jest wejście w ciąg i skoncentrowanie się na swoich celach.

Ja trzy razy mrugam. To mój rytuał. Lubię łączyć trzy słowa swojej mantry z trzema czynnościami. Ty możesz trzy razy uderzać dłonią o udo. Pstryknąć palcami. Podwinąć palce u stóp. Zacisnąć i otworzyć pięść. Trzy razy pociągnąć się za ucho. Wiesz, o co mi chodzi? Gdy już

> ## WIZUALIZACJA – ROZGRZEWKA PRZED KONTROLOWANIEM PROCESÓW MYŚLOWYCH
>
> Im częściej będziesz ćwiczyć wizualizację, tym lepiej będzie ci ona wychodzić. Dodatkowo więc, oprócz wizualizacji wzmacniających mantrę i rytuał, polecam ci ćwiczenie wizualizacji w celu wzmocnienia psychiki. Wyobraź sobie, że to rodzaj treningu siłowego i wzmacniającego dla mózgu.
>
> Najlepiej robić to w domu, w ciszy, gdy nic nie zakłóca twojego spokoju. Moją ulubioną porą jest wczesny ranek, bo wtedy jestem najbardziej ożywiony. Ale ty znajdź taką porę, jaka jest najlepsza dla ciebie. To rozgrzewka, ćwiczenie na wizualizację własnych procesów myślowych. Zamknij oczy, oddychaj normalnie. Wróć myślami do jakiegoś wydarzenia w minionym tygodniu, które było szczególnie ważne lub barwne. To mógł być długi bieg, romantyczna kolacja albo impreza w pracy. Wróć do tamtej chwili i poobserwuj siebie z boku. Zwróć uwagę na otoczenie, nastrój. Czy uśmiechasz się bądź śmiejesz się na głos? Czy jest głośno, czy cicho? Jeszcze raz przeżyj tamte chwile. A teraz wróć do innego dnia, na przykład wczorajszego. Znajdź się myślami w wybranym momencie tego dnia. Zobacz go, poczuj, usłysz. Podróżuj ścieżką swoich wspomnień, a potem wybiegnij myślami w przyszłość, dwa dni do przodu. Wyobraź sobie, co będziesz robił, jak będziesz ubrany, kogo zobaczysz. Możesz skupić się na długim biegu, który zaplanowałeś z przyjaciółmi, albo na czekających cię zawodach. Niech przyszłość ożyje w twojej wyobraźni. Potem wróć do dnia dzisiejszego, bieżącej chwili i otwórz oczy. ■

opracujesz swoją mantrę i towarzyszący jej rytuał, możesz do tej potężnej mieszanki dodać jeszcze wizualizację.

3. Wizualizacja

Jak wiesz, jestem wielkim zwolennikiem wyobrażania sobie różnych rzeczy. Dziwi mnie, że ludzie robią to tak rzadko. Trwonią wiele ukrytej mocy.

Wizualizację można wykorzystać na wiele sposobów. Zacznę od możliwości połączenia emocji z mantrą i rytuałem, co potęguje ich efekt. To dlatego, że emocje doskonale motywują zarówno nasze ciała, jak i umysły. Dalej będę odnosił się do techniki wizualizacji jako techniki wejścia w ciąg, gdyż taki właśnie jest jej końcowy efekt.

Stan bycia w ciągu to moment w przeszłości, w którym czułeś, że masz cechy wymienione w swojej mantrze. Gdy czułeś się najsilniejszy, najbardziej niezależny i najbardziej wytrwały. Wróć myślami do momentu czy zdarzenia, w którym zademonstrowałeś te cechy. Nie martw się, jeśli musisz sięgnąć do dość odległej przeszłości – ważne, żeby była to chwila zapamiętana ze szczegółami i wciąż żywa w twojej pamięci. Pomyśl o niej, zamknij oczy i pozwól, by twój umysł podążył w jej kierunku. Przeżyj ją jeszcze raz, starając się odtworzyć ją w jak najbardziej realistyczny sposób, ze wszystkimi możliwymi detalami. Usłysz dźwięki. Zobacz ludzi, miejsce. Doświadcz jeszcze raz tego, co się wówczas wydarzyło. I przede wszystkim poczuj, jak dobrze ci było we własnej skórze. Rozkoszuj się swoją siłą, niezależnością i wytrwałością. Nie spiesz się, ciesz się tamtą chwilą. Postaraj się zauważyć, jakie emocje wywołują w tobie twoje wspomnienia związane z tamtym doświadczeniem. Zauważ, jak wizualizowanie zdarzeń z przeszłości przekłada się na rzeczywiste, bezpośrednie uczucia w teraźniejszości.

Gdy już masz daną sytuację wyraźnie przed oczami, gdy czujesz ją całym sobą, wypowiedz swoją mantrę i jednocześnie wykonaj swój rytuał. Jeśli chcesz, możesz to powtórzyć kilkakrotnie. Potem stopniowo powróć myślami do teraźniejszości.

Za każdym razem, gdy będziesz wykonywał to ćwiczenie, będziesz mógł skuteczniej połączyć swoją mantrę i rytuał z uczuciem bycia w ciągu. Mając takie narzędzie w swoich zasobach, możesz wykorzystywać je do realizowania swojego Niewiarygodnego Celu. Możesz przywoływać swoją mantrę i rytuał, pamiętając jednocześnie, że strumień pozytywnych uczuć pozwoli ci zapomnieć o strachu i zrozumieć, że lęk jest jedynie wytworem twojej wyobraźni. Po pokonaniu obaw możesz ponownie skupić się na swoim celu i chwili obecnej. Teraz już potrafisz być dokładnie tym, kim chcesz, i działać zawsze wtedy, gdy chcesz.

Gdy robi się ciężko, gdy wątpisz w siebie i chcesz zarzucić swoje marzenia, z pomocą mantry i rytuału możesz przywołać ten stan. Ale nie ograniczaj tej techniki do dużych zakrętów. Jeśli potrzebujesz dawki pozytywnej energii podczas wyścigu albo treningu, albo w jakiejś innej chwili, korzystaj z niej do woli. Użyj ich łącznie: mantry, rytuału, uczucia. Zobaczysz, że znów jesteś gotów dać z siebie wszystko.

Teraz możesz również wykorzystać wizualizację do trenowania swojego umysłu i przygotowania się do codziennych wyzwań i wydarzeń. Prawdopodobnie z tej techniki będziesz korzystał częściej niż z pozostałych. Ja tak robię. To klucz do osiągnięcia wyników, o jakich marzysz.

Załóżmy na przykład, że zbliża się czas zawodów, w których planujesz wziąć udział. Jeśli to dla ciebie ważne wydarzenie, w tygodniu poprzedzającym zawody poświęć trochę czasu każdego wieczoru na ćwiczenie techniki wizualizacji. Przyzwyczaj się do niej i opanuj ją do perfekcji. Ten rodzaj wizualizacji możesz przeprowadzić jednak w dowolnej chwili, nawet tuż przed startem. Zawsze wtedy, gdy musisz się sprawdzić.

Pozwól, że opiszę ćwiczenie, które możesz wykonywać wieczorem przed startem. Zamknij oczy i jeszcze raz wybiegnij myślami do czekających cię zawodów. Zacznij od wieczoru poprzedzającego imprezę. Wyobraź sobie, że jesz dobrą kolację i szykujesz się do snu. Zobacz, jak spokojnie zasypiasz. Staraj się przywołać jak najwięcej szczegółów. Zobacz, jak budzisz się rano w dzień zawodów. Która jest godzina? Poczuj, jak wstajesz z łóżka pełen energii, ale spokojny, czując łagodne ciepło świadczące o twojej dobrej formie. Zobacz, jak jesz śniadanie, i staraj się poczuć dokładnie to, co chciałbyś tego dnia

czuć. Lekką obawę, tremę. Uśmiechnij się i powiedz do siebie: znakomicie.

Teraz wkładasz strój startowy, spodenki, koszulkę i buty. Zawiązujesz sznurówki. Zobacz, jak rozpoczynasz rozgrzewkę, poczuj, jak głębokie wdechy i wydechy budzą twoje mięśnie. Zobacz i poczuj dokładnie to, co chciałbyś widzieć i czuć. Zobacz, jak stajesz na linii startu, podskakując dla rozgrzewki. Usłysz wystrzał pistoletu startowego. Poczuj, jak ruszasz przed siebie silnym, szybkim, pewnym krokiem. Zobacz siebie na wszystkich kolejnych etapach biegu. Wyobraź sobie moment kryzysowy – gdy nogi odmawiają ci posłuszeństwa, nie możesz złapać oddechu, chcesz zwolnić, a nawet się zatrzymać. A potem zobacz, jak reagujesz, blokujesz negatywne myśli, wykorzystujesz swoją mantrę i rytuał do znalezienia się w ciągu i biegniesz dalej, jeszcze lepiej i szybciej niż dotąd. Przejdź myślami przez wszystkie momenty wyścigu, starając się, by były jak najbardziej realistyczne. Usłysz wiwatowanie tłumu. Zobacz metę i swój czas na zegarze. Poczuj, jak przebiegasz przez metę z takim wynikiem, jaki chciałeś w to włożyć, z rękami uniesionymi nad głową i uśmiechem na twarzy. Poczuj ten sukces. Swój sukces. Stwórz swój sukces.

A teraz otwórz oczy. Jesteś gotowy. Twoje ciało i twój umysł są przygotowane do jutrzejszego dnia. Będą w stanie odnaleźć ścieżkę, którą wytyczyłeś dla siebie w myślach, i podążyć nią.

A jeśli w trakcie wizualizacji utkniesz w jakimś punkcie, wróć i powtórz ćwiczenie. To normalne. To trochę tak, jakbyś oglądał w głowie film z czekającego się wydarzenia. Czasami, żeby dostrzec wszystkie detale, musisz go zatrzymać albo puścić w zwolnionym lub przyspieszonym tempie. Ale nie ustawaj w próbach i uwierz, że wkrótce wizualizacje zaczną ci wychodzić coraz lepiej. Gdy już raz ujrzysz ich potęgę, będziesz nieustannie do nich powracać.

Do swojej wielkiej wizualizacji, swojego Niewiarygodnego Celu. Od dnia, w którym go stworzysz, przez wszystkie tygodnie, miesiące, a nawet lata jego realizacji musisz nieustannie powracać myślami do swojego przyszłego sukcesu. Wyobraź sobie wszystko, co wiąże się z twoim celem. Zobacz, jak się do niego przygotowujesz. Zobacz, jak krok po kroku pokonujesz tę drogę. Pozwól, by twoje myśli swobodnie podążały w różnych kierunkach, krążąc wokół twojego Niewiarygodnego Celu. Znajdź się myślami w dniu, w którym go osiągasz. Poczuj, jak to jest. Poczuj swoją radość. Potem wróć do teraźniejszości. Otwórz oczy. Przede wszystkim pamiętaj o jednym: na każdym etapie drogi twój Niewiarygodny Cel czeka, aż do niego dotrzesz.

SPRAWNOŚĆ = ŚWIADOMOŚĆ

Jesteśmy prawie z powrotem. Czy słyszysz plusk strumienia? Piękny dźwięk, prawda? Jest i zwalone drzewo, po którym przeszliśmy, kierując się w górę szlaku. Uważaj przy schodzeniu. Zawsze patrz tam, dokąd chcesz iść – zimna kąpiel nie byłaby teraz wskazana, choć może nawet miałbyś na nią ochotę. Szybko znaleźliśmy się na dole. Kolejny raz pobiegłeś bardzo dobrze.

Świadomość. We wszystkim, o czym mówiliśmy – od filozofii po metody treningu mentalnego – świadomość ma kluczowe znaczenie. Bądź świadomy swoich myśli, swoich obaw, aby móc skoncentrować się na realizacji założonych celów. Bądź świadomy wpływu, jaki wywiera na ciebie twoja przeszłość – zarówno w pozytywnym, jak i negatywnym znaczeniu. Bądź świadomy głosów w twojej głowie i nie daj się im sprowadzić na manowce.

NIEWIARYGODNY CEL

Bądź świadomy swojej przyszłości – czego od niej oczekujesz? Co chciałbyś, żeby się w niej wydarzyło? Bądź świadomy tego, w jakich chwilach musisz skorzystać ze swojej mantry i rytuału. Bądź świadomy tego, co widzisz i co możesz stworzyć w swojej wyobraźni. Bądź świadomy, żebyś mógł znaleźć się w ciągu, a świat ze wszystkimi swoimi możliwościami – nie tylko sportowymi – stanął przed tobą otworem. Teraz jedyną rzeczą niemożliwą jest porażka.

ROZDZIAŁ 9

TWÓJ NIEWIARYGODNY CEL

To twój siódmy i ostatni dzień w Jackson Hole. Szybko zleciało. Tak dużo informacji w krótkim czasie – wiem, wiem. Mam nadzieję, że dobrze się bawiłeś, że zobaczyłeś przed sobą nowe możliwości w bieganiu, a może też w innych dziedzinach życia.

Zanim wyjedziesz, czeka nas jeszcze jeden bieg. Niech będzie taki, jak chcesz. Jedziemy znów do Parku Narodowego Grand Teton i skręcamy w żwirową drogę prowadzącą przez porośniętą bylicą łąkę. Te krzewy to szałaty – widuje się je w starych westernach, jak wysuszone i oderwane od podłoża fruną z wiatrem główną ulicą miasteczka tuż przed wielkim pojedynkiem rewolwerowców. Istnieją naprawdę.

Wjeżdżamy na niewielki parking przy szlaku Lupine Meadow. Gigantyczna poszarpana góra przed nami wznosząca się na wysokość 4200 metrów n.p.m. to właśnie Grand Teton. Szlakiem Lupine Meadow podążają miłośnicy wspinaczki w drodze na szczyt. Niektórym udaje się to w jeden dzień. Można to zrobić nawet w trzy godziny, jeśli większość pionowego, mierzącego ponad 2100 metrów odcinka pokona się sprintem. Na górze powietrze jest dość rzadkie. Większość osób jednak planuje tę wyprawę na dwa dni. Nocują w siodle oddzielającym Middle Teton od Grand Teton i następnego dnia docierają na samą górę.

My wyruszyliśmy wystarczająco wcześnie, że jeśli chcesz, możemy zrobić to w jeden dzień. Nie patrz tak na mnie. Tylko mówię, że możemy.

Ale teraz może być to łatwiejsze niż za jakiś czas, bo góry Teton nieustannie rosną. Co sto lat mniej więcej 2,5 centymetra na skutek kolizji płyt tektonicznych. Jest takie powiedzenie, że każda duża wspinaczka zaczyna się od podstawy, ale dokładny cytat możesz sobie sprawdzić później.

Teraz naprzód. Ruszamy szlakiem i zagłębiamy się w las. Zastanawiasz się, czy nie natrafimy na kolejnego niedźwiedzia, większego niż ostatnio? Zapomniałem wprawdzie sprayu na misie, ale mam ze sobą aparat. Porobię zdjęcia. „To wcale nie jest śmieszne", mówisz z wyrzutem.

Przebiegamy przez most. Stop! Po drugiej stronie czeka na ciebie niespodzianka: Margot. Nie daj się zwieść jej niepozornemu wyglądowi. Ta matka piątki dzieci, czterdziestoletnia, filigranowa, o złotych włosach i ładnej buzi to uczestniczka najbardziej wymagających wyścigów Ironman i kilku mistrzostw świata w triatlonie. Gdy ruszymy razem pod górę, zobaczysz, że jest kobietą z żelaza.

Ponieważ przez ostatni tydzień byłeś zdany wyłącznie na mnie, pomyślałem, że przyda ci się mała odmiana i rozmowa z kimś, kto przeszedł podobny trening co ty. Jak zwykle będziemy biec i rozmawiać jednocześnie. Pierwszych kilka kilometrów jest na tyle łagodnych, że spokojnie damy radę.

Najpierw Margot opowie ci o sobie. Zaczęła biegać w St. Louis, wkrótce po urodzeniu piątego dziecka, żeby uporać się z depresją poporodową. Niedługo potem zaczęła przygotowywać się do swojego pierwszego triatlonu. Kręciła ją rywalizacja. Potem razem z rodziną przeprowadziła się do Idaho. Wielka przeprowadzka do małego miasteczka. Nowe otoczenie, nowe życie. Przygoda.

Dalej biegała, ale coraz bardziej dokuczał jej ból, zwłaszcza na górskich szlakach. Spotkała mnie, ale wkrótce potem doznała poważnej kontuzji. Zerwała więzadła w prawym stawie skokowym, co pierwszy raz przytrafiło się jej jeszcze w college'u. Konieczna była operacja. Margot nie była pewna, czy będzie jeszcze w stanie biegać, nie mówiąc o startowaniu w zawodach.

– Chciałam jednak spróbować, więc całkowicie oddałam się w ręce Erica – mówi Margot.

Przed operacją odbyliśmy kilka treningów, ale wciąż korzystała ze specjalnych wkładek i butów ortopedycznych. Wcześniej trenowała zgodnie z grafikiem, który dostała od pracownika jakiegoś sklepu sportowego w St. Louis.

Po operacji zaczęła od zera, kuśtykając o kulach.

– Zaczęliśmy od wzmacniania stóp, ćwiczeń ze slantboardem. Powoli, cierpliwie. Wiesz, że Eric uwielbia slantboard.

Na czas treningu Margot zdejmowała but ortopedyczny, a po skończonej sesji znów go wkładała. Gdy kilka miesięcy później wybrała się na pierwszą od kontuzji przebieżkę w minimalistycznych butach, poczuła, że jej stopy są stabilniejsze niż kiedykolwiek wcześniej. To była pierwsza z kilku przełomowych chwil w jej życiu.

– Potem razem z Erikiem pracowaliśmy nad moją techniką na bieżni, starając się wyeliminować nawyk overstridingu, o którym dotąd nie miałam pojęcia.

Jej wydajność podczas biegu znacznie wzrosła. Potem nadszedł czas na tworzenie strategicznego fundamentu biegowego.

– Początkowo nie byłam przekonana do pulsometru – przyznaje Margot. – Ale po kilku treningach przyzwyczaiłam się do niego.

Choć program nie był łatwy i wymagał dużej dyscypliny, różnorodność stref i urozmaicona struktura pozwalały jej czerpać z niego przyjemność. Margot czuła, że jest coraz silniejsza, szybsza, z czasem więc biegała coraz lepiej i dłużej.

– Nie było tak każdego dnia – zastrzega – ale postępy stają się widoczne gołym okiem.

Stok zaczyna się robić coraz bardziej stromy. Czujesz to w nogach, w płucach. Jest coraz ciężej, ale Margot bez większego problemu kontynuuje opowieść zza twoich pleców, motywując cię do dalszego biegu.

– Potem nagle wszystko połączyło się w całość. Poczułam to podczas przełomowego treningu, na którym biegłam z ogromną lekkością i prędkością. Jakbym frunęła w powietrzu. Czułam się wspaniale. Uwierz, to przydarzy się także tobie.

Jeśli chodzi o odżywianie i 20-dniowe odwyki, Margot przyznaje, że nie było łatwo.

– Wiem, że jestem uzależniona od cukru, ale pracuję nad tym – mówi. – Od czasu odwyku uważniej komponuję posiłki i dużo mi to daje.

Potem mówi o świadomości i treningu mentalnym ściśle powiązanym z treningiem fizycznym.

– Początkowo nie miałam żadnej świadomości. Zero. A teraz moja świadomość jest bardzo duża.

Ułożyła swoją mantrę: „Relaks. Wykonanie. Wytrwałość". Gdy tylko czuła, że zaczyna jej siadać psychika i nie wie, czy da radę kontynuować bieg albo ćwiczenie, powtarzała mantrę, rytuał i uczucie.

219

I nagle w jednej chwili wszystkie negatywne myśli znikały i była w ciągu.

Margot opowiada, że po ośmiu miesiącach od operacji wzięła udział w triatlonie i zakwalifikowała się do mistrzostw świata. Obracasz się w jej stronę, nie całkiem mogąc w to uwierzyć. Ona uśmiecha się szeroko. Mówi prawdę. Od tamtej pory nieustannie startuje w zawodach na zaawansowanym poziomie. A teraz myśli o zwróceniu się w innym kierunku. Chciałaby wykorzystać swoją sprawność i siłę do innych wyzwań. Chce przebiec trasę Rim-to-Rim-to-Rim w Wielkim Kanionie. I wejść na szczyt Grand Teton. To jej nowy Niewiarygodny Cel i dziś trenuje tutaj właśnie z jego powodu.

– Powodzenia w osiągnięciu twojego celu! – woła i macha ci ręką na pożegnanie, a potem skręca w ścieżkę prowadzącą do Surprise Lake. Jest silna i szybka. Już jej nie ma – znika między drzewami, zanim zdążysz jej podziękować.

Mam nadzieję, że spotkanie z Margot coś ci dało. Teraz zmierzamy do Garnet Canyon prowadzącego na Grand Teton. Przechodzisz do marszu. Powietrze jest coraz rzadsze. Wspiąłeś się już na 600 metrów, pokonujesz większość trasy biegiem. Dobra robota. Może później będziesz chciał podbiec kawałek, ale na razie chwilę pomaszerujemy. Tak długo, jak będziesz chciał.

Pokonujemy kilka serpentyn, z których rozciąga się wspaniały widok na Taggart Lake w dole kanionu. W oddali rozlega się ryk łosia. Gdzieś w dole trwa sezon godowy. Godzinę później docieramy do Garnet Canyon na wysokości 3000 metrów n.p.m. Po naszej lewej stronie wznosi się South Teton. Stromy klif po naszej prawej… to część góry Grand Teton, ale z naszego miejsca nie widać szczytu. Bez obaw. Jest tam, czeka, aż go zdobędziesz, gdy tylko będziesz na to gotowy. Na razie idziemy ścieżką pełną małych okrągłych kamyków, które oderwały się od zbocza góry. Pozostań w ciągu.

To tutaj chcę wygłosić wielką przemowę, zanim wyruszysz w swoją wymarzoną podróż. Nie będzie wielkich słów, ale to, co mówię, mówię z pełnym przekonaniem, czując to każdą komórką swojego ciała. Staram się żyć jak najlepiej.

Wejdźmy na tę skałę – daj rękę, podciągnę cię. Usiądź. Zobacz, jak tu cicho. To znaczy pozornie cicho, bo gdy się wsłuchasz, usłyszysz naturalne odgłosy: strumień płynący po kamieniach, wiatr, ptaki, grzmot w oddali. Nie zauważysz ich, jeśli nie uruchomisz swojej świadomości. Góry to wolność. Gór nie interesuje, jakim jesteś biegaczem – ultramaratończykiem, mistrzem na 10 000 metrów czy początkującym amatorem. Tutaj wszyscy jesteśmy tacy sami. Gór nie interesuje, jak szybko dotrzesz na szczyt.

Każdy krok na tej ścieżce – prawie 1000 metrów w górę pionowej ściany – był piękny, a wszystko wokół nieustannie się zmieniało. Po trzech kilometrach zobaczyłeś zapierające dech w piersiach jeziora. Potem skręciłeś i już ich nie było, ale oto otworzył się przed tobą kolejny widok: kanion skąpany w blasku słońca. Następna serpentyna. Potem szczyt Middle Teton zanurzony w chmurach. Nowe widoki. Nowe perspektywy. Po drodze w dół będzie tak samo.

Chcę, żebyś zapamiętał ten dzień. Zobacz, jaki czujesz się wolny, wszystko wydaje ci się wielkie, przepastne, otwarte. Wszystko jest możliwe, wszystko jest w zasięgu twojej ręki. To uczucie może do ciebie wrócić za każdym razem, gdy będziesz go potrzebował. Przyjmij je. Zapakuj je do plecaka i zabierz ze sobą, dokądkolwiek się udasz. Tworząc swój Niewiarygodny Cel, tak właśnie powinieneś się czuć. Wyobraź sobie ten dzień i chłoń to uczucie.

Gdy tak siedzimy, chcę, żebyś poczuł, jak wspaniale jest wiedzieć, że masz tę umiejętność, że potrafisz żyć swobodnie

i kształtować swoją przyszłość. Proces ten niesie ze sobą ekscytację, radość, szczęście. Zobacz, jak wspaniale i niesamowicie jest wykraczać w wyobraźni poza swoje najśmielsze granice. Na tym właśnie polega realizowanie Niewiarygodnego Celu – na kreowaniu doświadczeń i podążaniu za nimi. Każdego dnia, podczas każdego biegu możesz czuć się w ten sposób, przypominając sobie dzisiejszą wyprawę. Odtwarzaj w sobie uczucie, które ogarnęło cię teraz – niesamowite wrażenie, że jesteś w stanie zrobić absolutnie wszystko.

W tym poczuciu wolności nasz umysł bez żadnych zahamowań i osądów bada najróżniejsze możliwości. Rozumiesz, o co mi chodzi? Widzę, że tak. Jesteś tym niemal zawstydzony, ale nie krępuj się. No dalej, popuść wodze fantazji. Baw się w tworzenie swoich niewiarygodnych planów. Czerp z tego przyjemność. Na tym polega życie. Wspinaj się coraz wyżej.

Porażki wydają się niemożliwe. Widzę, jak w twojej głowie pojawia się tak wiele pozytywnych, twórczych myśli, że aż masz ochotę parsknąć śmiechem. Pójdź za nimi, zobacz, dokąd cię zaprowadzą. Dotąd to ja byłem twoim przewodnikiem, teraz pozwól, żeby poprowadziła cię góra. Zaufaj swojemu umysłowi, nie zawiedzie cię. Tutaj, w górach, nie ma żadnych myśli, jedynie nieskończenie wiele niewiarygodnych możliwości, a każda warta zbadania. Po drodze szlak będzie się zmieniał – raz będzie kamienisty, innym razem gładki, kręty lub stromy. Podejmij wyzwanie. Pamiętaj, że lęk jest potrzebny i mówi nam, że kroczymy właściwą drogą.

Już sama świadomość, że lęk się pojawi, zmniejsza siłę jego oddziaływania. Możesz zdecydować, że działasz wbrew niemu. Zobacz, jak silny jesteś dzięki temu. Nie potrzebujesz pewności siebie, bo masz świadomość. Nie potrzebujesz większej sprawności, ponieważ możesz zdecydować, że chcesz być sportowcem. Jest to pewien wybór, którego możesz teraz dokonać – na tej górze nie potrzebujesz niczego więcej. Masz wybór, żeby być dokładnie takim typem biegacza i takim człowiekiem, jakim chcesz być. Niezależnie od tego, gdzie mieszkasz, jaki zawód wykonujesz, jakie masz doświadczenie w bieganiu, snuj marzenia o tym, co niewiarygodne, poddaj się dyscyplinie wymaganej do zrealizowania tego celu i spróbuj go osiągnąć.

Ja widzę to tak: już samo dążenie do Niewiarygodnego Celu jest czymś wspaniałym. Jeśli uda ci się go osiągnąć – świetnie. Puchar ustaw na półce, medal włóż do gabloty, a zdjęcie siebie na podium opraw w ramkę. Ale osiągnięcie celu cię nie uszczęśliwi. Przynajmniej nie trwale. Odczujesz chwilowy triumf, który po jakimś czasie minie. Nawet nie jestem w stanie zliczyć w pamięci ultramaratończyków, których trenowałem i którzy po ukończeniu swoich pierwszych zawodów popadli w depresję. Wiesz dlaczego?

To wspinanie się pod górę napełnia nas radością – gdy dzień po dniu realizujesz swój plan, trzymasz się ustalonego programu. Praca nad techniką, ćwiczenia z dyskiem balansującym, zrywanie się z łóżka na zaplanowany bieg, rezygnacja z deseru, koncentracja na strachu i oswajanie lęków, odganianie myśli o sukcesie lub porażce i życie chwilą obecną, tu i teraz, bycie w ciągu – to jest prawdziwe szczęście. Gdy tego doświadczysz, zdasz sobie sprawę, jak wielką przyjemność sprawia ci ta droga pod górę – będziesz chciał tego doświadczyć jeszcze i ponownie.

Wkrótce osiągniesz jeden Niewiarygodny Cel i będziesz chciał dążyć do następnego, jeszcze większego, jeszcze bardziej niewiarygodnego, aby jeszcze raz poczuć to samo. Przestaniesz zadawać pytanie: „Czy potrafię to zrobić?", i zastąpisz je pytaniem: „Czy potrafię to zrobić dzisiaj?". A odpowiedź brzmi: tak. Tak jak Margot zrobisz to, co będzie trzeba.

Bo poddałeś się dyscyplinie. Dyscyplina zapewnia najwyższą wydajność, ale też największą wolność ze względu na uzależniającą radość, jaką wywołuje.

Już milknę. Koniec przemowy. Razem pokonujemy odcinek złożony z wielkich głazów, idąc w górę i w dół po kamieniach połączonych w gigantyczną układankę. Po drugiej stronie szlak znów się pojawia, biegnąc spiralnie w górę grzbietu położonego w cieniu Middle Teton.

Zamiast biec dalej, schylam się i piję wodę z szumiącego strumienia po naszej lewej stronie. Długo, dużymi łykami piję chłodną świeżą wodę. Idziesz w moje ślady.

Potem wstaję, stukam cię w ramię i mówię:

– Okej, dalej pobiegniesz beze mnie.

Może czujesz lekki opór, a może nieprzepartą chęć. A może i to, i to. Ruszasz, rozpoczynając własną drogę w kierunku Niewiarygodnego Celu – na szczyt Grand Teton i jeszcze dalej. Żądaj od życia tego, co niewiarygodne. Baw się. Pozostań w ciągu.

Tytuł oryginału: *The Cool Impossible*

Dział handlowy: tel. 22 360 38 41–42
               faks 22 360 38 49

Sprzedaż wysyłkowa: tel. 22 360 37 77

Redakcja: Anna Stawińska/Quendi
Korekta: Joanna Zioło
Projekt okładki: Panna Cotta
Zdjęcie na okładce © Corey Rich/Aurora Photos/Corbis
Redakcja techniczna: Mariusz Teler
Redaktor prowadząca: Agnieszka Koszałka

ISBN: 978-83-7778-770-0

Skład i łamanie: Katka, Warszawa
Druk: Białostockie Zakłady Graficzne S.A.